FAUNA SILVESTRE

Quem são e onde vivem os animais na metrópole paulistana

Coordenadores
Anelisa Ferreira de Almeida Magalhães
Marcos Kawall Vasconcellos

PREFEITURA DO MUNICÍPIO DE SÃO PAULO
SECRETARIA MUNICIPAL DO VERDE E DO MEIO AMBIENTE

SÃO PAULO - 2007

Fauna Silvestre : Quem são e onde vivem os animais na metrópole paulistana /
    Coord. Almeida, Anelisa Ferreira de e Vasconcellos, Marcos Kawall. - -
    São Paulo : Secretaria Municipal do Verde e do Meio Ambiente, 2007.
    350 p., il.

    ISBN 978-85-98140-07-0

    1. Fauna Silvestre 2. Inventário da Fauna do Município de São Paulo
3. Preservação e conservação da fauna 4. Meio ambiente urbano I. Almeida
Anelisa Ferreira de II. Vasconcellos, Marcos Kawall.

Prefeitura do Município de São Paulo - Secretaria Municipal do Verde e do Meio Ambiente

Departamento de Parques e Áreas Verdes - Divisão Técnica de Medicina Veterinária e Manejo da Fauna Silvestre

Av. IV Centenário, portão 7A (altura nº 1287) - Viveiro Manequinho Lopes - Parque Ibirapuera - São Paulo - SP - CEP 04030-090

www.prefeitura.sp.gov.br/meio_ambiente   faunasvma@prefeitura.sp.gov.br

Sumário

Capítulo I - Caracterização das Áreas Estudadas 14

Capítulo II - Anfíbios 64

Capítulo III - Répteis 104

Capítulo IV - Aves 148

Capítulo V - Mamíferos 282

Apresentação

Nós estamos em São Paulo, cidade com quase 11 milhões de habitantes, centro de uma região metropolitana de 18 milhões de habitantes. Uma das cinco maiores cidades do mundo e a maior do hemisfério sul.

No entanto, vejam que mesmo com a densa presença da espécie humana, nem sempre cuidadosa e tolerante com outras espécies vivas, nossas companheiras de presença na Terra resistem, se adaptam às novas condições do meio e sobrevivem.

Este livro/documento que reúne um trabalho de observação feito por 13 anos seguidos pelos técnicos da SVMA agora pode ser testemunha dessas vidas que dividem conosco o território da metrópole.

O século XXI é o século de uma nova consciência humana que procura equilibrar o econômico, o social e o ambiental.

Um trabalho deste tipo, enriquecido com a sensibilidade dos artistas que ilustram lindamente os dados científicos e técnicos, agora está disponível tanto para especialistas, universitários, encarregados de estudos de licenciamento de empreendimentos, quanto para crianças, jovens e adultos amantes da natureza que o encontrarão em nossas escolas, bibliotecas e outras instituições municipais.

É um estímulo para que todos os cidadãos partilhem do esforço da Prefeitura de São Paulo, que além de cuidar de seus 32 parques com 15 milhões de m² está implantando outros 20, que com os parques naturais em desapropriação na zona leste e zona sul atingirão um total de 35 milhões de m². Além disso estamos começando os parques lineares no entorno dos rios e as Reservas Particulares do Patrimônio Natural-RPPNs municipais, uma possibilidade de se ter áreas protegidas não estatais no município.

Em 2006 a SVMA firmou um compromisso com outras 20 grandes cidades membros dos Governos Locais pela Sustentabilidade-ICLEI de participar do Programa Ação Local pela Biodiversidade, que consiste no desenvolvimento coordenado de ações para melhor compreender e defender a biodiversidade em cidades de todo o mundo, seguindo orientação do encontro da ONU no Rio em 1992.

Este livro é uma contribuição deste pacto de São Paulo com a vida do nosso planeta.

Eduardo Jorge Martins Alves Sobrinho
Secretário Municipal do Verde e do Meio Ambiente

Prefácio

A publicação "*FAUNA SILVESTRE – Quem são e onde vivem os animais na metrópole paulistana*" traduz os anseios dos técnicos da Divisão de Fauna/SVMA em disponibilizar, para os cidadãos interessados na preservação da natureza, um documento que surpreende pela riqueza da fauna silvestre registrada, e que, a princípio, não se esperaria encontrar numa cidade tão urbanizada quanto a nossa.

Este livro, resultado de coletas de informações sobre a biodiversidade faunística do Município de São Paulo, realizadas de 1993 a 2005, apresenta um panorama da fauna silvestre encontrada na metrópole, que está inserida na Reserva da Biosfera da Mata Atlântica - UNESCO.

Para esta obra foram selecionadas da lista publicada "Inventário da Fauna do Município de São Paulo" (SÃO PAULO 2006), 416 espécies de vertebrados, entre aves, mamíferos, anfíbios e répteis. São 48 locais de coletas de dados a campo, incluindo Parques Municipais e Estaduais, Áreas de Mananciais e de Proteção Ambiental Municipais e Estaduais (APAs) e áreas verdes significativas. Também foram considerados os históricos de animais atendidos pela Divisão de Fauna.

Listas de fauna têm sido publicadas periodicamente no Diário Oficial do Município (SÃO PAULO, 1998, 1999, 2000 e 2006), e são rotineiramente utilizadas para consulta, em ações de conservação da biodiversidade, pesquisas e em laudos de impacto ambiental. Essas informações, coletadas e formatadas ao longo destes anos, inspiraram os autores a elaborar uma publicação mais abrangente, com comentários a respeito da biologia e distribuição das espécies, mapas de ocorrência na cidade, além de belas imagens e desenhos do conceituado ilustrador naturalista Tomas Sigrist.

Há de se ressaltar a valiosa colaboração de toda equipe da Divisão de Fauna no apoio às publicações já realizadas e as que estão por vir.

Hilda Cintra Franco

Créditos

Livro "FAUNA SILVESTRE – Quem são e onde vivem os animais na metrópole paulistana" - 2007

Prefeito do Município de São Paulo

Gilberto Kassab

Secretário Municipal do Verde e do Meio Ambiente

Eduardo Jorge Martins Alves Sobrinho

Diretora do Departamento de Parques e Áreas Verdes

Célia Seri Kawai

Diretora da Divisão Técnica de Medicina Veterinária e Manejo da Fauna Silvestre

Vilma Clarice Geraldi

Coordenadores

Anelisa Ferreira de Almeida Magalhães

Marcos Kawall Vasconcellos

Prefácio

Hilda Cintra Franco

Caracterização das Áreas Estudadas

Ana Maria Brischi

Estudo espacializado de padrões de vegetação e uso do solo

Marcos Kawall Vasconcellos

Ricardo José Francischetti Garcia

Anfíbios

Leo R. Malagoli

Répteis

Rosanna Gualdieri Quagliuolo Benesi

Aves

Anelisa Ferreira de Almeida Magalhães

Relatos de aves silvestres recuperadas e monitoradas em área de soltura

Maria Amélia Santos de Carvalho

Mamíferos

Anelisa Ferreira de Almeida Magalhães

Ilustrações

Tomas Sigrist

Mapas / Geoprocessamento

Marcos Kawall Vasconcellos

Fotografias

Marcos Kawall Vasconcellos

Leo R. Malagoli (anfíbios)

Samuel Betkowski (serpentes, morcegos)

Gloria Jafet – Zôo/SP (felinos)

Anelisa Ferreira de Almeida Magalhães (mão-pelada)

Legendas

Maria Marcina Picelli Vicentim

Ricardo José Francischetti Garcia

Projeto Gráfico

Ricardo Sigrist - Avis Brasilis

Marcos Kawall Vasconcellos

Diagramação

Ricardo Sigrist - Avis Brasilis

César Moraes - Avis Brasilis

Julio C. Sigrist - Avis Brasilis

Projeto Editorial

Marcos Kawall Vasconcellos

Anelisa Ferreira de Almeida Magalhães

Revisão

Maria Marcina Picelli Vicentim

Maria Eugênia Laurito Summa

Revisão Final

Monica C. Ribeiro

CTP, Impressão e Acabamento

Imprensa Oficial do Estado de São Paulo

Coordenação Editorial

Mônica C. Ribeiro

Coordenação de Arte

Silvia Costa Glueck

Apoio

PNUMA-Programa das Nações Unidas para o Meio Ambiente

Agradecimentos

Zoológico de São Paulo

João Cruz

José Luiz Catão Dias

Instituto Butantan

Marcelo Ribeiro Duarte

Wilson Fernandes

Marília de Camargo Barros

Marisa Maria Teixeira da Rocha

Centro de Documentação Técnica - SVMA

Eveline Brasileiro Leal

Ivany de Paula

Coordenação de Planejamento - SVMA

Flávio Laurenza Fatigati

Núcleo Descentralizado Oeste - SVMA

Gérsio Garbim

Herbário Municipal - SVMA

Graça Maria P. Ferreira

Laboratório de Herpetologia - Departamento de Zoologia do Instituto de Biociências da UNESP de Rio Claro

Célio F. B. Haddad

Núcleo Curucutu do Parque Estadual da Serra do Mar - IF

Maurício Alonso

Thales Schmidt

Valder Soares do Nascimento

Faculdade de Medicina Veterinária e Zootecnia - USP

Elza Maria Rosa Bernado Faquim

Divisão Técnica de Paisagismo (DEPAVE 1/SVMA)

José Francisco de Almeida Neto

Stefano Augusto Ferreira

Hermes Roque Barnabé

Estagiários colaboradores

Tatiana Fantim Furlan

Priscila Ferreira M. dos Santos

Estagiários de Apoio

Rudy Ian Bartman Rizzo

Andréa Silvia Borin

Silvana Jimenez da Cruz

Créditos

Publicação "Inventário da Fauna do Município de São Paulo" – DOC 2006

Prefeito do Município de São Paulo

Gilberto Kassab

Secretário Municipal do Verde e do Meio Ambiente

Eduardo Jorge Martins Alves Sobrinho

Diretora do Departamento de Parques e Áreas Verdes

Célia Seri Kawai

Diretora da Divisão Técnica de Medicina Veterinária e Manejo da Fauna Silvestre

Vilma Clarice Geraldi

Coordenadora do Projeto Inventariamento Faunístico em Áreas Verdes do Município de São Paulo

Anelisa Ferreira de Almeida Magalhães

Equipe Técnica Executora

Anelisa Ferreira de Almeida Magalhães, Dra.
Brígida Gomes Fries, MsC.
Maria Amélia Santos de Carvalho, MsC.
Maria Eugênia Laurito Summa, Méd. Vet.
Rosanna Gualdieri Quagliuolo Benesi, MsC.
Sumiko Namba, Biol.
Vincent Kurt Lo, Biol.[1]

Equipe Técnica de Apoio

Adriana Marques Joppert da Silva, Dra.
Aline Maria Augusto da Silva Florio, MsC.
Ana Maria Brischi, MsC.
Ana Candida de Arruda Simões Cardoso, Méd. Vet.[2]
Ângela Maria Branco, Méd. Vet.[2]
Ângela Maria Herrera, Nut.[2]
Antonieta Rosa Bauab, Méd. Vet.
Célia Maria de Almeida, Nut.[2]
Celso Marcos Silva, Biol.[2]
Creuza Regina Favaretto, Biol.[1]
Dafne do Valle Dutra de Andrade Neves, Méd. Vet.
Edna Antonia da Silva, Biol.[2]
Eliane Aparecida Plácido Recco, Biol.[2]
Frances White Rossi, Méd. Vet.
Gersio Garbim, Méd. Vet.[2]
Gilda Bulka, Méd. Vet.[4]
Inajá Mendes Bica, Méd. Vet.[2]
Hilda Cintra Franco, Méd. Vet.
Hiroi Ogata, Biol.
Joana D'Arc Pereira Mura, Nutric.
Leila Weiss de Almeida Pedrosa, Biol.[1]
Linda Lacerda da Silva, Biol.[1]
Lucila Maria Castro de Toledo, Méd. Vet.
Maria Cleide Ferraz Cassiolato, Assist. Téc.
Márcia Plazio, Méd. Vet.[2]
Maria Marcina Picelli Vicentim, Dra.

Márcio Corrado, Méd. Vet.[2]

Marcos Antônio Rizzo, Méd. Vet.

Marcos Kawall Vasconcellos, Méd. Vet.

Maria Cecília Vicari, Méd. Vet.[4]

Nilton Fidalgo Peres, Méd. Vet.

Ruth Noda, Méd. Vet.[3]

Regina Cláudia Stroebel, Med.Vet.

Rosane Guimarães Romano, Med. Vet.

Silvana Schirmer, Biol.[2]

Silvia Helena Bonametti, Med. Vet.

Sonia Maria Amorim, Biol.

Sonia Maria Gibello Gatti Marins, Med. Vet.[3]

Suzete Contrera de Moura Pedro, Med. Vet.[2]

Teresa de Lourdes Cavalheiro, Biol. [2]

Vera Maria Rolim de Oliveira, Med. Vet.

Vilma Clarice Geraldi, Med. Vet.

Estagiários de biologia - executores

Adriana Akemi Kamiy, Biol.[1]

Adriano F. Ogera, Biol.[1]

Alex Martins dos Santos, Biol.[1]

André Luís Lamanna, Biol.[1]

Antonieta Ficucella, Biol.[1]

Camila Castanho Sant'Ana, Biol.[1]

Fábio Luiz Vasconcellos, Biol.[1]

Fábio Schunck Pires Gomes, Biol.[1]

Felipe Ignácio Jacinto, Biol.[1]

Juliana Laurito Summa, Biol.[1]

Leo R. Malagoli, Biol.[1]

Marina Somenzoni, Biol.[1]

Marcos Azevedo, Biol.[1]

Priscilla Romano, Biol.[1]

Raufling Lincoln Domingues Prado Carloto Junior, Biol.

Renata Maria Amodeo Mourão[1]

Ricardo Pennino[1]

Rudá Feliciano Araújo [1]

Soraya Pieroni, Biol.[1]

Estagiários de biologia – apoio

Camila Squarzoni Dale, Biol.[1]

Cinthia Masumoto, Biol.[1]

Daniel Martins, Biol.[1]

Érika Toito, Biol.[1]

Fábio Ricardo Souza Romano, Biol.[1]

Giuliano Chieco Ribeiro, Biol.[1]

Isabella Faro de Oliveira Santos, Biol.[1]

Mark Petroff, Biol.[1]

Ramiro de Souza Fidalgo, Biol.[1]

Rodrigo Alves Escudeiro Giovanetti, Biol.[1]

Samantha de la Bella, Biol.[1]

Legenda:

1 não pertence mais aos quadros da PMSP

2 encontra-se prestando serviço em outra unidade

3 funcionário aposentado

4 in memorium

Revisores das listas

José Luis Birindeli, Biol., Laboratório de Ictiologia, Museu de Zoologia da USP

Luis Fábio Silveira, Dr., Ornitologia, Curador, Museu de Zoologia, USP

Miriam Mattos Sodré, Biol., Setor de Quirópteros, Gerência de Controle de Zoonoses

Mario de Vivo, Dr., Mastozoologia, Docente e Curador, Museu de Zoologia , USP

Otávio Augusto Vuolo Marques, Dr., Herpetologia, Instituto Butantan, USP

Vanessa Kruth Verdade, Dra., Museu de Zoologia, USP

Colaboradores de outras instituições

Luís Fábio Silveira, Dr., Depto. Zoologia, Instituto de Ciências Biológicas, USP

Mário de Vivo, Dr. e curador da Seção de Mamíferos, Museu de Zoologia, USP

Augusto S. Abe, Prof. Dr, Seção de Répteis, Departamento de Zoologia, Universidade Estadual Paulista Júlio de Mesquita Filho (Unesp)

Akemi Suzuki, Biol, Seção de Virus, Instituto Adolpho Lutz, Secretaria do Estado da Saúde

Rogério Rossi, Caroline Cotrin Aires, MsC., Doutoranda, Seção de Mamíferos, Museu de Zoologia, USP

Giuseppe Puorto, Biol, Instituto Butantan, USP

Elmar Pequeno Monteiro, Biol., Escritório Regional do Grajaú, Companhia de Saneamento Básico do Estado de São Paulo (Sabesp)

Luciana Hardt Gomes, Med. Vet., Divisão de Controle da Raiva, Gerência de Controle de Zoonoses, Secretaria Municipal da Saúde

Luis Eloy Pereira, Biol., Seção de Vírus, Instituto Adolpho Lutz, Secretaria do Estado da Saúde

Miguel Trefault Urbano Rodrigues, Dr., Departamento de Zoologia, Instituto de Biologia, USP

Necira M. dos Santos Hermani, Med. Vet., Divisão de Controle da Raiva, Gerência de Controle de Zoonoses, Secretaria Municipal da Saúde

Renato Pereira e Souza, Med. Vet., Seção de Vírus, Instituto Adolpho Lutz, Secretaria do Estado da Saúde

Rogério Vieira Rossi, MsC., Doutorando, Mastozoologia, Museu de Zoologia da USP

Miriam Mattos Sodré, Biol., Setor de Quirópteros, Gerência de Controle de Zoonoses, CCZ/PMSP

Adriana Ruckert da Rosa, Biol., Gêrencia de Controle de Zoonoses, Setor de Quirópteros

Agentes de apoio João do Espírito Santo e Elias da Silva Couto, Gêrencia de Controle de Zoonoses, Setor de Quirópteros

Agradecimentos

Sr. Aurélio, por ceder sua propriedade para os estudos a campo.

Cybele de Oliveira Araújo, MsC., pelo levantamento de anfíbios anuros no Parque Anhanguera

Fernando C. Straube, Dr., pela orientação na definição do endemismo da avifauna

Geraldo Guilherme José Eysint, Biol. e Marcelo Pires Costa, Dr., pela identificação das espécies de peixes enquanto trabalhando no Setor de Ictiologia e Bioensaios com Organismos Aquáticos do Departamento de Análises Hidrobiológicas da Companhia de Tecnologia de Saneamento Ambiental (Cetesb)

Hélio Ferraz de Almeida Camargo, Dr.[4], pelo auxilio na identificação de espécies de aves no início dos trabalhos da Divisão de Fauna

Jaime Aparecido Bertolucci, Dr., Departamento de Zoologia, Universidade Federal de Minas Gerais, (UFMG), pela orientação durante o levantamento da anurofauna no Parque Anhanguera

Jorge Yassuda, Eng. Mec. e Osmar Luiz Costa, Eng. Agron., Departamento de Águas e Energia Elétrica da Secretaria Estadual de Recursos Hídricos, Saneamento e Obras, pelo apoio ao levantamento de aves no Parque Villa Lobos

Luiz Sanfilippo, Biol., pela colaboração na identificação de espécimes de aves

Marcos Azevedo, Biol., pela cessão dos dados da fauna do Clube de Campo São Paulo

Maurício Alonso, Eng. Florestal, Gerente do Núcleo Curucutu, Parque Estadual da Serra do Mar, pela logística nos trabalhos de campo

Vincent Kurt Lo, Biol., um dos pioneiros da Divisão de Fauna, pela colaboração atual como Analista

William Hering, Sr., Proprietário da Fazenda Castanheiras, pelo apoio e logística nos trabalhos de campo

Srs.(as) Diretores(as) do Setor de Ecossistemas, Instituto Brasileiro do Meio Ambiente e Recursos Naturais Renováveis (Ibama), e demais funcionários, pelo apoio e liberação das licenças de coleta durante o período de estudo

Srs.(as) Secretários(as) da SVMA e Diretores(as) do Depave, que exerceram as referidas funções durante o período de 1993 a 2005, pelo apoio, e a todos os demais funcionários da SVMA e de empresas contratadas, inclusive os motoristas, que tornaram possível a realização deste estudo.

Plano esquemático das Pranchas

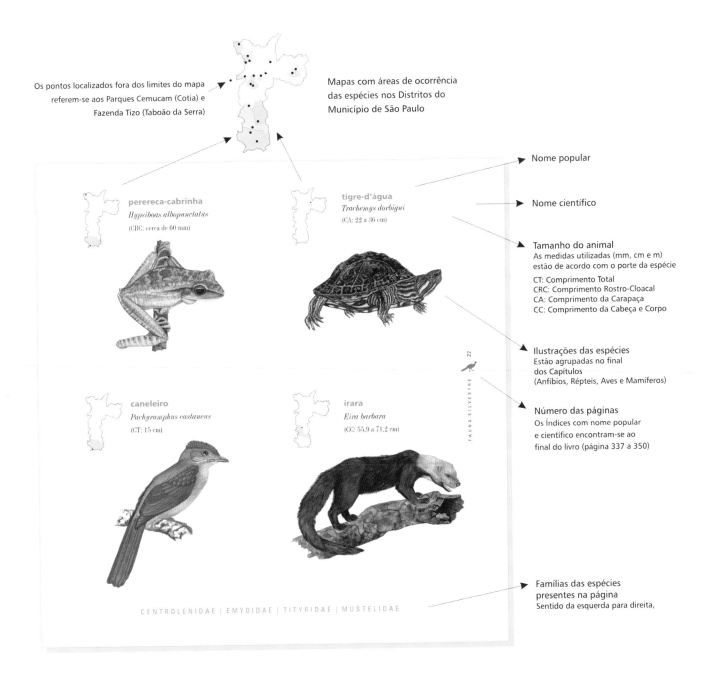

Os pontos localizados fora dos limites do mapa referem-se aos Parques Cemucam (Cotia) e Fazenda Tizo (Taboão da Serra)

Mapas com áreas de ocorrência das espécies nos Distritos do Município de São Paulo

Nome popular

Nome científico

Tamanho do animal
As medidas utilizadas (mm, cm e m) estão de acordo com o porte da espécie

CT: Comprimento Total
CRC: Comprimento Rostro-Cloacal
CA: Comprimento da Carapaça
CC: Comprimento da Cabeça e Corpo

Ilustrações das espécies
Estão agrupadas no final
dos Capítulos
(Anfíbios, Répteis, Aves e Mamíferos)

Número das páginas
Os Índices com nome popular
e científico encontram-se ao
final do livro (página 337 a 350)

pererica-cabrinha
Hypsiboas albopunctatus
(CRC: cerca de 60 mm)

tigre-d'água
Trachemys dorbigni
(CA: 22 a 36 cm)

caneleiro
Pachyramphus castaneus
(CT: 15 cm)

irara
Eira barbara
(CC: 55,9 a 71,2 cm)

FAUNA SILVESTRE   22

CENTROLENIDAE | EMYDIDAE | TITYRIDAE | MUSTELIDAE

**Famílias das espécies
presentes na página**
Sentido da esquerda para direita,

ÁREAS ESTUDADAS

CAPÍTULO 1

Caracterização das áreas estudadas

Ana Maria Brischi

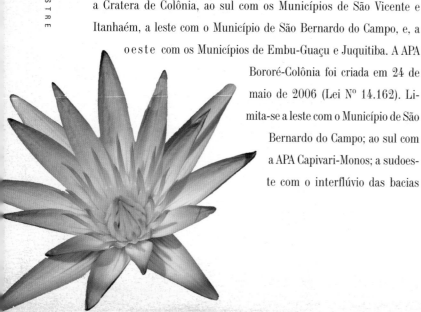

A Região Metropolitana de São Paulo encontra-se na região ecológica Sudeste do Estado de São Paulo, compreendida pelo Complexo Cristalino e Vale do Paraíba, e é coberta predominantemente pela Floresta Ombrófila Densa (BARBOSA; MARTINS, 2003). São Paulo localiza-se na Bacia Hidrográfica do Alto Tietê, e é, nessa região, o município com maior área de vegetação remanescente (32.128 ha, 21,3% de sua superfície) (SÃO PAULO, 2005). Apesar da intensa transformação no uso do solo, destacam-se áreas com vegetação nativa na região norte do Município, nos Parques Estaduais da Cantareira e do Jaraguá, e no Parque Anhanguera; a leste, foram preservados fragmentos nas Áreas de Proteção Ambiental (APAs) do Carmo e Iguatemi (GARCIA, 1995); no extremo sul, remanescentes estão preservados no Parque Estadual da Serra do Mar, e nas APAs Municipais do Capivari-Monos e Bororé-Colônia, localizadas na Região Administrativa de Parelheiros, totalmente inseridas na Área de Proteção aos Mananciais. A APA Capivari-Monos limita-se ao norte pelo Ribeirão Vermelho e com a Cratera de Colônia, ao sul com os Municípios de São Vicente e Itanhaém, a leste com o Município de São Bernardo do Campo, e, a oeste com os Municípios de Embu-Guaçu e Juquitiba. A APA Bororé-Colônia foi criada em 24 de maio de 2006 (Lei Nº 14.162). Limita-se a leste com o Município de São Bernardo do Campo; ao sul com a APA Capivari-Monos; a sudoeste com o interflúvio das bacias hidrográficas das Represas Billings e Guarapiranga; a oeste com o Rio Parelheiros (ou Caulim) e, ao norte, com a área urbana de São Paulo.

Segundo o Atlas Ambiental do Município de S. Paulo (SÃO PAULO, 2004a), cerca de 75% da vegetação nativa do Município concentra-se em apenas quatro regiões administrativas: Capela do Socorro e Campo Limpo, ao sul, e Jaçanã-Tremembé e Perus, ao norte. A soma da área desmatada em dez distritos – Jardim Ângela, Parelheiros e Grajaú, na Zona Sul; Tremembé, Perus, Anhanguera e Jaraguá, na Zona Norte, e Iguatemi, Cidade Tiradentes e São Rafael, na Zona Leste – representou 56% do total perdido entre 1991 e 2000. Assim, o avanço da mancha urbana sobre a área rural do Município compromete áreas de proteção aos mananciais na Zona Sul, aproxima-se perigosamente dos Parques da Cantareira, do Jaraguá e Anhanguera, na Zona Norte, e provoca o isolamento dos fragmentos existentes na APA do Carmo.

A Região Metropolitana de São Paulo encontra-se na Reserva da Biosfera da Mata Atlântica, reconhecida pelo programa MaB (Man and Biosphere) da UNESCO entre 1991 e 1993 (SÃO PAULO, 1998a).

Exemplar de sapopemba (*Sloanea* sp.) em fragmento de mata no Distrito de Marsilac, sul do Município de São Paulo.

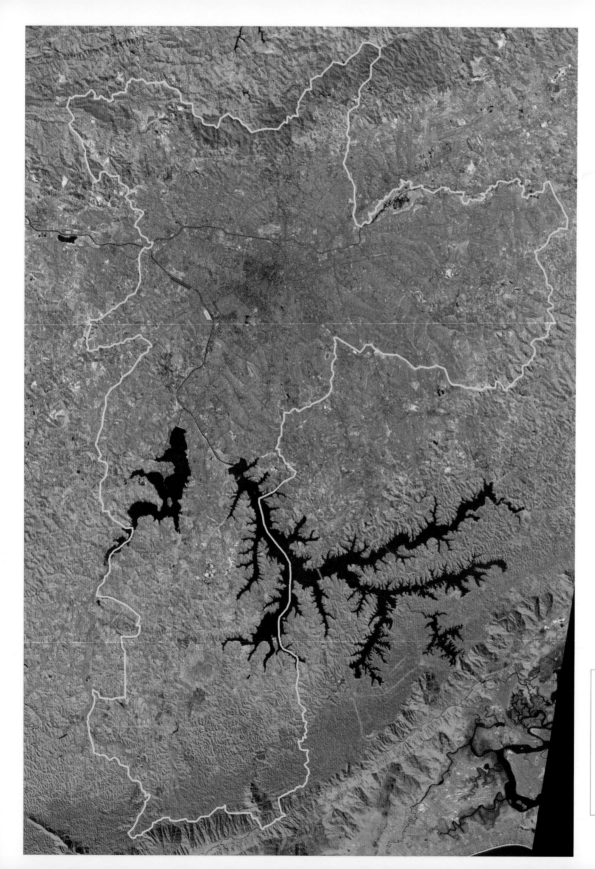

Mapa com os
limites do Município
de São Paulo

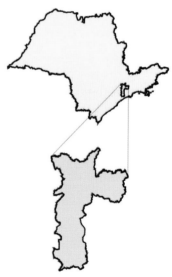

LEGENDA

Limites do Município de São Paulo

N

0   5   10 km

Imagem de satélite do Landsat 7 (RGB 543)
obtida em 30/4/2000 - Acervo: SVMA / PMSP

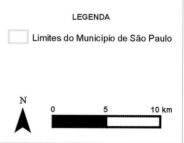

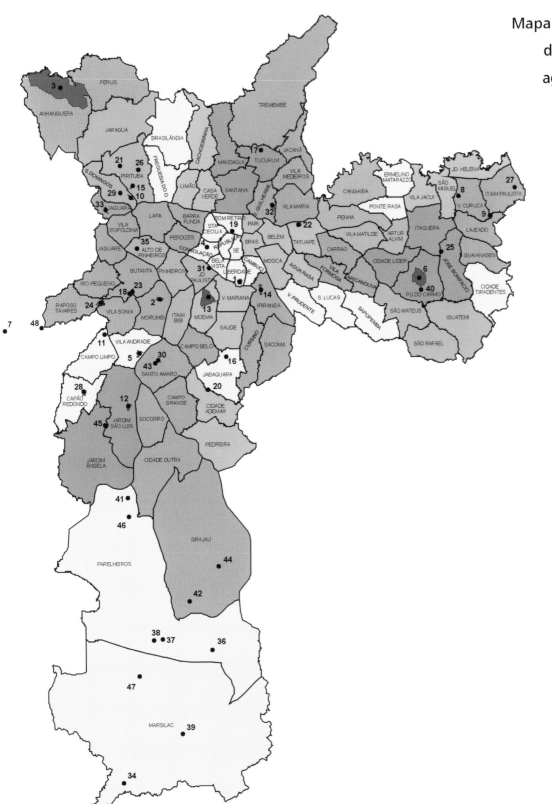

Mapa das áreas de inventariamento da fauna silvestre nos Distritos, agrupados por Sub-prefeituras, do Município de São Paulo

LEGENDA

1-Parque Aclimação
2-Parque Alfredo Volpi
3-Parque Anhanguera
4-Parque Buenos Aires
5-Parque Burle Marx e Arredores
6-Parque do Carmo
7-Centro Mun.Campismo-CEMUCAM (Cotia)
8-Parque Chácara das Flores
9-Parque Chico Mendes
10-Parque Cidade de Toronto
11-Parque dos Eucaliptos
12-Parque Guarapiranga
13-Parque Ibirapuera
14-Parque Independência
15-Parque Jardim Felicidade
16-Parque Lina e Paulo Raia
17-Parque Lions Club Tucuruvi
18-Parque Luis Carlos Prestes
19-Parque da Luz
20-Parque Nabuco
21-Parque Pinheirinho D´água (em implantação)
22-Parque Piqueri e Arredores
23-Parque Previdência
24-Parque Raposo Tavares
25-Parque Raul Seixas
26-Parque Rodrigo de Gaspari
27-Parque Santa Amélia
28-Parque Santo Dias e Arredores
29-Parque São Domingos
30-Parque Severo Gomes
31-Parque Tem. Siqueira Campos
32-Parque Vila Guilherme
33-Parque Vila dos Remédios
34-Núc. Curucutu do Pq. Est. Serra do Mar
35-Parque Villa Lobos - Estadual
36-Clube Campestre de São Paulo
37-Condomínio Vargem Grande - Cratera
38-Estrada da Vargem Grande
39-Faz. Capivari (SABESP) e Arredores
40-APA do Carmo
41-Clube da Varig
42-Clube de Campo São Paulo
43-Clube Hípico de Santo Amaro
44-Fazenda Castanheira
45-Jardim Herculano e arredores
46-Sítio Margarida
47-Sítio Bordin
48-Fazenda Tizo

N

0   5   10 km

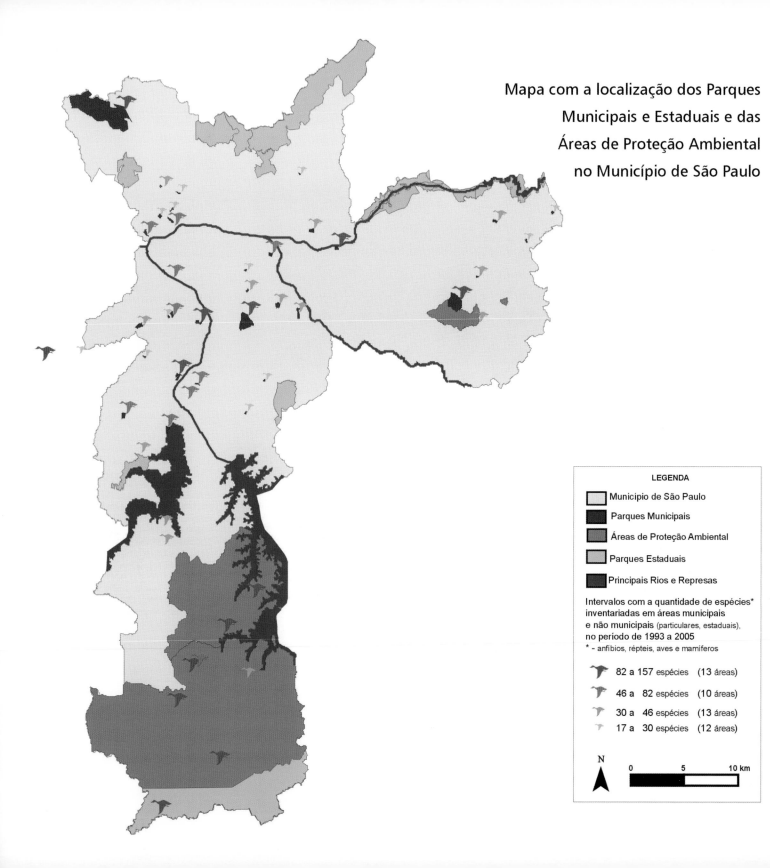

Mapa com a localização dos Parques
Municipais e Estaduais e das
Áreas de Proteção Ambiental
no Município de São Paulo

LEGENDA

Município de São Paulo

Parques Municipais

Áreas de Proteção Ambiental

Parques Estaduais

Principais Rios e Represas

Intervalos com a quantidade de espécies*
inventariadas em áreas municipais
e não municipais (particulares, estaduais),
no período de 1993 a 2005
* - anfíbios, répteis, aves e mamíferos

82 a 157 espécies   (13 áreas)

46 a 82 espécies   (10 áreas)

30 a 46 espécies   (13 áreas)

17 a 30 espécies   (12 áreas)

N

0   5   10 km

O inventariamento da fauna do Município de São Paulo vem sendo realizado desde 1993 em 48 áreas que abrangem 33 Parques Municipais, três APAs (Carmo, estadual, e Capivari-Monos e Bororé-Colônia, municipais, em sete localidades), três Parques Estaduais e três áreas verdes significativas, particulares. São elas:

Parques Municipais – Aclimação, Alfredo Volpi, Anhanguera, Buenos Aires, Burle Marx, Carmo, CEMUCAM, Chácara das Flores, Chico Mendes, Cidade de Toronto, Eucaliptos, Guarapiranga, Ibirapuera, Independência, Jardim Felicidade, Jardim Herculano, Lina e Paulo Raia, Lions Clube Tucuruvi, Luiz Carlos Prestes, Luz, Nabuco, Pinheirinho D'Água, Piqueri, Previdência, Raposo Tavares, Raul Seixas, Rodrigo de Gasperi, Santa Amélia, Santo Dias, São Domingos, Severo Gomes, Ten. Siqueira Campos, Vila Guilherme e Vila dos Remédios.

APA do Carmo (Estadual)

APA Municipal Capivari-Monos – Clube Campestre de São Paulo, Condomínio Vargem Grande – Estrada da Colônia (Cratera), Estrada da Vargem Grande (Cratera), Fazenda Capivari da Companhia de Saneamento Básico do Estado de São Paulo – SABESP, Sítio Bordin.

APA Municipal Bororé-Itaim - Fazenda Castanheiras, Clube de Campo São Paulo.

Parques Estaduais – Núcleo Curucutu do Parque Estadual da Serra do Mar, Parque Estadual Fazenda TIZO (Terreno Institucional da Zona Oeste), Parque Villa-Lobos.

Áreas verdes significativas, particulares – Clube da Varig, Clube Hípico de Santo Amaro, Sítio Margarida.

Na tabela (pág. 49) estão discriminadas as 48 áreas estudadas, com informações sobre tamanho da área, localização por Distrito, data da inauguração (para os Parques), tipo de ambiente e classificação quanto à entrada de insolação (fechado, semi-aberto, aberto), presença ou não de corpos d'água e número de espécies animais registradas até junho de 2006.

São consideradas áreas antrópicas aquelas com bosques implantados (mesmo com espécies nativas, como ocorre no Parque Independência, por exemplo), pomares, jardins, gramados e campos ocupados por ruderais, seguindo a classificação do Atlas Ambiental do Município de São Paulo (2004a). A classificação dos tipos de vegetação, particularmente florestas, segue o padrão do IBGE (1992). Várias informações sobre os Parques Municipais foram fornecidas pela Divisão Técnica de Paisagismo (Depave-1), que também permitiu a consulta de seus arquivos. Informações sobre a vegetação de diversas áreas foram obtidas junto ao Herbário Municipal, com a colaboração dos Biólogos Graça Maria P. Ferreira e Dr. Ricardo José Francischetti Garcia.

Ao centro, faixa de capoeira, que ocorre também na borda da Cratera de Colônia. A área plana é ocupada predominantemente pela várzea.

Parques Municipais

Os Parques Municipais recobertos por parcelas significativas da Floresta Ombrófila Densa são 14: Alfredo Volpi (ARAGAKI, 1997), Anhangüera, Carmo, Centro Municipal de Campismo (Cemucam) (OGATA, 1997; OGATA, GOMES, 2006), Chico Mendes, Guarapiranga, Jardim Herculano, Luis Carlos Prestes, Pinheirinho D'Água, Previdência, Santo Dias (GARCIA, 1995; GARCIA; PIRANI, 2001), Severo Gomes (GUTZ-ROSSI, 2006), Siqueira Campos e Vila dos Remédios, segundo o Atlas Ambiental do Município de S. Paulo (2004a).

Existem lagos ou córregos, ou outros corpos d'água, com flora e fauna associados, nos Parques da Aclimação, Alfredo Volpi, Anhanguera, Burle Marx, Carmo, Chácara das Flores, Chico Mendes, Cidade de Toronto, Guarapiranga, Ibirapuera, Jardim Felicidade, Jardim Herculano, Luz, Pinheirinho D'Água, Piqueri, Raul Seixas, Santo Dias, São Domingos, Severo Gomes, Vila Guilherme e Vila dos Remédios. Nos Parques Nabuco e Previdência existem espelhos d'água artificiais, com peixes ornamentais e aves domésticas, eventualmente visitados por animais silvestres, em busca de água e alimento. As fontes e chafarizes do Parque Independência têm função essencialmente paisagística no local.

A seguir, apresentamos uma breve descrição e alguns aspectos históricos de cada parque estudado.

Parque da Aclimação

Fundado em 1892, na propriedade de Carlos Botelho. Foi implantado antes do parcelamento da área que daria origem ao bairro da Aclimação, e surgiu como local de criação de gado. Na década de 1920 foi construído seu grande lago, que permitia uma série de atividades de recreação. O parque abrigava inclusive um zoológico. Foi comprado pela Prefeitura em 1939. Nele observam-se renques de figueiras (*Ficus microcarpa*) e maciços de tamareiras (*Phoenix* spp.) (KLIASS, 1993). Atualmente ocupa uma área de 112.200m², recoberta predominantemente por um bosque de eucaliptos, e árvores ornamentais, como jacarandás-mimosos (*Jacaranda mimosifolia*), eritrinas (*Erythrina speciosa*) e paineiras (*Ceiba speciosa*) (CPHN, 1985-88). Segundo a Resolução Nº42 (05/10/86) da Secretaria do Estado da Cultura, o Parque da Aclimação é área de "relevante interesse para o patrimônio ambiental urbano" (SÃO PAULO, 1998a).

Parque Alfredo Volpi

Ocupa a área de 142.400 m². Foi criado em 2 de abril de 1971 (CPHN, 1985-88), e é um remanescente da área verde de loteamento de 1949, que preservou o capão de mata da gleba. Apresenta relevo de declividade acentuada formando um pequeno vale, onde existem pequenos lagos. Toda área é recoberta por denso bosque de passuarés (*Sclerolobium denudatum*), além de canelas, angicos, copaíbas (*Copaifera langsdorffii*) e camboatás (*Cupania* spp.) (KLIASS, 1993). Aragaki (1997) fez o levantamento florístico do parque, inventariando 170 espécies arbóreo-arbustivas, distribuídas em 114 gêneros e 49 famílias, a mais abundante sendo Rubiaceae (18), seguida por Fabaceae (17), Lauraceae (15), Myrtaceae (14) e Melastomataceae (10). Aproximadamente 46,5% das espécies são de ocorrência tanto na Floresta Ombrófila Densa quanto na Estacional Semidecidual.

Em primeiro plano o Lago do Parque Ibirapuera e ao fundo, à esquerda, a presença de eucaliptos nos limites com a área urbana.

Parque Anhanguera

Com 9.500.000 m² de área, situa-se entre os quilômetros 25 e 29 da Rodovia Anhanguera, tendo como limites os municípios de Cajamar e Caieiras. Eucaliptos ocupam 39% da área, plantados pelo Grupo Abdala para comercialização até 1964. Após essa data, o Governo Federal cedeu o terreno à Prefeitura de São Paulo, que utilizou os eucaliptos até 1983 para fabricação de papel (CPHN, 1985-88). Além de eucaliptos e *Pinus* sp., existem espécies nativas da flora em remanescentes de vegetação ripária. O Parque foi oficialmente criado em julho de 1979. Um plano de recomposição que pretendia substituir gradualmente, por espécies autóctones, o eucaliptal, foi implantado nessa época. Atualmente, pode-se observar que espécies nativas formaram um variado sub-bosque sob os eucaliptos. O Parque encontra-se próximo a duas zonas núcleos da Reserva da Biosfera do Cinturão Verde do Estado de São Paulo, a Serra da Cantareira, distando 5 km, e a Serra do Japi, distando 20 km.

Parque Buenos Aires

Foi implementado em 1917, como praça, em lotes adquiridos pela Prefeitura, após o estabelecimento do Bairro de Higienópolis. O bairro foi formado por lotes grandes para a época, arborizados e dotados de benfeitorias públicas (KLIASS, 1993). A praça, arborizada e gramada, permitia preservar a vista sobre o Vale do Pacaembu, mas, atualmente, no entorno, os edifícios acabaram se configurando em fechamentos verticais. A praça foi cercada e denominada parque em dezembro de 1987. Possui área de 25.000 m² (MACEDO; SAKATA, 2002).

Parque Burle Marx

Foi implementado em gleba da antiga Chácara Tangará, que possuía área total de 480.000 m², localizada entre a Av. Marginal Esquerda do Rio Pinheiros e a Estrada do Morumbi. Por ocasião do loteamento, 138.279,22 m² foram doados como área verde à municipalidade. Segundo parecer do Prof. Hermógenes de Freitas Leitão Filho, de 1989, a vegetação original da Chácara Tangará era constituída por área considerável de bosque de eucaliptos, com vegetação secundária composta por açoita-cavalo (*Luehea* sp.), candeias (*Gochnatia* spp.), embaúbas (*Cecropia* spp.), crindiúva (*Trema micrantha*), cuvitinga (*Solanum granuloso-leprosum*), quaresmeiras e manacás (*Tibouchina* spp.). Ao longo de áreas com maior declividade, ocorriam exemplares dos gêneros *Ocotea* (canelas), *Dalbergia* (jacarandá), *Machaerium* (bico-de-pato), *Miconia* (cabuçu), *Tabebuia* (ipês), *Euterpe* (palmiteiro), *Syagrus* (jerivá) e *Schizolobium* (guapuruvu). O Parque Burle Marx foi criado pelo Decreto 35.537 de setembro de 1995, e incorporou a área ocupada pela residência Francisco Pignatari, com jardins que foram projetados em 1956 por Roberto Burle Marx. Inacabados, foram reformulados em 1995. Apresenta espelho d'água (lago), jardim com ripado, gramado e remanescente de mata (MACEDO; SAKATA, 2002). Neste destacam-se, em meio à vegetação, palmiteiros (*Euterpe edulis*) com mais de 10 metros, entre outras espécies.

Parque do Carmo

Inaugurado em setembro de 1976, foi instalado nas antigas terras desapropriadas da Fazenda do Carmo, ocupando uma área de 1.500.359m². Oscar Americano comprou essas terras em 1951 de Bento Pires de Campos, que adquiriu parte da área da Fazenda Caaguassu, da Província Carmelita Fluminense (Terceira Ordem do Carmo), em 1919, iniciando um loteamento de chácaras. Na área do Parque as inúmeras nascentes foram represadas, formando um grande lago, com 15.000 m² de superfície. Predominam áreas gramadas nas vertentes e na beira do lago e capoeiras ao longo das linhas de drenagem, destacando-se tapiás (*Alchornea* spp.), embaúbas (*Cecropia* spp.), camboatás (*Cupania* spp.), manacás-da-serra (*Tibouchina* spp.), paus-jacarés (*Piptadenia gonoacantha*), angicos, além de Fabaceae, Myrtaceae, Rutaceae, Euphorbiaceae, Lauraceae e Apocynaceae. Pequeno vale na porção oeste é ocupado por reflorestamento de eucaliptos. Também foram plantadas árvores ornamentais e foi criado o "Jardim das Cerejeiras", com plantio homogêneo de cerejeiras floríferas, por influência da Colônia Nipônica, residente desde 1925 na região (KLIASS, 1993; SÃO PAULO, 1988).

Vegetação tipo parque: árvores
espaçadas, entremeadas por
gramados. Destaca-se a floração
da paineira (*Ceiba speciosa*).
CEMUCAM, Cotia.

Centro Municipal de Campismo (CEMUCAM)

Localiza-se no quilômetro 24,5 da Rodovia Raposo Tavares e tem uma área de 484.000 m², coberta por gramados, bosques e matas. Se for computada a área do Viveiro Municipal, alcança-se a área total de 904.691 m². Resultado de uma permuta entre a COHAB - antiga proprietária do terreno - e a Prefeitura de São Paulo, o CEMUCAM foi criado com a finalidade de promover e incentivar o campismo e atividades recreativas e educacionais. É o único Parque que se localiza fora dos limites da cidade, no Município de Cotia. Ogata e Gomes (2006) estudaram a estrutura e composição da vegetação de uma área de 570.000 m² dentro do Parque, encontrando 125 espécies de árvores. O remanescente apresentou alta diversidade e riqueza em espécies em relação a outros fragmentos no Planalto Atlântico Paulista. Em outro trabalho, Ogata (1997) conclui que mais da metade (entre 52 e 81%) de espécies arbóreas dos estratos dominantes e sub-bosque encontradas nessa área têm suas sementes dispersas por animais (zoocoria).

Parque Chácara das Flores

Localiza-se em Guaianases, zona leste, e foi implementado em parte de uma antiga chácara com área total de 112.000m², dos quais aproximadamente 30.000m² constituíam Mata Atlântica. Pareceres técnicos arquivados em DEPAVE-1, de 1989 e 1991, listam espécies nativas como cedro (*Cedrela fissilis*), canelas (*Nectandra* spp.), embaúba (*Cecropia* spp.), araribá (*Centrolobium tomentosum*), *Machaerium* sp. (bico-de-pato), *Alchornea sidifolia* (tapiá-guaçu), espécies exóticas, como cinamomo (*Melia azedarach*), *Eucalyptus* sp. e pau-incenso (*Pittosporum undulatum*), e frutíferas, como araçazeiro e goiabeira (*Psidium* spp.), nespereira (*Eriobotrya japonica*) e amoreira (*Morus nigra*), ainda observadas no local. O Parque foi criado em setembro de 2002, com área de 41.737,54 m².

Parque Chico Mendes

Foi criado em junho de 1989, pelo Decreto 27.612, em área desapropriada em 1988, na antiga Chácara Figueira-Grande, da Família Pirani, tendo em vista a preservação de uma mata natural remanescente. O parque possui 61.667,5m², com topografia acidentada (desnível de 8%), abrigando um vale, um córrego e um pequeno lago. Um bosque de eucaliptos, maciço de frutíferas e ornamentais foram plantados pelos antigos proprietários. A área verde ocupa cerca de 80% do terreno.

Parque Cidade de Toronto

Surgiu de um acordo de cooperação de 1987 entre as cidades de São Paulo e Toronto e foi inaugurado em julho de 1992. A área do Parque é remanescente do loteamento "City América". Possui 109.100 m² de extensão, em grande parte ocupada por um lago com 70.000 m² de superfície. Apresenta relevo inclinado, e localiza-se junto à Rodovia dos Bandeirantes, próximo à Marginal Tietê (ARCHANGELETTI *et al.*, 1993). Sobre o brejo foram construídas passarelas de madeira que permitem passeio nesse ambiente. Foram plantados plátanos, árvores características das paisagens canadenses (MACEDO; SAKATA, 2002). Também foram plantadas 120 espécies de árvores nativas em encostas e em adensamentos arbóreos, entre a lateral da Rodovia dos Bandeirantes e a margem do lago, onde se localizam as nascentes. Plantas aquáticas, preferencialmente nativas, foram introduzidas em alguns locais do lago, complementando os pequenos maciços já existentes (ARCHANGELETTI *et al.*, 1993). Assim, abriga os ambientes de mata, brejo e jardins (SÃO PAULO, 2004a).

Parque dos Eucaliptos

Com área de 15.448 m², localiza-se na Estrada do Campo Limpo, e foi implementado no local destinado à área verde do loteamento denominado "Residencial Morumbi". Em 1989, a área era um bosque de eucaliptos, com vegetação nativa espontânea e espécies exóticas. Também estão locados em plantas maciços de pínus (*Pinus* sp.), sibipirunas (*Caesalpinia pluviosa* var. *peltophoroides*) e quaresmeiras (*Tibouchina granulosa*). O parque foi inaugurado em 1995, mantendo a vegetação preservada.

Parque Guarapiranga

Com área de 152.605m², foi resultado de parcelamento de gleba nas margens da Represa com mesmo nome na década de 1950 (KLIASS, 1993). Foi inaugurado em setembro de 1974 (MACEDO; SAKATA, 2002). Nele encontram-se vegetação densa de mata nativa, às margens da represa, e bosques de eucaliptos, além de áreas gramadas (CPHN, 1985-88). A noroeste da Represa do Guarapiranga, sua área se distribui numa faixa em grande parte voltada para o lago, onde estão disponíveis vários equipamentos esportivos e de recreio (MENDES; CARVALHO, 2000).

Parque Ibirapuera

Teve sua construção iniciada nas primeiras décadas do século XX, nos campos alagadiços da várzea de Santo Amaro. A criação do Viveiro Manequinho Lopes em 1928 destinava-se à produção de mudas para plantio na área do futuro Parque, considerado "de caracter artificial, pois ahi tudo está por fazer", segundo citação no Plano de Avenidas de Francisco Prestes Maia, de 1930. Em 1954, por ocasião da comemoração do IV Centenário, foi inaugurado oficialmente (KLIASS, 1993). O Parque ocupa 1.584.000m², e a área dos quatro lagos interligados corresponde a aproximadamente 157.000m² (CPHN, 1985-88). Apresenta diversos tipos de vegetação, como bosques de eucaliptos, bosques plantados de espécies nativas e exóticas, áreas gramadas e jardins. Segundo a Resolução da Secretaria Estadual da Cultura Nº 1 de 25/01/1992, são protegidos a área verde, destinada à recreação, lazer e práticas culturais, e os edifícios e elementos arquitetônicos (SÃO PAULO, 1998a).

Estrada de Marsilac – Evangelista: capoeira (estágio intermediário da sucessão ecológica na recomposição de uma mata degradada).

Parque Independência

Com área de 161.335 m², foi criado em janeiro de 1988. O bosque de espécies nativas, antigo Horto Botânico, foi constituído em 1894, e atualmente as árvores alcançam até 30 m de altura. Entre 1907 e 1909, foi executado o projeto do jardim clássico com roseirais e topiária, inspirado em Versailles, de Arsène Puttemans. Os eixos laterais são marcados por seqüências de árvores. Os chafarizes e espelhos d'água foram instalados em 1922, sofrendo reforma nos anos 2000 e 2001. Em torno da Casa do Grito e Monumento da Independência, existem trechos abertos gramados (MACEDO; SAKATA, 2002). Nessa área, localizada junto ao Riacho do Ipiranga, é freqüente a presença de várias espécies de palmeiras.

Parque Jardim Felicidade

Ocupa a área de 28.800 m². Foi criado em setembro de 1990, e localiza-se na região da Subprefeitura de Pirituba. É um parque com topografia acidentada, ajardinado e arborizado na parte mais alta, e possui um lago com aves domésticas na porção mais baixa.

Parque Jardim Herculano

Área municipal localizada no Jardim Ângela, zona sul do Município, coberta predominantemente por mata (Floresta Ombrófila Densa). Tornou-se Parque Municipal em 2004, através do Decreto 44.485, e ocupa a área de 75.277 m². O projeto básico está em andamento.

Parque Lina e Paulo Raia (antigo Parque Conceição)

Possui área de 15.040 m², cercada por altos edifícios. A instalação do Parque foi possível através da desapropriação de imóveis antigos, ampliação e adaptação de outros pré-existentes para abrigar a Escola Municipal de Educação Artística. No projeto houve o aproveitamento da vegetação nativa (*Guatteria flava* ou pindaíba, *Vochysia tucanorum* ou fruta-de-tucano, *Cabralea canjerana* ou canjerana, árvores de grande porte) e das frutíferas introduzidas (*Eugenia pyriformis* ou uvaia, *Eugenia involucrata* ou cereja-do-rio-grande e *Eugenia uniflora* ou pitangueira, entre outras).

Parque Lions Club Tucuruvi

Foi construído no terreno destinado a área verde pública do loteamento feito pelo Instituto de Previdência do Estado de São Paulo, em 1952. Criado com o nome de Praça Lions Club, teve sua administração transferida em julho de 1987 para o Depave, tornando-se Parque. Possui área de 23.700 m², ocupadas por canteiros ajardinados, várias espécies de árvores e palmeiras, gramados e áreas e caminhos pavimentados, organizados a partir de dois grandes círculos (MACEDO; SAKATA, 2002).

Parque Luis Carlos Prestes,

Com área de 27.100m², localiza-se próximo ao Parque Previdência, entre a Rodovia Raposo Tavares e a Avenida Eliseu de Almeida, e foi implementado em área proveniente do loteamento Jardim Rolinópolis, de 1952. Abriga duas capoeiras remanescentes, onde ocorrem pau-jacarés (*Piptadenia gonoacantha*), quaresmeiras e manacás-da-serra (*Tibouchina* spp.), cuvitinga (*Solanum granuloso-leprosum*) e tapiás-guaçu (*Alchornea sidifolia*), que foram preservadas e complementadas com espécies arbustivas e arbustos. Foi inaugurado em 1990.

Parque da Luz

Foi inaugurado em 1825, como Jardim Botânico. Por volta de 1875, o Jardim possuía canteiros elaborados ao "sistema inglês" de paisagismo, ao lado do arvoredo de copas densas (CPHN, 1985-88). As fotos de Militão Augusto de Azevedo e o Guia do Doutor Usteri, de 1919, com mais de 50 espécies nativas, são referências da existência de indivíduos remanescentes da mata nativa, como pinheiro-do-paraná (*Araucaria angustifolia*) e jerivá (*Syagrus romanzoffiana*) (KLIASS, 1993), alguns talvez ainda existentes no Parque, onde se observam indivíduos de altura acima de 40 m. Segundo a Resolução Nº37 (08/08/1981) da Secretaria do Estado da Cultura, o Parque da Luz é "monumento de interesse histórico e paisagístico, o mais antigo Parque Municipal da Cidade de São Paulo, com remanescentes de vegetação" (SÃO PAULO, 1998a). O parque ocupa a área de 113.000m² (CPHN, 1985-88).

Parque Nabuco

Foi inaugurado em 1980, e apresenta área de 31.300 m². Era de propriedade de Fernando Nabuco de Abreu e foi adquirido pela Prefeitura de São Paulo em 1977, para preservar espécies nativas como a copaíba (*Copaifera langsdorffii*), jequitibá-rosa (*Cariniana legalis*) e a pinha-do-brejo (*Magnolia ovata*), entre outras, e também árvores exóticas, e servir como espaço de lazer. A antiga casa dos proprietários abriga a Administração e a piscina rasa foi transformada em espelho d'água, onde foram introduzidos peixes ornamentais (CPHN, 1985-88).

Parque Pinheirinho D'Água

Este Parque em implantação localiza-se na região da Subprefeitura de Pirituba. Ocupa a área de 250.306 m² e foi criado em 2004, pelo Decreto 44.868. Formou-se a partir de dois loteamentos: o loteamento industrial da Companhia City de Desenvolvimento, denominado City Empresarial Jaraguá, e o loteamento de um conjunto habitacional de interesse social, denominado Jaraguá. Ao norte, é limitado pelo córrego da Vargem Grande e favela do Rincão; a Estrada do Corredor faz o limite sul, e, a leste, está a Avenida Phelonília Gonçalves dos Santos. A área do Parque é cortada por três córregos. Há ainda a presença de duas pedreiras nas proximidades. É formado por um pequeno vale central, onde se situa uma várzea e uma encosta, na qual encontra a mancha de vegetação arbórea do Parque, gramados e campo de futebol. São encontradas árvores ornamentais, como paineiras (*Ceiba speciosa*), alfeneiros (*Ligustrum lucidum*), sibipirunas (*Caesalpinia pluviosa* var. *peltophoroides*) e ipês (*Tabebuia* spp.) e nativas, como leiteiro (*Peschiera* sp.), pau-jacaré (*Piptadenia gonoacantha*) e pau-d'alho (*Gallesia integrifolia*), entre outras (Engª Agrª Edna Maria Holtz Moura, comunicação pessoal).

Parque Piqueri

Com área de 98.000 m², foi inaugurado em 1978. Dessa área, 35.000 m² são recobertos por vegetação arbórea constituída predominantemente por eucaliptos (CPHN, 1985-88). Atualmente podem se observar no sub-bosque espécies nativas espontâneas (marinheiro - *Guarea macrophylla*, pitangueiras – *Eugenia uniflora*), e foi feito o plantio de palmeiras de várias espécies nos jardins. O Parque possui um lago com aves domésticas. A antiga Chácara do Piqueri, que deu origem ao Parque, foi implantada em 1927 pelo Conde Francisco Matarazzo. Situada junto à foz do Ribeirão do Tatuapé, constituía-se de uma casa sede, pomar, granja, área para criação de diversos animais como búfalos, lhamas e veados, além de uma fábrica de queijos e uma área destinada às Indústrias Matarazzo. Foram plantadas mais de 50 espécies de árvores nativas e exóticas, procurando-se observar aquelas que melhor se aclimatavam em São Paulo. Em 1954, uma parte da chácara foi vendida e, em 1976, a área foi definitivamente incorporada ao patrimônio municipal.

A presença de uma cobra-cipó (*Chironius bicarinatus*) em área de reflorestamento com pínus (*Pinus elliottii*).

Parque Ibirapuera, junto ao Córrego do
Sapateiro. Vegetação tipo bosque,
bastante densa, destacando-se as
tipuanas, paineiras (com flores rosas) e
ao fundo os eucaliptos.

Eucaliptal no Parque
Anhangüera (o maior
Parque Municipal), com
arbustos no sub-bosque.

Espelho d'água no Parque da Luz
(região central da cidade),
circundado por palmeiras e bosque
com figueiras.

No primeiro plano observa-se vegetação de campo
natural, com predomínio de capim *Lagenocarpus
rigidus* (Cyperaceae). Nos planos seguintes, mata
nebular (mata de neblina) e, no alto à direita,
reflorestamento de pínus (*Pinus elliottii*). Parque
Estadual da Serra do Mar - Núcleo Curucutu.

Parque Previdência

Ocupa a área de 44.323m², e foi inaugurado em setembro de 1979 (MACEDO; SAKATA, 2002). Através do Termo de Permissão de Uso (TPU) de 26 de setembro de 1992, 47.500 m² de Reserva Florestal foram anexados ao Parque. Foi construído no local de uma antiga estação de tratamento de água, que funcionava em meio a uma espessa vegetação. O bosque natural foi mantido, representando cerca de 90% da área do Parque. Nele se encontram espécies como cedro (*Cedrela fissilis*), canjarana (*Cabralea canjerana*), jacarandá-paulista (*Machaerium villosum*) e espécies de figueiras (*Ficus* spp.) e de Myrtaceae, atrativas para a fauna. Entretanto, parte da floresta mais antiga foi destruída por incêndio, sendo substituída por espécies de mata secundária, como pau-jacaré (*Piptadenia gonoacantha*) e tapiáguaçu (*Alchornea sidifolia*) (CPHN, 1985-88).

Parque Raposo Tavares

Foi o primeiro Parque da América do Sul a ser construído sobre um aterro sanitário e possuía, em seu interior, uma usina para coleta de gás proveniente da decomposição do lixo. Situa-se na Zona Oeste do Município de São Paulo, à altura do quilômetro 14,5 da Rodovia Raposo Tavares. Ocupa a área de 195.000m², da qual 37.000m² constituem área ajardinada (CPHN, 1985-88). Apresenta relevo predominantemente plano, gramados, uma rede de caminhos e bosques em formação (MACEDO; SAKATA, 2002).

Parque Raul Seixas

Remanescente da fazenda da família Morganti, que produzia carvão na década de 1930. Constitui área verde junto à COHAB-José Bonifácio, com 33.004 m². As duas principais construções do Parque - sua Administração e a Casa de Cultura, ligada à Secretaria Municipal de Cultura - são remanescentes das edificações da fazenda. O relevo e a vegetação configuram vários ambientes, uns mais abertos, outros mais fechados (MACEDO; SAKATA, 2002). Dentre as árvores de maior porte predominam eucaliptos, mas vêm sendo plantadas diversas espécies de árvores frutíferas, como ingás, cerejeiras, etc. Nascentes formam um pequeno lago.

Parque Rodrigo de Gasperi

Foi inaugurado em abril de 1982 como Parque Pirituba. Nos anos 70 era conhecido popularmente como Parque da Lagoa, devido a uma lagoa e um córrego existentes no local. A lagoa foi aterrada e o córrego, canalizado, devido aos casos de afogamento. Com área de 30.047 m², abriga quadras, jardins e extensos gramados, e as árvores existentes, ornamentais e frutíferas, foram plantadas na época da inauguração (CPHN, 1985-88).

Parque Santa Amélia

Ocupa a área de 34.000 m² e foi criado em março de 1992. O parque localiza-se no extremo leste do município. Concebido como praça pública, foi transformado em parque com a participação da população local, desde a fase de elaboração do projeto até o término das obras. Foram inventariadas 34 espécies vegetais nesse parque (SÃO PAULO, 2004a), principalmente de plantas ornamentais.

Parque Santo Dias

Foi implementado em novembro de 1992. Com área de 134.000 m², abriga remanescente de mata do cinturão verde ao redor de São Paulo, em terras que pertenceram aos jesuítas, no século XIX. A região onde se insere o parque era denominada "Campo Redondo" na Carta dos Excursionistas de 1924, e nessa época foi ocupada pela colonização alemã. O Instituto Adventista de Ensino instalou-se em 1915 no local, ocupando uma área de 1.200.000 m². Em 1979, essa área foi desapropriada e, em 1983, 800.000 m² foram destinados à construção de habitações populares (GARCIA, 1995). A topografia é de acentuada declividade, recoberta por mata, e uma clareira central, com revestimento de capoeira baixa (área de 17.500 m²). O Parque faz divisa com conjuntos habitacionais (Cohab), a Indústria Superbom, do Instituto Adventista de Ensino, e um córrego (TAKAHASHI *et al.*, 1993). Garcia e Pirani (2001) inventariaram 154 espécies de plantas vasculares arbóreo-arbustivas. As famílias com maior número de espécies encontradas foram Fabaceae, Lauraceae, Myrtaceae, Rubiaceae, Solanaceae e Melastomataceae. Vinte e nove famílias foram repre-

Na flor de grevílea-anã (*Grevillea banksii*) beija-flores se alimentam, como o besourinho-de-bico-vermelho (*Chlorostilbon lucidus*).

Os frutos da figueira-benjamim (*Ficus microcarpa*) atraem várias espécies de aves, entre eles o sabiá-laranjeira (*Turdus rufiventris*).

Represa da Guarapiranga, área de mananciais

Barragem na APA Capivari-Monos - nota-se a mata ciliar e brejos, junto a nascente do Rio Monos.

sentadas por apenas uma espécie. Três espécies foram registradas pela primeira vez, em levantamentos para o Estado de São Paulo: *Guapira nitida,* cuticaém (*Euplassa hoehnei*) e palmerinha (*Lytocaryum hoehnei*), esta última com distribuição restrita aos arredores da Cidade de São Paulo. 75,97% das espécies apresentaram características de dispersão zoocórica de sementes, ou seja, com a participação de animais.

Parque São Domingos

Possui 79.230 m² de área total, com 61.000 m² de área ajardinada. Foi inaugurado em julho de 1980 e antes era um terreno utilizado como campo de futebol. As poucas árvores existentes, como eucaliptos, falsas-seringueiras (*Ficus elastica*) e bananeiras, foram mantidas e foram plantados jacarandás-mimosos (*Jacaranda mimosifolia*), alfeneiros (*Ligustrum lucidum*), chorões (*Salix babylonica*), entre outros. Além disso, existe um lago construído com fins ornamentais (SÃO PAULO/CPHN, 1985-88).

Parque Severo Gomes

Remanescente da área verde do loteamento de duas chácaras - Vila Elvira e Granja Julieta. Um córrego passa ao longo da área do Parque, que apresenta relevo de fundo de vale. Ao lado encontra-se a Praça Slavo Sirks, com vegetação menos densa e relevo mais plano, que forma uma extensão do Parque. Ocupa a área de 34.971 m², e foi criado em maio de 1989 (MACEDO; SAKATA, 2002). Gutz-Rossi (2006) inventariou 66 espécies arbóreas no parque, pertencentes a 28 famílias.

Parque Tenente Siqueira Campos

Foi inaugurado, como Parque Villon, um ano após a abertura da Avenida Paulista, em abril de 1892. Abriga remanescente da mata do Caaguaçu, que restou do loteamento da Chácara Bela Cintra (KLIASS, 1993). Macedo e Sakata (2002) salientam que parte das árvores nativas do Parque originou-se da rebrota dos troncos cortados. Atualmen-

te ocupa a área de 49.000m², cercada por arranha-céus, mas com ruas arborizadas no entorno, no bairro-jardim do Jardim Paulistano (SÃO PAULO, 1988). Segundo a Resolução da Secretaria Estadual da Cultura Nº 45 de 13/05/1982, o Parque é considerado "bem cultural de interesse histórico-paisagístico, por se tratar de raro exemplar de área verde, remanescente de um momento importante do desenvolvimento urbano na capital de São Paulo" (SÃO PAULO, 1998a).

Parque Vila Guilherme

Foi criado em junho de 1986. O Parque teve recentemente sua área ampliada para 121.984 m², com a junção do terreno que pertencia à antiga Sociedade Paulista do Trote. Nessa área há um lago e vegetação rasteira, além de alguns maciços de eucaliptos e árvores ornamentais, como ipês *(Tabebuia* sp.*),* paus-ferro *(Caesalpinia ferrea* var. *leiostachya),* *Inga* sp. e palmeiras-imperiais *(Roystonea oleracea).*

Parque Vila dos Remédios

Foi inaugurado em junho de 1979 e era conhecido popularmente como "Matão". Sua área, de 109.810 m², pertencia à Irmandade da Casa da Divina Providência, sendo nessa época chamado de "Bosque das Freiras". Dessa área podem se avistar as marginais do Rio Pinheiros e do Rio Tietê. Possui três lagos alimentados pela água da chuva e por uma nascente. Além de canteiros de flores e espécies de arborização urbana, como pata-de-vaca (*Bauhinia variegata*), e mirindiba (*Lafoensia* sp.), possui mata com espécies nativas, como sacambu (*Platymiscium floribundum*), caá-açu (*Bathysa australis*) e açoita-cavalo (*Luehea* sp.), e grandes pedras (CPHN, 1985-88).

Outras áreas

As áreas que serão descritas a seguir são estaduais ou particulares. Todas são recobertas por parcelas significativas da Floresta Ombrófila Densa. Na Região Leste do Município encontra-se a APA do Carmo (Estadual). Na Região Oeste da Cidade localizam-se os Parques Estaduais Fazenda TIZO (Terreno Institucional da Zona Oeste) e o Parque Villa-Lobos.

A maioria das áreas se localiza na Região do Extremo-Sul do Município. A Fazenda Castanheiras e o Clube de Campo São Paulo encontram-se na APA Bororé-Colônia. Dentro da APA Municipal Capivari-Monos localizam-se o Clube Campestre de São Paulo, Condomínio Vargem Grande – Estrada da Colônia (Cratera), Estrada da Vargem Grande (Cratera), Fazenda Capivari da Companhia de Saneamento Básico do Estado de São Paulo – SABESP e o Sítio Bordin. O Núcleo Curucutu do Parque Estadual da Serra do Mar localiza-se na divisa com o Município de Itanhaém. A vegetação nativa cobre 73,02 % da APA, indicando que se trata de uma área ainda bastante preservada. Das categorias de vegetação, as florestas secundárias representam a categoria mais significativa (SÃO PAULO, 1998 b). As outras áreas são particulares. São elas: Clube da Varig (Sítio Bridão), Clube Hípico de Santo Amaro e Sítio Margarida.

APA do Carmo

Foi criada pela Lei Estadual 6409/89 e regulamentada pelo Decreto Estadual 37.678/93, e possui 8.676.000 m², dos quais 2.300.000 m² são ocupados por matas e capoeiras, em vertentes com declividade de 25%. A flora é representada por espécies como jequitibá (*Cariniana* sp.), pau-d'alho (*Gallesia integrifolia*), canelas, bromélias e orquídeas. A mata abriga ainda as nascentes dos afluentes dos rios Aricanduva, Verde e Jacu (SÃO PAULO, 1998a). Nishigawa e colaboradores (1993) descrevem as seguintes categorias de vegetação: mata, em encostas e áreas de difícil acesso; capoeira alta, com espécies de rápido crescimento, como embaúbas (*Cecropia* spp.), tapiás (*Alchornea sidifolia*) e capixingui (*Croton floribundus*); capoeira baixa, com arbustos de ciclo de vida curto; reflorestamento (eucaliptos); campo e brejo (campo úmido).

Fazenda TIZO (Terreno Institucional da Zona Oeste)

Localiza-se em cinco municípios da Grande São Paulo (Cotia, Embu, Osasco, Taboão da Serra e São Paulo) e, desde março de 2006, constitui-se no Parque Estadual Urbano Fazenda TIZO. Com área total de 1.308.319,05 m², 630.000 m² são recobertos por capoeirão, e 340.000 m² por capoeira, em estado médio a avançado de recuperação da mata. Abriga as nascentes da micro-bacia do córrego Itaim, possuindo 35.000 m² de várzea. No entorno existem outras áreas verdes importantes, como o Parque das Nascentes, a Reserva do Morro Grande a 10 km e uma gleba da Caixa Beneficente da Polícia Militar, bem como três loteamentos. O Córrego Itaim determina o limite leste do Parque, segundo o "Plano Diretor e Diretrizes de Projeto para o Parque TIZO", a ser lançado em 2007.

Na década de 50, foram construídos sete fornos de olaria no local e, na área de extração de argila para os fornos, formou-se uma lagoa. O terreno que era da Caixa Econômica Federal, em 2002, foi transferido para o CDHU. No local, inicialmente, seria implementado um entreposto de hortifrutigranjeiros (CIASP), mas a população local não aceitou. Através de ação civil pública, em 2003, o Ministério Público declarou o local imune ao corte, o que viabilizou a criação do novo parque. Com relação à vegetação, foram catalogadas em levantamento do Herbário Municipal as canelas *Persea venosa* e *Ocotea odorifera* duas espécies com status de "em perigo" de extinção, segundo a Resolução SMA 20/98. Segundo Costa (2006), foram encontradas 94 espécies arbóreas na área, pertencentes a 33 famílias.

Parque Estadual Villa Lobos

Localiza-se às margens do Rio Pinheiros, em área declarada de utilidade pública em 1988 (Decretos Estaduais 28.335 e 28.336). Antes da implementação do Parque o local era usado como depósito de lixo, entulho e material de dragagem do Rio Pinheiros. A construção foi concluída em 1991, e nele predominam áreas abertas, gramadas ou pavimentadas, com plantio de árvores e trechos de vegetação de mata (MACEDO; SAKATA, 2002). Foram inventariadas 62 espécies vegetais nesse Parque (SÃO PAULO, 2004a). Possui área de 732.000 m², dos quais 140.000 m² são arborizados e 160.000 m² são cobertos por gramados e canteiros.

Fazenda Castanheiras

Localiza-se na Península do Bororé, no Distrito de Grajaú, dentro da APA Bororé-Colônia. Possui 1.320.000 m², margeados pela Represa Billings por 2.644 m². A cobertura vegetal é constituída por espécies de reflorestamento, como *Eucalyptus* spp., *Pinus* sp. e pinheiro-chinês (*Cunninghamia lanceolata*), produzidos há mais de 60 anos, e plantações de palmito (*Euterpe edulis*), bem como mata secundária, representando a Floresta Ombrófila Densa. A fazenda possui 16 lagos artificiais, formados através do represamento de nascentes (MALAGOLI; OLIVEIRA, 2004). Segundo o Seminário Billings 2002 (2003), a área de Ligação Colônia/Bororé, onde se localiza a Fazenda Castanheiras, apresenta prioridade na realização de ações de monitoramento e fiscalização permanentes, necessidade de estudos, recuperação ambiental e urbana, conservação de diversidade biológica e uso sustentável dos recursos naturais, em médio prazo, pois sofre pressão antrópica extrema por ser uma área rural encravada entre duas áreas de ocupação urbana irregular, densa e precária. No entorno foi constatado o despejo de esgoto e de lixo clandestino e desmatamento.

Sítio Bordin (Marsilac): limite do perfil de vegetação capoeira (à esquerda) com o reflorestamento de pínus (*Pinus* sp.).

Clube de Campo São Paulo

A construção da Represa da Guarapiranga, entre 1906 e 1909, e da Represa Billings, pela Light (The São Paulo Tramway, Light & Power Co.), entre 1925 e 1926, alteraram as características das proximidades das represas de Santo Amaro. Entre os anos 30 e 50, os paulistas freqüentavam ou adquiriram propriedades para desfrute da paisagem da região. Nessa época surge o Clube de Campo São Paulo (MENDES; CARVALHO, 2000), fundado em 26/09/1937. Era uma fazenda de eucaliptos e produção de café, fornecedora de frangos e ovos. Possui área de 1.100.000 m² (55 alqueires), com a metade do perímetro voltado para a Represa da Guarapiranga. Segundo Mendes e Carvalho (2000), "a paisagem calma das margens recortadas alterna áreas mais selvagens com os amplos gramados cuidadosamente trabalhados". Na área existe um fragmento de mata preservada há mais de 70 anos, bosques de eucaliptos e outras espécies, campos abertos, várzeas e brejo. Também são encontradas várias nascentes e um lago (Biólogo Marcus Azevedo, comunicação pessoal).

Clube Campestre de São Paulo

Localiza-se no Distrito de Parelheiros, na APA Capivari-Monos. Era antigamente chamado de Fazenda da Boa Esperança. Foi fundado em 1958 e hoje ocupa 1.452.000 m². No limite norte da área, 532.000 m² de mata (floresta ombrófila densa) foram transformados em Reserva Particular de Proteção Natural (RPPN). Na porção sul, constituem áreas dos sócios 317.910 m², em torno do lago, prolongamento da Represa Billings, onde também se observa, em uma das margens, um fragmento de vegetação de várzea. A área é rodeada por outras propriedades rurais, cobertas por mata e campos cultivados. O relatório do Herbário Municipal, de 2000, registra a presença de manacás-da serra (*Tibouchina* spp.), araçás (*Psidium* spp.), *Inga* sp., samambaia-açu (*Cyathea* sp.), *Cupania* sp., carobinha (*Jacaranda puberula*), mamica-de-porca (*Zanthoxylum* sp.), *Mikania* sp., tucum (*Bactris* sp.), bromélias e orquídeas, em matas secundárias e sob o eucaliptal.

Condomínio Vargem Grande

Localiza-se na Cratera de Colônia, Distrito de Parelheiros, na APA Capivari-Monos. O Herbário Municipal encontrou na região espécies arbóreas dos gêneros *Schinus* e *Tabebuia*, com epífitas do gênero *Rhipsalis*, *Anthurium*, exemplares das famílias Eriocaulaceae, Poaceae (*Chusquea* e *Coix*), Myrtaceae e Xyridaceae (*Xyris*) (Bióloga Graça Maria P. Ferreira, comunicação pessoal). Na Cratera de Colônia, a flora é muito diferenciada, com formações campestres e floresta de várzea ocorrendo principalmente nos terrenos mal drenados (baixa diversidade arbórea e alta diversidade de epífitas); predomina formação de várzea, com espécies de campos dominadas por Poaceae e entremeadas principalmente por Cyperaceae, Onagraceae, Eriocaulaceae, Pontederiaceae e Alismataceae. Nestas áreas ocorrem espécies interessantes de Araceae do gênero *Urosphata*. As florestas de várzeas possuem normalmente baixa diversidade de espécies arbóreas, ocorrendo muitas espécies da família Myrtaceae, ipê amarelo de brejo (*Tabebuia umbellata*), branquilho (*Sebastiania klostzschiana*), entre outras. Nessas florestas de várzeas destaca-se grande diversidade de epífitas. Ocorrem várias famílias botânicas (Bromeliaceae, Piperaceae, Polypodiaceae, Gesneriaceae, Orchidaceae, Cactaceae) além de muitas briófitas (SÃO PAULO, 1998b).

Segundo o Atlas Ambiental do Município de São Paulo (2004a), a cobertura vegetal é classificada como Floresta Ombrófila Densa sobre turfeira. Segundo Riccomini e colaboradores (2005), no interior da Cratera ocorre mata de encosta, mata de turfeira e campos brejosos, que abrigam expressiva biodiversidade. Há também ocorrências localizadas de pinheiro-do-paraná (*Araucaria angustifolia*). Até meados da década de 1980, a Cratera era ocupada apenas por pequenos proprietários de sítios, geralmente descendentes de alemães, e grande parte da cobertura vegetal original estava preservada. Entretanto, em 1986-87 foi construído inicialmente um presídio e moradias, nas partes noroeste e norte da encosta interna da depressão, contidas, até o momento, pela natureza turfosa do substrato, e limites de áreas privadas.

Estrada da Vargem Grande

Localiza-se em volta da Cratera de Colônia, cortando diversos ambientes, como mata em estágio inicial a médio de sucessão, representando a Floresta Ombrófila Densa, brejo, lago e propriedades rurais com pastos, plantações e bosques de frutíferas.

Segundo o Seminário Billings 2002 (2003), as áreas da Borda Sul da Cratera, Cratera e Colônia apresentam de muita a extrema prioridade na realização de ações de monitoramento e fiscalização permanente, necessidade de estudos, recuperação ambiental e urbana, conservação de diversidade biológica e uso sustentável dos recursos naturais, em curto prazo, pois sofrem pressão antrópica extrema por ocupação urbana irregular, densa e precária, e traçado proposto para gasoduto. Nessas áreas foi caracterizado o desmatamento acelerado de 1989 a 1999, com solo exposto sujeito a erosão, despejo de esgoto e de lixo clandestino, inclusive com transporte de compostos tóxicos e perigosos. Para minimizar tais pressões, foi recomendada a criação prioritária de Unidade de Conservação.

Fazenda Capivari (Sabesp)

Desapropriada em 1967, é cortada pelo Rio Capivari, que apresenta várias quedas e forma a Represa do Capivari dentro dessa propriedade, onde funciona a estação elevatória Capivari desde 1972. Há duas áreas disjuntas; na região de Marsilac, destaca-se grande mancha de Floresta Ombrófila Densa Montana e Alto Montana próxima, ao sul da estação, com grande riqueza de espécies e expressiva diversidade florística, inclusive com a presença de espécies endêmicas, como a palmeira *Lytocaryum hoehnei*. Segundo a Bióloga Graça Maria P. Ferreira (comunicação pessoal), o Herbário Municipal encontrou na região espécies arbóreas das famílias Fabaceae, como *Inga* sp., Melastomataceae (*Tibouchina*) e Myrtaceae, lianas da família Apocynaceae, epífitas das famílias Bromeliaceae, Orchidaceae e Gesneriaceae (*Nematanthus*), Asteraceae, Dioscoreaceae, Poaceae, Iridaceae (*Sysirinchium*), Lycopodiaceae (*Lycopodium*), Ochnaceae (*Sauvagesia*), Onagraceae (*Fuchsia*), Arecacea, Rosaceae, Tiliacae (*Triumfetta*), Xyridaceae (*Xyris*).

Sítio Bordin

Está situado na APA Capivari-Monos, no Distrito de Marsilac. Possui cerca de 1.368.000 m² e a vegetação é classificada como Floresta Ombrófila Densa. Segundo Costalonga *et al.* (2004), é constituída por mais de 200 espécies arbustivas e arbóreas, com alto índice de diversidade, predominando pixirica (*Psychotria suterella*), *Faramea tetragona*, Cyatheaceae, *Rudgea jasminoides,* maria-mole (*Guapira opposita*) e pindaíba (*Guateria australis*), todas de sub-bosque. Entretanto, a ocorrência de espécies pioneiras como cabuçu (*Miconia cubatanensis*), secundárias iniciais, como *Rapanea umbellata* e secundárias tardias como canela (*Ocotea dispersa*) e diâmetros pequenos de tronco dos exemplares amostrados, indicam que a vegetação, apesar de estar em considerável nível de conservação, está em processo de sucessão. Foram também encontradas espécies de grande biomassa, como *Tachigali denudata*, *Cedrela fissilis* (cedro) e Lauraceae. O Herbário Municipal incluiu o levantamento florístico dessa área no projeto Flora Fanerogâmica do Estado de São Paulo. Os estudos indicaram expressiva diversidade florística, inclusive com a presença de espécies endêmicas, como a palmerinha (*Lytocaryum hoehnei*).

Núcleo Curucutu do Parque Estadual da Serra do Mar

Ocupa área de 250.000.000 m² (25.000ha) e abrange os Municípios de Itanhaém (210.944.600 m²), em sua maior parte, São Paulo (25.069.700m²), Juquitiba (29.412.200 m²) e Mongaguá (37.721.700 m²). Apresenta topografia do tipo de mar de morros na parte continental e encostas na parte exposta ao Oceano Atlântico. Segundo o Atlas Ambiental do Município de São Paulo (2004a), a cobertura vegetal é classificada como Floresta Ombrófila Densa Alto Montana (mata nebular), campo natural (alto montano) e reflorestamento (bosque de *Pinus*). Em levantamento florístico realizado por Garcia (2003), em cerca de 20.000.000 m² no setor de planalto junto à crista da Serra do Mar, em formações campestres e 83 de angiospermas (plantas com flores e frutos), além de 12 espécies

Perfil de vegetação capoeira junto à água
no Parque Fazenda Tizo, situado na zona
oeste.

cultivadas. As famílias Poaceae, Orchidaceae, Asteraceae e Myrtaceae e mais cinco famílias, corresponderam a 55% das espécies encontradas. Foram registradas 222 espécies no campo e 373 na mata, inclusive com a presença de espécies endêmicas, como a laurácea *Ocotea curucutuensis*.

Clube da Varig (Sítio Bridão)

Localiza-se na Estrada do Jaceguava, no Distrito de Parelheiros, a 25 km de Congonhas, e possui área de aproximadamente 200.000 m². No local havia a Estação de Rádio da Varig. Possui área de equitação e remanescente de mata. Em levantamento parcial da vegetação realizado em 2000 pelo Herbário Municipal, foram identificadas várias espécies pioneiras, como manacá-da-serra (*Tibouchina mutabilis*), jacatirão (*Miconia cabussu*), crindiúva (*Trema micrantha*), *Solanum* sp. e *Piper* sp. Além disso, há exemplares arbóreos de espécies que podem alcançar grande porte, como canjerana (*Cabralea canjarana*), cedro (*Cedrela fissilis*), cambuci (*Campomanesia phaea*) e embiruçu (*Pseudobombax grandiflorum*) e de sub-bosque, como pixirica (*Psychotria suterella*), *Gomidesia anacardiifolia*, samambaia-açu (*Cyathea* sp.) e manacá-de-cheiro (*Brunfelsia* sp.). A vegetação foi considerada mata secundária, classificada como capoeira a capoeirão, com árvores de até 12 m.

Clube Hípico de Santo Amaro

Localiza-se no bairro de Santo Amaro e possui área de 330.000 m². Foi fundado em 7 de setembro de 1935, nas terras da Fazenda Itaquerê, comprada por João Carlos Kruel. A sede da fazenda é o atual Casarão, sede do Clube. A área é coberta por bosques com árvores de até 30 m, gramados (pistas de equitação) e jardins.

Sítio Margarida

Possui área de cerca de 20.000 m² e localiza-se próximo à represa da Guarapiranga, sendo a cobertura vegetal classificada como Floresta Ombrófila Densa. Nessa área encontram-se árvores de até 20 m de altura, como *Tapirira guianensis*. Entretanto, no geral, as árvores são mais baixas, predominando maria-mole (*Guapira opposita*). No sub-bosque os exemplares mais abundantes são espécies de Myrtaceae e *Psychotria suterella* (Rubiaceae). Nas bordas e clareiras são comuns *Solanum* sp., quaresmeiras e manacás-da-serra (*Tibouchina* spp.) e carne-de-vaca (*Clethra scabra*). Na área encontram-se alguns exemplares de pinheiro-do-Paraná (*Araucaria angustifolia*) (BRANCO *et al.*, 1999).

A cambacica (*Coereba flaveola*) tem o hábito de se alimentar do néctar das flores, como o do candelabro (*Erythrina speciosa*). Ocorre na maioria de Parques e áreas verdes estudadas.

Borda de bosque com florações em destaque: em lilás, jacarandá-mimoso (*Jacaranda mimosifolia*); em rosa, pau-formiga (*Triplaris brasiliana*).

Nº	Local	Inauguração	Área (m²)	Distrito	Ambiente	Luminosidade	Corpos d'água	Nº espécies animais
					Informações gerais sobre as áreas estudadas			
1	APA do Carmo	1989	8.676,00	Itaquera	Floresta Ombrófila Densa, capoeira e brejo	Fechado a aberto	Córregos e brejo	35
2	CEMUCAM (Centro Mun.de Campismo)	30.12.1968	904.691	Município de Cotia	Floresta Ombrófila Densa, gramados, bosques, brejo	Fechado a aberto	Córregos e brejo	105
3	Clube Campestre de São Paulo	07.09.1958	1.452.000	Parelheiros	Floresta Ombrófila Densa, gramados, bosques, brejo	Fechado a aberto	Represa, córregos, lago, brejo	39
4	Clube da Varig/Sítio Bridão		200.000 m²	Parelheiros	Floresta Ombrófila Densa, jardins	Fechado a aberto	Represa, córregos	31
5	Clube de Campo São Paulo			Socorro	Floresta Ombrófila Densa, gramados, bosques, brejo	Fechado a aberto	Represa, córregos, lagos	118
6	Clube Hípico de Santo Amaro	07.09.1935	330.000 m²	Santo Amaro	Antrópico (bosque, gramados, jardim)	Fechado a aberto		53
7	Condomínio Vargem Grande Cratera de Colônia	1986-7		Parelheiros	Floresta Ombrófila Densa sobre turfeira	Fechado a aberto		73
8	Estrada da Vargem Grande			Parelheiros	Floresta Ombrófila Densa, capoeira, brejo, campo cultivado, bosques	Fechado a aberto	Córregos, brejo	114
9	Fazenda Capivari-SABESP			Parelheiros	Floresta Ombrófila Densa Montana e Alto Montana	Fechado a aberto	Rio	120
10	Fazenda Castanheiras		1.320.000	Grajaú	Floresta Ombrófila Densa		Represa, córregos, lagos	133
11	Núcleo Curucutu do Parque Estadual da Serra do Mar		250.000.000	Parelheiros	Floresta Ombrófila Densa Alto Montana e campo alto montano, bosque	Fechado a aberto	Córregos	112
12	Parque Estadual Fazenda TIZO	2006	1.308.319,05	Butantã	Floresta Ombrófila Densa	Fechado a aberto	Córregos	28
13	Parque Estadual Villa-Lobos	1991	732.000	Pinheiros	Antrópico (gramado, bosque)	Semi-aberto a aberto		46

FAUNA SILVESTRE

		Informações gerais sobre as áreas estudadas						
Nº	Local	Inauguração	Área (m²)	Distrito	Ambiente	Luminosidade	Corpos d'água	Nº espécies animais
14	Pq. Mun. Aclimação	16.09.1939	112.200	Sé	Antrópico (bosque, jardim)	Semi-aberto a aberto	Lago	44
15	Pq. Mun. Alfredo Volpi (ant. Morumbi)	02.04.1971	142.400	Butantã	Floresta Ombrófila Densa	Fechado	Lago	86
16	Pq. Mun. Anhanguera	25.07.1979	9.500.000	Perus	Floresta Ombrófila Densa, bosques	Fechado a semi-aberto	Córregos	154
17	Pq. Mun. Buenos Aires	02.12.1987	25.000	Sé	Floresta Ombrófila Densa	Semi-aberto		22
18	Pq. Mun. Burle Marx	02.09.1995	138.279	Butantã	Bosque, gramado, jardins	Fechado a semi-aberto	Lago	92
19	Pq. Mun. do Carmo	19.09.1976	1.500.000	Itaquera	Floresta Ombrófila Densa	Fechado a aberto	Lago, córrego	134
20	Pq. Mun. Chácara das Flores	21.09.2002	41.738	Itaim Paulista	Floresta Ombrófila Densa, bosque, jardim	Fechado a semi-aberto	Lago	17
21	Pq. Mun. Chico Mendes (ant.Figueira Grande)	04.06.1989	61.600	Itaim Paulista	Floresta Ombrófila Densa	Fechado a semi-aberto	Lago	44
22	Pq. Mun. Cidade de Toronto (ant.City América)	01.07.1992	109.100	Pirituba	Antrópico (bosques, jardins, gramados), brejo	Fechado a aberto	Lago, brejo	81
23	Pq. Mun. dos Eucaliptos	1995	15.448	Butantã	Antrópico (bosque)	Fechado a semi-aberto		25
24	Pq. Mun. Guarapiranga	21.09.1974	152.600	Socorro	Floresta Ombrófila Densa	Fechado a semi-aberto	Represa	52
25	Pq. Mun. Ibirapuera	21.09.1954	1.584.000	Vila Mariana	Bosques, jardins, gramados	Fechado a aberto	Lago	163
26	Pq. Mun. Independência	25.01.1988	161.300	Ipiranga	Bosques, jardins, gramados	Fechado a aberto	Espelho d'água	32
27	Pq. Mun. Jardim Felicidade	21.09.1990	28.800	Pirituba	Antrópico (bosque, jardim)	Semi-aberto	Lago	23
28	Pq. Mun. Jardim Herculano	2004	75.277	M'Boi Mirim	Floresta Ombrófila Densa	Fechado a semi-aberto		36
29	Pq. Mun. Lina e Paulo Raia (Ex-Conceição)	17.12.1997	15.000	Jabaquara		Fechado a semi-aberto		25
30	Pq. Mun. Lions Club Tucuruvi	19.07.1987	23.700	Santana	Antrópico (jardim)	Aberto	Lago	24
31	Pq. Mun. Luis Carlos Prestes (Ex-Rolinópolis)	17.06.1990	27.100	Butantã	Floresta Ombrófila Densa	Fechado a semi-aberto		29

			Informações gerais sobre as áreas estudadas					
Nº	Local	Inauguração	Área (m²)	Distrito	Ambiente	Luminosidade	Corpos d'água	Nº espécies animais
32	Pq. Mun. da Luz	1825	113.400	Sé	Antrópico (bosque, jardim)	Semi-aberto	Espelho d'água	73
33	Pq. Mun. Nabuco	25.01.1980	31.300	Cidade Ademar	Antrópico (bosque, jardim)	Fechado a semi-aberto	Espelho d'água	27
34	Pq. Mun. Pinheirinho d'Água (em implantação)		250.306 m²		Floresta Ombrófila Densa	Fechado a semi-aberto	Córregos	36
35	Pq. Mun. Piqueri	16.04.1978	97.200	Mooca	Antrópico (bosque, jardim)	Fechado a semi-aberto	Lago	82
36	Pq. Mun. Previdência	21.09.1979	91.500	Butantã	Floresta Ombrófila Densa	Fechado a semi-aberto	Espelho d'água	63
37	Pq. Mun. Raposo Tavares	01.01.1981	195.000	Butantã	Antrópico (bosque)	Aberto		31
38	Pq. Mun. Raul Seixas	21.10.1989	33.000	Itaquera	Antrópico (bosque, jardim)	Semi-aberto	Lago	30
39	Pq. Mun. Rodrigo de Gasperi (Ex-Pirituba)	25.04.1982	39.000	Pirituba	Antrópico (bosque)	Fechado a semi-aberto		20
40	Pq. Mun. Santa Amélia	22.03.1992	34.000	Itaim Paulista	Antrópico (jardim)	Aberto		19
41	Pq. Mun. Santo Dias	07.11.1992	134.000	Campo Limpo	Floresta Ombrófila Densa	Fechado	Córrego	80
42	Pq. Mun. São Domingos	12.07.1980	80.000	Pirituba	Antrópico (bosque)	Fechado a semi-aberto	Lago	23
43	Pq. Mun. Severo Gomes (Ex-Granja Julieta)	30.05.1989	34.900	Santo Amaro	Floresta Ombrófila Densa	Fechado	Córregos	60
44	Pq. Mun. Ten.Siqueira Campos (Ex–Trianon)	03.04.1892	48.600	Sé	Floresta Ombrófila Densa	Fechado		38
45	Pq. Mun. Vila Guilherme (Soc.Paulista de Trote)	25.06.1986	62.000	Vila Guilherme	Antrópico (jardim), brejo	Aberto	Lago, brejo	33
46	Pq. Mun. Vila dos Remédios	29.06.1979	109.800	Lapa	Floresta Ombrófila Densa	Fechado a semi-aberto	Lago	59
47	Sítio Margarida		20.000 m²	Parelheiros	Floresta Ombrófila Densa	Fechado a semi-aberto	Represa	34
48	Sítio Bordin		1.368.000	Marsilac	Floresta Ombrófila Densa	Fechado a aberto	Lago, córregos	85

Referências bibliográficas

ARAGAKI, S. **Florística e estrutura de trecho remanescente do planalto paulistano (São Paulo).** Dissertação de Mestrado, Universidade de São Paulo, São Paulo, 108 p., 1997.

ARCHANGELETTI, A.C.; TAKAHASHI, E.; BARNABÉ, H.R.; TOLEDO PIZA FILHO, P.; HONDA, S.; O´CONNELL, P.; HUGHES, B.; YOUNG, D.; BARTON, D. Projeto: Parque Cidade de Toronto – SVMA. In: **A Questão Ambiental Urbana: Cidade de São Paulo,** Prefeitura do Município de São Paulo, Secretaria do Verde e do Meio Ambiente, São Paulo: p. 573-587, 1993.

BARBOSA, L.M.; MARTINS, S.E. **Diversificando o reflorestamento no Estado de S. Paulo: espécies disponíveis por região e ecossistema,** S. Paulo: Instituto de Botânica, 63 p., 2003.

BRANCO, A.M.; SUMMA, M.E.L.; FRIES, B.G.; NAMBA, S.; JOPPERT, A.M.; DE CARVALHO, M.A.S.; BICA, I.M.; CORRADO, M.J.; GERALDI, V.C.; ÁVILA, N.S.; FICUCELLA, A.; SUMMA J.L. Manejo de *Alouatta fusca* (Primates: Cebidae) no Município de São Paulo, SP. In: **Livro de resumos do IX Congresso Brasileiro de Primatologia,** Santa Tereza: Sociedade Brasileira de Primatologia, 1999, p. 47.

COSTA R. **Impactos sobre remanescentes de florestas de Mata Atlântica na zona oeste na grande São Paulo: Um estudo de caso da Mata da Fazenda TIZO.** Dissertação de mestrado, faculdade de Filosofia, Letras e Ciências Humanas (FFLCH), Universade de São Paulo, São Paulo, USP, 2006.

COSTALONGA, D.; SEABRA, F.V.; TEIXEIRA, V.A.S. **Estrutura e composição de um fragmento de floresta ombrófila densa na APA Capivari-Monos.** São Paulo: Monografia. Universidade Presbiteriana Mackenzie, 31p., 2004.

CPHN (Centro de Pesquisas de História Natural). **Conheça o verde,** São Paulo, fascículos, 1985-88.

GARCIA, R.J.F. **Composição florística dos estratos arbóreo e arbustivo da mata do Parque Santo Dias (São Paulo – SP, Brasil),** Dissertação de Mestrado, Instituto de Biociências, Universidade de São Paulo, 211p., 1995.

GARCIA, R.J.F. **Estudo florístico dos campos alto-montanos e matas nebulares do Parque Estadual da Serra do Mar - núcleo Curucutu (São Paulo – SP, Brasil),** Tese de Doutorado, Instituto de Biociências, Universidade de São Paulo, 355p., 2003.

GARCIA, R.J.F.; PIRANI, R.J. Estudo florístico dos estratos arbóreo e arbustivo da mata do Parque Santo Dias, **Boletim de Botânica da Universidade de São Paulo,** v. 19, p. 15-42, 2001.

GUTZ-ROSSI, F. **Composição florística e censo do componente arbóreo do Parque Severo Gomes, São Paulo-SP,** Monografia de bacharelado, Faculdade de Ciências da Saúde de São Paulo (FACIS), 133 p., 2006.

IBGE – Fundação Instituto Brasileiro de Geografia e Estatística. **Manual Técnico da Vegetação Brasileira,** Departamento de Recursos Naturais e Estudos Ambientais, Rio de Janeiro: 92 p., 1992.

KLIASS, R. G. **Parques urbanos de São Paulo e sua evolução na cidade,** Pini, São Paulo: 211p., 1993.

MALAGOLI, L.R.; OLIVEIRA, A.T.R.A. DE. **Os anfíbios anuros da Fazenda Castanheiras – Península do Bororé, Município de São Paulo,** Monografia apresentada à Universidade Ibirapuera. São Paulo: 28p., 2004.

MACEDO, S. S.; SAKATO, F. **Parques Urbanos no Brasil,** Ed. IMESP, São Paulo, 2002, 208 p.

MENDES, D.; CARVALHO, M.C. W. DE.A Ocupação da Bacia do Guarapiranga: Perspectiva Histórico-Urbanística. In: **Guarapiranga: recuperação urbana e ambiental no Município de São Paulo,** E. França (coord.), M. Carrilho Arquitetos, 39-65. 2000.

NISHIGAWA, A. *et al.* Parque Ecológico do Carmo – SVMA. In: **A Questão Ambiental Urbana: Cidade de São Paulo,** Prefeitura do Município de São Paulo, Secretaria do Verde e do Meio Ambiente, São Paulo: p. 548-562, 1993.

OGATA, H. Manejo de fragmento de floresta em parque municipal de São Paulo. **Seminário – Ciência e desenvolvimento sustentável.** Instituto de Estudos Avançados – IEA/ Comissão de Estudos de Problemas Ambientais CEPA/USP, São Paulo: p.69-85, 1997.

OGATA, H.; GOMES, E.P.C. Estrutura e composição da vegetação no Parque CEMUCAM, Cotia, SP. **Hoehnea 33**(3): 371-384, 2006.

RICCOMINI, C.; TURCQ, B.J.; LEDRU, M-P.; SANT'ANNA, L.G.; FERRARI, J.A. Cratera da Colônia, SP – provável astroblema com registros do paleoclima quaternário na Grande São Paulo, disponível em www.unb.br/ig/sigep/sitio116/sitio116.pdf, publicado em 26/05/2005.

SÃO PAULO (Cidade) Secretaria Municipal do Verde e Meio Ambiente – SVMA/DEA/DEAPLA. **Área de Proteção Ambiental Municipal do Capivari-Monos -** Caracterização Sócio-ambiental - Relatório Preliminar, 1998b. Disponível em www.prodam.sp.gov.br/svma/educacao_amb/capivari/download.htm www.prodam.sp.gov.br/svma/educacao_amb/capivari/imagens/caracterizacao.doc Acesso em 11/01/2006

SÃO PAULO (Cidade) Secretaria Municipal do Verde e Meio Ambiente/Secretaria Municipal do Planejamento – SVMA/SEMPLA **Atlas Ambiental do Município de São Paulo,** São Paulo: 266p., 2004a. www.atlasambiental.prefeitura.sp.gov.br/pagina.php Acesso em 29/12/2006

SÃO PAULO (Cidade) Secretaria Municipal do Verde e Meio Ambiente – SVMA, IPT. **GEO cidade de São Paulo: panorama do meio ambiente urbano,** Brasília: 204p., 2004b

SÃO PAULO (Estado) Secretaria do Meio Ambiente/Secretaria Municipal do Planejamento. **Vegetação Significativa no Município de São Paulo,** SEMA/SEMPLA, São Paulo: 560p., 1988.

SÃO PAULO (Estado) Secretaria do Meio Ambiente. **Atlas das Unidades de Conservação Ambiental do Estado de São Paulo – Parte II – Interior,** 32p., 1998a.

SÃO PAULO (Estado) Secretaria do Meio Ambiente/Instituto Florestal. **Inventário Florestal da Vegetação Natural do Estado de S. Paulo,** Imprensa Oficial, 200p., 2005.

SEMINÁRIO BILLINGS 2002. **Avaliação e identificação de áreas e ações prioritárias para a conservação, recuperação e uso sustentável da Bacia Hidrográfica da Billings,** Marussia Whateley (org.), São Paulo: Instituto Sócio-Ambiental, 119 p., 2003.

TAKAHASHI, E.; BARNABÉ, H.R.; CHANG, J.; LAGANÁ, M.S. DE A.F.L.; CRUZ, V.I.M. DA S. Projeto: Parque Santo Dias – SVMA. In: **A Questão Ambiental Urbana: Cidade de São Paulo,** Prefeitura do Município de São Paulo, Secretaria do Verde e do Meio Ambiente, São Paulo: p. 563-572, 1993.

www.iflorestal.sp.gov.br/unidades_conservacao/informacoes.asp? Acesso em 29/12/2006

www.clubecampestresp.com.br Acesso em 09/01/2007

www.ambiente.sp.gov.br/villalobos/historico.htm Acesso em 29/12/2006

www.aecotur.org.br Acesso em 11/01/2007

www.chsa.com.br Acesso em 11/01/2007

Estudo espacializado dos padrões de vegetação e uso do solo

Marcos Kawall Vasconcellos

Ricardo José Francischetti Garcia

Para o estudo de padrões de vegetação e uso do solo tomamos como exemplo duas áreas onde são realizados inventariamentos faunísticos: a Área de Proteção Ambiental do Carmo e a região da Cratera de Colônia. Serviram de parâmetros no trabalho para a produção das camadas (*layers*) de cada padrão, a observação direta das imagens georeferenciadas de mosaicos de fotos aéreas, dados de base cartográfica de hidrografia e altimetria, e informações de campo de técnicos nos levantamentos de flora e fauna

Situada na zona leste da cidade, onde se observa uma grande mancha urbana, a APA do Carmo, com cerca de 850 ha., figura como uma "ilha verde" neste cenário. Já a Cratera de Colônia, com 1091 ha., localiza-se na zona sul, dentro da APA Capivari-Monos, fazendo limite na sua porção superior com a APA Bororé-Colônia. Esta região difere da anterior, pois tem como característica a predominância da cobertura vegetal.

Na APA do Carmo nota-se que a pressão urbana exercida sobre a área de estudo é externa àquela Unidade de Conservação (25,6% da área são do perfil Mata). Já na Cratera de Colônia observa-se o inverso, a pressão urbana vem de dentro da própria área de estudo, com a presença de um adensamento populacional (17,1% de Edificações e áreas não impermeabilizadas).

A diversidade dos perfis de vegetação e sua relação com o ambiente urbano estão ligadas diretamente à fauna silvestre encontrada na cidade, pois nesta vegetação os animais se reproduzem, encontram alimento e abrigo, de acordo com as exigências de cada espécie.

As categorias observadas podem ser, em grande parte, reconhecidas em outras áreas verdes do Município. Na APA do Carmo, foram distinguidas mais categorias do que na região da Cratera de Colônia, devido ao maior impacto histórico nesta região.

Mata

Vegetação florestal nativa, com árvores ocupando diferentes estratos (alturas), além de arbustos, trepadeiras, ervas e epífitas. Grande parte do atual Município de São Paulo era coberta por matas. Devido a atividades como corte seletivo para uso de madeira e lenha, ou mesmo devido ao abandono de áreas desmatadas que se encontram em regeneração, a maior parte das matas remanescentes no Município é secundária. Nas fotos aéreas esta categoria pode ser reconhecida pelo maior diâmetro das copas das árvores, maior diversidade (vários padrões e tons de verde das copas) e maior altura relativa em relação às capoeiras.

Capoeira

No processo natural de regeneração das matas, as capoeiras são estágios intermediários, reconhecidos pela menor diversidade de espécies e de hábitos, por exemplo, pela menor riqueza em epífitas. Nas fotos aéreas esta categoria pode ser reconhecida pelo menor diâmetro das copas das árvores, menor diversidade (padrão mais homogêneo) e menor altura relativa em relação às matas.

Eucalipto com sub-bosque

Eucaliptais são relativamente comuns na paisagem do Município. São resultado de plantios com fins comerciais (lenha e celulose). Há várias espécies de eucalipto utilizadas, todas de origem australiana. Eucaliptais antigos podem apresentar o desenvolvimento de sub-bosque, com arvoretas e arbustos, originários de matas próximas. Nas fotos aéreas esta categoria pode ser reconhecida pelo diâmetro homogêneo das copas das árvores (eucaliptos), maior altura relativa que as matas e padrão heterogêneo entre as árvores (sub-bosque).

Vegetação tipo parque

Nesta categoria encontram-se áreas com vegetação implantada pelo homem, em que árvores (de diferentes espécies ou não) encontram-se isoladas entre si ou formando pequenos maciços e entremeadas por gramados e jardins. Nas fotos aéreas esta categoria pode ser reconhecida pelo espaçamento heterogêneo ou homogêneo entre as copas das árvores, também com padrões de copa homogêneo ou heterogêneo. Entre as árvores predominam gramados.

Bosque

Vegetação implantada pelo homem em que árvores (de diferentes espécies ou não) encontram-se formando maciços; podem apresentar sub-bosque, mas com diversidade menor que as matas. Nesta categoria estão incluídos também os reflorestamentos de *Pinus elliottii*. Nas fotos aéreas esta categoria pode ser reconhecida pelo padrão mais homogêneo do que nas matas.

Agricultura

Nesta categoria encontram-se áreas cultivadas, com hortas, pomares e viveiros. Nas fotos aéreas esta categoria pode ser reconhecida pelo padrão quadriculado (tipo xadrez), devido às cores de diferentes culturas ou estágios do cultivo.

Campo antrópico

Nesta categoria encontram-se áreas com cobertura herbácea, predominantemente graminosa, eventualmente com árvores ou arbustos isolados em terrenos mais secos e em topografias variadas. Nas fotos aéreas esta categoria pode ser reconhecida pelo padrão relativamente homogêneo em topografias variadas.

Várzea

Nesta categoria encontram-se áreas com cobertura herbácea, graminosa ou não, associadas à topografia plana e junto a cursos d'água. Nas fotos aéreas esta categoria pode ser reconhecida pelo padrão homogêneo, plano e com ocorrência de água.

Lagos

Nesta categoria encontram-se superfícies de água sem vegetação emersa evidente. Nas fotos aéreas esta categoria pode ser reconhecida pela cor e padrão homogêneo. Diferentes lagos podem apresentar cores homogêneas diversas (tons de azul, cinza e marrom, por exemplo), dependendo da profundidade, presença de algas e qualidade da água.

Edificações e áreas impermeabilizadas

Nesta categoria encontram-se áreas com graus variados de ocupação do solo por casas, ruas, galpões e prédios, podendo apresentar ou não vegetação associada, como jardins, pequenas hortas e vegetação ruderal. Nas fotos aéreas esta categoria pode ser reconhecida pelo padrão heterogêneo, coloração mais acinzentada e com ausência ou pequena quantidade de cores verdes.

Clube campestre

Nesta categoria encontra-se a área do SESC Itaquera, com uma mistura de edificações, bosques e áreas ajardinadas. Na foto aérea esta categoria pode ser reconhecida pelo padrão heterogêneo, devido aos vários elementos citados.

Solo exposto

Nesta categoria encontram-se áreas com solo exposto, resultantes de processos erosivos, queimadas ou outros históricos de degradação ambiental. Podem apresentar início do processo de sucessão ecológica, com a instalação de plantas herbáceas. Nas fotos aéreas esta categoria pode ser reconhecida pelo padrão homogêneo e de coloração em tons de marrom.

Mapa da área de estudo na APA do Carmo

Ortofotos MSP 2001
Escala do vôo: 1:25.000

Execução: BASE Aerofotogrametria S.A.
Acervo: SVMA / PMSP

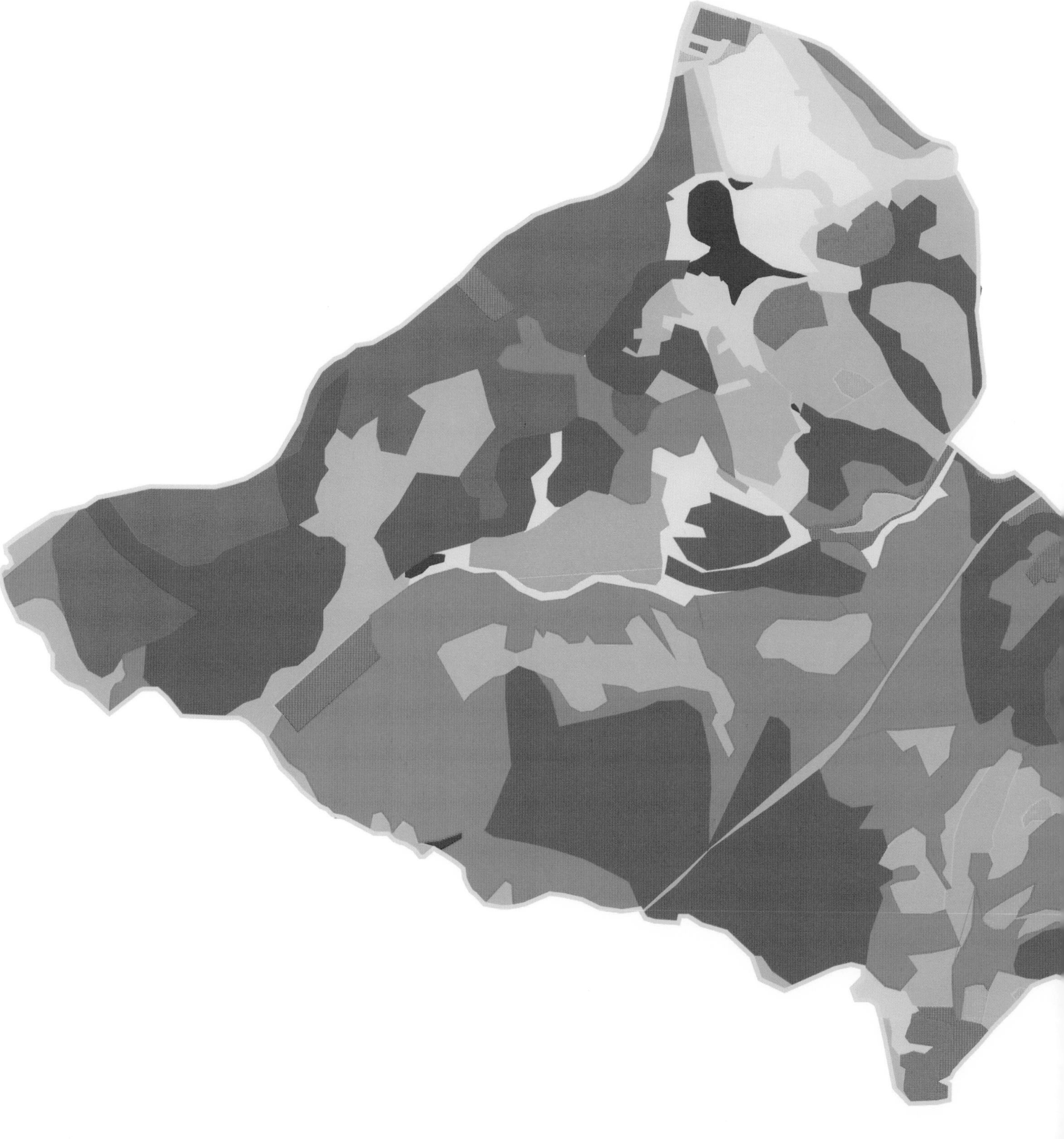

Mapa de Caracterização da Vegetação e Uso do Solo na APA do Carmo

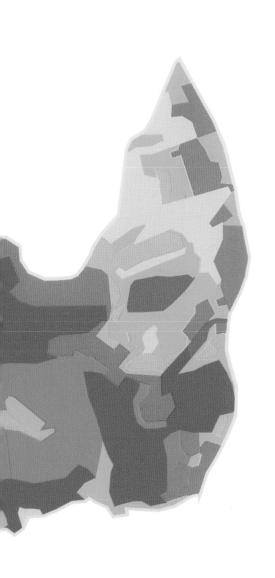

LEGENDA

- Área de estudo da APA do Carmo (850,9 ha)
- Mata secundária (218,8 ha)
- Capoeira (200,5 ha)
- Eucaplipito com sub-bosque (90,3 ha)
- Vegetação tipo Parque (35,2 ha)
- Bosque (44,5 ha)
- Agricultura (19,3 ha)
- Campo Antrópico (151 ha)
- Várzea (5,8 ha)
- Lagos (7,6 ha)
- Edificações e áreas impermeabilizadas (41,5 ha)
- Clube campestre (17,1 ha)
- Solo exposto (17,5 ha)

N

500 m

Mapa da área de estudo na Cratera de Colônia

LEGENDA

Área de estudo Cratera de Colônia (1091 ha)

N

500 m

Ortofotos MSP 2001
Escala do vôo: 1:25.000

Execução: BASE Aerofotogrametria S.A.
Acervo: SVMA / PMSP

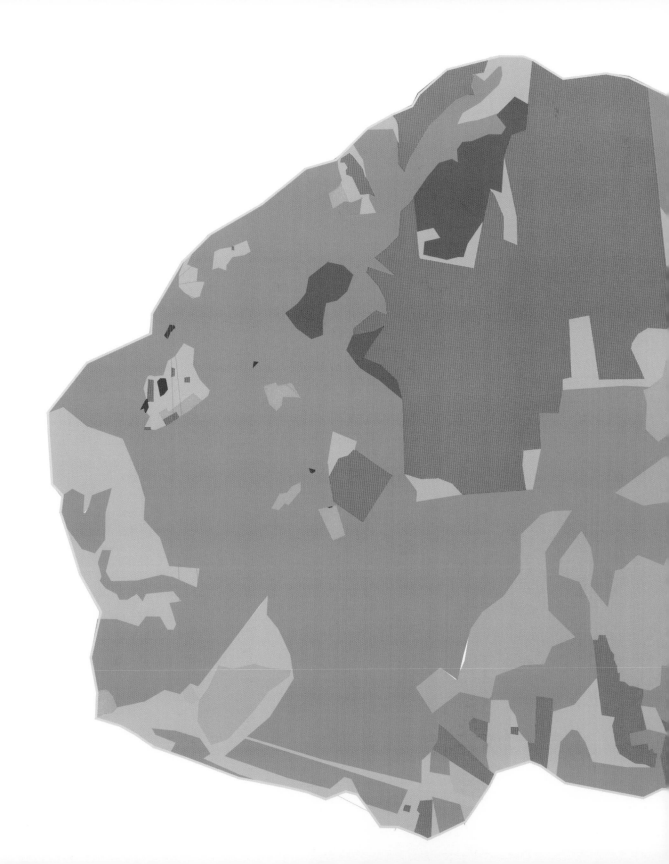

Mapa de Caracterização
da Vegetação e Uso do Solo
na Cratera de Colônia

LEGENDA

Área de estudo Cratera de Colônia (1091 ha)

Mata secundária (30,9 ha)

Capoeira (527,5 ha)

Bosque (11,1 ha)

Agricultura (44,2 ha)

Campo Antrópico (119,7 ha)

Várzea (161,8 ha)

Lagos (1,8 ha)

Edificações e áreas impermeabilizadas (187,5 ha)

Solo exposto (5,3 ha)

N

500 m

FAUNA SILVESTRE

Anfíbios do Município de São Paulo

Leo R. Malagoli

Os anfíbios foram o primeiro grupo de vertebrados a ocupar o ambiente terrestre há mais de 300 milhões de anos. Até o momento, 6.091 espécies são conhecidas em todo planeta (FROST, 2007), divididas em três Ordens: 1) a Ordem *Gymnophiona*, que compreende os anfíbios conhecidos popularmente por "cobras-cegas", que não apresentam membros locomotores, possuem corpo cilíndrico e alongado e vivem em galerias escavadas no subsolo ou na água; 2) a Ordem *Caudata*, composta por anfíbios chamados de "salamandras" e "tritões", que possuem corpo alongado, patas e cauda, podem ser terrestres ou totalmente aquáticos e ocorrem, principalmente, na América do Norte e Europa; e 3) os "sapos", "rãs" e "pererecas", representantes da Ordem *Anura*, que não apresentam cauda na fase adulta, são muito diversificados em relação a sua forma e hábitos e os únicos anfíbios que possuem voz, ou seja, os machos coaxam para atrair as fêmeas na estação reprodutiva. Distribuem-se amplamente ao redor do mundo. Os anuros, objeto principal deste capítulo, são muito importantes para o equilíbrio do meio ambiente, já que integram a cadeia alimentar. De um lado, são excelentes predadores, se alimentando de insetos, aranhas, e até mesmo de pequenos vertebrados. Por outro, fazem parte da alimentação de uma quantidade enorme de animais, desde invertebrados até répteis, aves e mamíferos (DUELLMAN; POUGH *et al.*, 2001; TRUEB, 1986).

perereca (*Hypsiboas prasinus*)

Muitas espécies de anfíbios possuem uma fase larval aquática, cuja respiração é realizada através de brânquias. Nos anuros, essas larvas são comumente chamadas de girinos. Ao se desenvolverem, passam a ocupar o ambiente terrestre e a respirar através da pele, em geral úmida e desprotegida, e também através de pulmões. Estas são algumas das características que tornam os anfíbios extremamente sensíveis a alterações ambientais, como desmatamentos, poluição do ar, solo e de corpos d'água (DUELLMAN; TRUEB, 1986; POUGH *et al.*, 2001). Com o aumento das ações de origem antrópica, alguns pesquisadores notaram que, a partir da década de 80, as populações de muitas espécies de anfíbios começaram a declinar e até mesmo desaparecer ao redor do mundo (BLAUSTEIN; KIESECKER, 2002; YOUNG *et al.*, 2001), inclusive com alguns casos já reportados para o Brasil (ETEROVICK *et al.*, 2005; HADDAD; SAZIMA, 1992; HEYER *et al.*, 1988; IZECKSOHN; CARVALHO-E-SILVA, 2001; WEYGOLDT, 1989).

Em todo o mundo, o Brasil é o país com a maior diversidade de anfíbios, contendo atualmente 776 espécies (SBH, 2005). Cerca de metade destas espécies concentra-se na Mata Atlântica (HADDAD *et al.*, 2005), um dos biomas mais ameaçados do planeta e que apresenta mais diversidade de espécies de que grande parte das florestas localizadas na Região Amazônica (MORELLATO; HADDAD, 2000).

O Estado de São Paulo possui uma grande diversidade de anfíbios anuros (sapos, rãs e pererecas), estimada em mais de 250 espécies (HADDAD, 1998). Essa riqueza é provavelmente conseqüência da presença das Serras do Mar e da Mantiqueira, as quais apresentam elevada umidade em decorrência da grande quantidade de chuvas. Além disso, o terreno bastante acidentado é um fator que gera isolamento entre diferentes populações, especiação e endemismos, resultando numa grande biodiversidade (HADDAD, 1998).

O Município de São Paulo encontra-se completamente inserido no bioma da Mata Atlântica e, em decorrência deste fato, ainda abriga uma anurofauna considerável apesar do crescimento desenfreado da Cidade.

A perereca-flautinha (*Aplastodiscus albosignatus*), de coloração verde, recebe este nome por sua vocalização, semelhante a uma nota de flauta.

FAUNA SILVE

Os anfíbios e a Cidade

Devido a séculos de ocupação e processos de urbanização sem planejamento, o Município de São Paulo apresenta sua paisagem natural bastante alterada. No que diz respeito aos anfíbios, diversos habitats ocupados por estes animais, como riachos, córregos, rios, matas ciliares e várzeas foram completamente modificados tanto fisicamente (p. ex. ocupação irregular de matas ciliares, retificação de rios, canalização de córregos e riachos, drenagem de várzeas e brejos) como quimicamente (p. ex. poluição das águas por esgoto doméstico ou industrial). Estes fatores certamente colaboraram para o desaparecimento de inúmeras espécies dentro do Município. No entanto, algumas áreas verdes ainda conservam hábitats apropriados para manter a diversidade das espécies aqui registradas. Estas se concentram principalmente nos Parques Municipais, Estaduais, Áreas de Proteção Ambientais (APAs) e áreas particulares com remanescentes de mata localizados perifericamente na cidade. Os fragmentos de mata mais significativos localizam-se ao sul (Parque Estadual das Fontes do Ipiranga e Parque Ecológico do Guarapiranga), extremo sul (APA do Bororé-Colônia e Capivari-Monos e Núcleo Curucutu do Parque Estadual da Serra do Mar), norte (Parque Estadual da Cantareira), leste (APA do Carmo) e a oeste (Parque Estadual do Jaraguá) do Município.

A cidade de São Paulo, apesar de ser a maior metrópole da América do Sul, ainda não possui um levantamento sistemático acerca das espécies de anfíbios que ocorrem dentro de seus limites. Nas áreas que margeiam o Município destacam-se as pesquisas realizadas na Reserva Florestal do Morro Grande, em Cotia (DIXO; VERDADE, 2006) e na Serra do Japi (HADDAD; SAZIMA, 1992). O trabalho de BOKERMANN (1966) cita o Município como sendo localidade-tipo para algumas espécies de anfíbios.

A realização de pesquisas e inventários envolvendo os anuros existentes na Cidade de São Paulo é de extrema importância. Dentre os inúmeros fatores relevantes podemos destacar:

- O Município ainda possui importantes fragmentos florestais;
- O aumento das ocupações irregulares e da especulação imobiliária devasta extensas áreas naturais, o que pode contribuir para o declínio ou desaparecimento de espécies ainda não registradas para a região;
- Ausência de levantamento de campo em diversas localidades da Cidade;
- Um maior conhecimento da fauna local auxilia e enriquece trabalhos de Educação Ambiental;
- Levantamentos faunísticos são muito importantes para a aplicação de medidas de preservação ambiental, como por exemplo, a criação de Unidades de Conservação.

A lista de anfíbios apresentada ao final do capítulo integra o projeto "Inventário da Fauna do Município de São Paulo" da Divisão de Fauna (SÃO PAULO, 2006). Não foram retratadas, por ora, as espécies de anfíbios relatadas por outros autores e instituições para o Município já que a proposta deste livro foi comentar a lista publicada no Inventário da Fauna do Município de São Paulo (SÃO PAULO, 2006). Portanto, a diversidade de anfíbios apresentada aqui para a cidade de São Paulo não corresponde à sua totalidade.

A rãzinha-rangedora (*Physalaemus olfersii*) possui focinho afilado e apresenta uma faixa lateral marrom-escura.

Áreas de estudo

Quase todas as espécies relacionadas foram registradas em quatro áreas, através de levantamentos a campo. No Parque Anhanguera (zona oeste), o levantamento foi conduzido por Cybele de Oliveira Araújo (1997); no Parque Cidade de Toronto (zona oeste), por Felipe Ignácio Jacinto (monografia de conclusão de curso, 2001); na Fazenda Castanheiras (zona sul), por Leo Ramos Malagoli e colaboradores (2003); e no Núcleo Curucutu do Parque Estadual da Serra do Mar (zona sul), por Malagoli e Haddad (em andamento). Todos os trabalhos foram realizados em parceria com a Divisão Técnica de Medicina Veterinária e Manejo da Fauna Silvestre. Também foram considerados alguns registros eventuais. As áreas de estudo são muito distintas entre si e para um maior detalhamento da paisagem e da estrutura da vegetação consultar o Capítulo 1.

Procedimentos

O método utilizado para o levantamento de anfíbios consistiu em coleta manual, coleta com armadilhas de intercepção e queda (*pit fall*), e registro de vocalização (HEYER *et al.*, 1994).

A classificação e taxonomia das espécies seguem os trabalhos de FAIVOVICH *et al.* (2005), FROST (2007), FROST *et al.* (2006) e GRANT *et al.* (2006). Os nomes populares aqui adotados seguem os propostos em trabalhos já publicados (HADDAD *et al.*, 2005; IZECKOHN; CARVALHO-E-SILVA, 2001).

Resultados e Conclusões

Um total de 40 espécies pertencentes a 7 famílias foi registrado para o Município de São Paulo. Destas, 21 são consideradas endêmicas da Mata Atlântica (FROST, 2007; IUCN, 2006b). A rã-de-vidro, *Hyalinobatrachium uranoscopum*, consta da lista de espécies provavelmente ameaçadas de extinção para o Estado de São Paulo (SÃO PAULO, 1998) e a rãzinha-de-barriga-vermelha, *Paratelmatobius cardosoi*, consta como espécie "Insuficientemente Conhecida" pela IUCN (2006a).

Apesar de 19 das espécies apresentadas serem ocupantes de áreas abertas ou viverem em áreas parcialmente urbanizadas, como o sapo-cururuzinho, *Chaunus ornatus*, a pererequinha-do-brejo, *Dendropsophus minutus*, a rã-manteiga, *Leptodactylus ocellatus*, e a rã-cachorro, *Physalaemus cuvieri*, o restante das espécies, pouco mais da metade, vive em áreas estritamente florestais ou muito próximas a elas. São exemplos a perereca-flautinha, *Aplastodiscus albosignatus*, a perereca, *Bokermannohyla astartea*, a perereca-de-folhagem, *Phasmahyla cochranae,* e a rãzinha-de-barriga-vermelha, *Paratelmatobius cardosoi*. Estas espécies mais sensíveis a alterações são encontradas em pontos da cidade onde a ocupação humana ainda é rara ou inexistente e o ambiente ainda conserva um pouco de suas características originais. Com o aumento das pesquisas em Parques e áreas verdes municipais que possuam matas, novos registros de espécies florestais deverão ocorrer para a cidade de São Paulo. Quanto aos ambientes de várzeas e brejos, áreas abertas naturais escassas na cidade, é possível que abriguem espécies de anuros que ainda não foram registradas dentro dos limites da metrópole.

A seguir, é apresentada uma lista comentada das espécies, contendo informações sobre sua história natural, ecologia e distribuição geográfica, além de ilustrações detalhadas.

FAUNA SILVESTRE

Adaptando-se facilmente às alterações ambientais, a rã-manteiga (*Leptodactylus ocellatus*) sobrevive em áreas degradadas.

Lista comentada

Família Brachycephalidae

Eleutherodactylus binotatus (Spix, 1824)

rã-do-chão-da-mata (pág. 92)

Esta rã de tamanho que varia de médio a grande (cerca de 60 mm), possui coloração castanho-avermelhada e, com freqüência, apresenta quatro pintas enegrecidas em seu dorso. É uma espécie que apresenta hábitos diurnos, noturnos e crepusculares e vive no chão da mata entre a serrapilheira. Deposita seus ovos entre troncos caídos, e seu desenvolvimento é direto, ou seja, dos ovos nascem rãzinhas semelhantes aos pais, não havendo, portanto, a fase larval (girinos). Distribui-se pelo Sudeste do Brasil (FROST, 2007; HEYER *et al.*, 1990; IZECKSOHN; CARVALHO-E-SILVA, 2001; POMBAL; GORDO, 2004). Foi registrada em diversas áreas dentro do Município, como os Parques Alfredo Volpi (zona sul) e Anhanguera (zona oeste), na Fazenda Castanheiras, localizada dentro da Área de Proteção Ambiental Bororé-Colônia (às margens da represa Billings), e no Núcleo Curucutu do Parque Estadual da Serra do Mar (PESM), localizado no extremo sul do Município (SÃO PAULO, 2006).

Um dos anfíbios mais comuns em áreas florestadas, a perereca-com-anéis-nas-coxas (*Bokermannohyla hylax*), tem coloração castanho-avermelhada e ocorre na Mata Atlântica de São Paulo.

Eleutherodactylus guentheri (Steindachner, 1864)

rã-do-chão-da-mata (pág. 92)

Rã de porte mediano (cerca de 30 mm a 40 mm) e similar à espécie anterior, porém, sem as manchas enegrecidas no dorso. Possui uma grande variação de coloração e ampla distribuição geográfica. Desta forma, é possível que mais de uma espécie esteja sendo designada pelo mesmo nome. Assim como as outras rãs do gênero *Eleutherodactylus*, também apresenta desenvolvimento direto. Sua distribuição abrange os Estados do Sul e Sudeste brasileiros (FROST, 2007; HEYER, 1984; HEYER *et al.*, 1990; POMBAL; GORDO, 2004). No Município, foi observada no Parque Anhanguera, Fazenda Castanheiras (APA Bororé-Colônia) e no Núcleo Curucutu do PESM (SÃO PAULO, 2006).

Eleutherodactylus parvus (Girard, 1853)

rãzinha-do-chão-da-mata (pág. 92)

Pequenina rã (cerca de 20 mm) de cor bege ou cinza, com uma área enegrecida próxima à região cloacal. Vive no chão de matas e vocaliza ao entardecer e à noite. A espécie ocorre em áreas florestadas do Sudeste do Brasil (FROST, 2007; HEYER *et al.*, 1990; IZECKSOHN; CARVALHO-E-SILVA, 2001). Foi observada no Núcleo Curucutu do PESM (SÃO PAULO, 2006).

Eleutherodactylus cf. *spanios* Heyer, 1985

rãzinha-do-chão-da-mata (pág. 92)

Rã de tamanho muito reduzido (cerca de 16 mm), coloração esverdeada, ponta dos dedos dilatadas e ventre escuro. Trata-se de uma espécie considerada rara, e pouca ou nenhuma informação sobre sua biologia é conhecida. *Eleutherodactylus spanios* foi descrita com base em poucos exemplares;

portanto, são necessários trabalhos de comparação para uma confirmação segura a respeito da identidade da espécie coletada em São Paulo. Foi registrada em uma área florestada no Distrito de Jaceguava (zona sul), próximo à Represa da Guarapiranga (SÃO PAULO, 2006).

Família Bufonidae

Chaunus ictericus (Spix, 1824)

sapo-cururu (pág. 93)

É um sapo grande (em torno de 180 mm) com a pele bastante granulosa. Possui grandes glândulas de veneno (glândulas parotóides) localizadas atrás dos olhos. O dimorfismo sexual é bastante acentuado, sendo que a fêmea possui grandes manchas escuras no dorso, inexistentes no macho. Possui hábitos florestais, mas também consegue adaptar-se a ambientes alterados. Os machos vocalizam parcialmente submersos em lagos ou brejos. Sua desova consiste de longos cordões gelatinosos que se prendem à vegetação aquática. Distribui-se pelo Sudeste e Sul do Brasil e por países vizinhos, como Argentina e Paraguai (FROST, 2007; HADDAD; SAZIMA, 1992; IZECKSOHN; CARVALHO-E-SILVA, 2001). É encontrado em muitas localidades no Município, como os Parques Anhanguera, Cidade de Toronto, Ibirapuera (embora ultimamente não tenha sido avistado neste Parque), Luz e Piqueri, e em algumas áreas verdes no entorno da Cidade, como o Sítio Bordin (APA Capivari-Monos), Fazenda Castanheiras (APA Bororé-Colônia) e o Núcleo Curucutu do PESM (SÃO PAULO, 2006).

Chaunus ornatus (Spix, 1824)

sapo-cururuzinho (pág. 93)

Esta espécie de sapo é visivelmente menor que a citada anteriormente (cerca de 80 mm), sua coloração varia de marrom-avermelhada a bege, apresentando glândulas parotóides pequenas e, com freqüência, uma fina faixa longitudinal esbranquiçada no dorso. Os hábitos reprodutivos são semelhantes aos da espécie citada anteriormente. Sua distribuição geográfica abrange a Mata Atlântica, desde o Estado do Espírito Santo até o Paraná e, possivelmente, as Províncias de Misiones e Corrientes, a nordeste da Argentina

(BALDISSERA JR. *et al.*, 2004; FROST, 2007; HADDAD; SAZIMA, 1992; POMBAL; GORDO, 2004). Foi registrada nos Parques Anhanguera, Burle Marx e Cidade de Toronto, na Fazenda Castanheiras (APA Bororé-Colônia) e no Núcleo Curucutu do PESM (SÃO PAULO, 2006).

Dendrophryniscus brevipollicatus Jiménez de la Espada, 1871

sapinho-arborícola (pág. 93)

Pequenina espécie de sapo (cerca de 20 mm) com focinho afilado e ponta dos dedos dilatada. Possui coloração cinzenta e um desenho no dorso em forma de "X". Habita o interior das matas e deposita seus ovos na água acumulada no interior de bromélias. Os girinos se desenvolvem completamente neste tipo de microambiente. Distribui-se pela Mata Atlântica entre o Rio Grande do Sul e Rio de Janeiro (FROST, 2007; HEYER *et al.*, 1990; IZECKSOHN; CARVALHO-E-SILVA, 2001). Em São Paulo, foi registrada no Núcleo Curucutu do PESM (SÃO PAULO, 2006).

Dendrophryniscus cf. *leucomystax* Izecksohn, 1968

sapinho-arborícola (pág. 93)

Anuro muito semelhante ao citado anteriormente (cerca de 20 mm), porém apresentando uma faixa de cor branca em seu lábio superior. *Dendrophryniscus brevipollicatus*, seu parente próximo, está geralmente associado a bromélias, onde seus ovos são depositados e os girinos se desenvolvem. Já *Dendrophryniscus leucomystax* utiliza poças de água acumuladas no solo, dentro de matas, para depositar seus ovos. Distribui-se pelas matas litorâneas de São Paulo ao Rio de Janeiro (FROST, 2007; IZECKSOHN, 1993). Tem sido encontrada nas matas nebulares do Núcleo Curucutu do PESM (SÃO PAULO, 2006) entre 700 e 850 m de altitude. Um estudo mais aprofundado será necessário para a identificação segura da espécie.

A perereca-das-bromélias (*Scinax perpusillus*) está sempre associada a este tipo de planta onde realiza todo o seu ciclo de vida.

A pererequinha-do-brejo (*Dendropsophus minutus*) possui coloração bege-amarelada, sendo comumente observada empoleirada em pequenos arbustos, próximo a várzeas e brejos, em áreas abertas.

Família Centrolenidae

Hyalinobatrachium uranoscopum (Müller, 1924)

rã-de-vidro (pág. 94)

Pequena perereca (em torno de 20 mm) de coloração verde e ventre transparente, que dá origem ao nome. Vive na vegetação marginal de riachos e ribeirões no interior de matas. A desova consiste de um agregado de ovos com aparência gelatinosa, que são depositados no limbo das folhas que pendem sobre a água. Após algum tempo, os girinos literalmente "pingam" na água e se desenvolvem no fundo de corpos d'água, em meio a areia e folhas mortas. Distribui-se pelas serras do Sudeste e Sul (Paraná e Santa Catarina) do Brasil e nordeste da Argentina (FROST, 2007; HEYER *et al.*, 1990; IZECKSOHN; CARVALHO-E-SILVA, 2001). Esta espécie tem sido observada com freqüência no Núcleo Curucutu do PESM (SÃO PAULO, 2006).

Família Hylidae

Aplastodiscus albosignatus (Lutz and Lutz, 1938)

perereca-flautinha (pág. 94)

Perereca de coloração verde e tamanho mediano (cerca de 40 mm). Vive nas margens de córregos ou áreas brejosas e emite uma vocalização semelhante a uma nota de flauta no interior de matas. O gênero *Aplastodiscus* possui um complexo sistema de corte e acasalamento que envolve sinalizações e toques. Depositam seus ovos, de coloração esbranquiçada, em tocas subterrâneas próximas a riachos. Com a chegada das chuvas, o volume de água nos corpos d'água aumenta e os abrigos são inundados. Os girinos, então, passam a ocupar os córregos, onde se desenvolvem. Vive nas montanhas da Serra do Mar e da Mantiqueira (CRUZ; PEIXOTO, 1985; FROST, 2007; HADDAD; SAWAYA, 2000; HEYER *et al.*, 1990). Registrada para o Núcleo Curucutu do PESM (SÃO PAULO, 2006).

Aplastodiscus leucopygius (Cruz and Peixoto, 1985)

perereca-verde (pág. 94)

Perereca com forma, tamanho (cerca de 40 mm), colorido e modo reprodutivo muito semelhantes aos da espécie anteriormente comentada. Habitualmente vocaliza próxima a córregos em áreas florestadas. Ocorre na Mata Atlântica, do Rio de Janeiro a São Paulo (CRUZ; PEIXOTO, 1985; FROST, 2007; HADDAD; SAZIMA, 1992; HADDAD; SAWAYA, 2000). A espécie foi registrada na Fazenda Castanheiras, APA do Bororé-Colônia (SÃO PAULO, 2006).

Bokermannohyla astartea (Bokermann, 1967)

perereca (pág. 94)

Perereca de tamanho médio (em torno de 40 mm), com coloração que varia de marrom-avermelhada a bege, com algumas poucas manchas brancas no dorso. Costuma vocalizar à noite, em bromélias, a diversas alturas, junto a pequenos córregos ou riachos no interior de matas. Possui distribuição pela Serra do Mar do Estado de São Paulo (FROST, 2007; HEYER *et al.*, 1990). Registrada para o Núcleo Curucutu do PESM (SÃO PAULO, 2006).

Bokermannohyla circumdata (Cope, 1871)

perereca-com-anéis-nas-coxas (pág. 95)

Perereca de tamanho grande (cerca de 80 mm), coloração bege ou marrom-avermelhada e manchas transversais escuras no dorso. Seu tímpano é grande e arredondado. Esta espécie típica de Mata Atlântica possui hábitos florestais e está associada à vegetação marginal de cursos d'água, como córregos e riachos. Ocorre em áreas montanhosas e serranas desde o Espírito Santo até Santa Catarina (FROST, 2007; HEYER *et al.*, 1990; IZECKSOHN; CARVALHO-E-SILVA, 2001). Registrada para o Núcleo Curucutu do PESM (SÃO PAULO, 2006).

Bokermannohyla hylax (Heyer, 1985)

perereca-com-anéis-nas-coxas (pág. 95)

Perereca grande (em torno de 65 mm), semelhante nos hábitos e formas à espécie citada anteriormente, porém, possui tímpano de tamanho reduzido. Vocaliza em locais protegidos no chão ou na vegetação baixa próxima a córregos. Distribui-se pela Mata Atlântica de São Paulo e Paraná (FROST, 2007; HEYER, 1985; HEYER *et al.*, 1990). Foi registrada na Fazenda Castanheiras (APA Bororé-Colônia) e no Núcleo Curucutu do PESM (SÃO PAULO, 2006).

Dendropsophus berthalutzae (Bokermann, 1962)

pererequinha (pág. 95)

Pequena perereca (cerca de 20 mm) de coloração bege-alaranjada que possui um desenho no dorso em forma de "X". Habita a vegetação em clareiras e bordas de mata. Distribui-se nas áreas litorâneas entre o Espírito Santo e São Paulo e na Serra do Mar de São Paulo (FROST, 2007; IZECKSOHN; CARVALHO-E-SILVA, 2001). Apesar de estar associada às matas de baixadas (IZECKSOHN; CARVALHO-E-SILVA, 2001), foi registrada para a Fazenda Castanheiras (APA Bororé-Colônia) a cerca de 750 m de altitude (SÃO PAULO, 2006).

Dendropsophus microps (Peters, 1872)

pererequinha (pág. 95)

Perereca de pequeno porte (cerca de 25 mm), com coloração que varia de castanho-escura a tons bege-amarelados, com manchas escuras distribuídas irregularmente no dorso. Costuma vocalizar na vegetação baixa na borda de matas. A região exterior das coxas possui cor alaranjada. Ocorre na Mata Atlântica do Sudeste do Brasil (FROST, 2007; HEYER *et al.*, 1990; POMBAL; GORDO, 2004). Foi registrada para o Núcleo Curucutu do PESM (SÃO PAULO, 2006).

Dendropsophus minutus (Peters, 1872)

pererequinha-do-brejo (pág. 96)

Esta pequena espécie de perereca (cerca de 20 mm) possui coloração bege-amarelada e manchas mais escuras, em forma de faixas, estrias ou de uma ampulheta. Vocaliza na vegetação marginal em brejos e lagos em áreas abertas. Sua desova é realizada na água. Distribui-se amplamente pelo Brasil e países vizinhos (FROST, 2007; HEYER *et al.*, 1990; IZECKSOHN; CARVALHO-E-SILVA, 2001). Foi registrada para a Fazenda Castanheiras (APA Bororé-Colônia) e o Núcleo Curucutu do PESM (SÃO PAULO, 2006).

Hypsiboas albomarginatus (Spix, 1824)

perereca-verde-de-coxas-laranjas (pág. 96)

Perereca de cor verde e tamanho médio (cerca de 50 mm), com colorido alaranjado nas coxas. A voz desta espécie consiste em um grito rouco, repetido irregularmente, em meio à vegetação baixa na margem de lagoas e brejos em áreas abertas. Possui ampla distribuição geográfica pelo Brasil, entre os Estados de Pernambuco e Santa Catarina, baixa Bacia Amazônica e países como a Colômbia e Guianas (BOKERMANN, 1967; FROST, 2007; IZECKSOHN; CARVALHO-E-SILVA, 2001). Foi registrada para a Fazenda Castanheiras (APA Bororé-Colônia) e o Núcleo Curucutu do PESM (SÃO PAULO, 2006).

Hypsiboas albopunctatus (Spix, 1824)

perereca-cabrinha (pág. 96)

Perereca com tamanho de médio a grande (cerca de 60 mm). Possui coloração marrom no dorso e pequenas pintas amarelo-esbranquiçadas na porção externa das coxas e região inguinal. A espécie costuma habitar áreas abertas, como banhados, brejos e lagos. Sua vocalização lembra um pouco o balido de cabras, daí o nome popular. Distribui-se amplamente pelo Sudeste, Centro-Oeste e Sul do Brasil, e países vizinhos (HEYER *et al.*, 1990; FROST, 2007). Foi registrada para o Parque Anhanguera e Núcleo Curucutu do PESM (SÃO PAULO, 2006).

O sapinho-arborícola (*Dendrophryniscus*
cf. *leucomystax*) é encontrado em áreas
preservadas, freqüentemente sobre
folhas de bromélias.

Hypsiboas bischoffi (Boulenger, 1887)

perereca (pág. 96)

Perereca de porte médio (cerca de 50 mm) e cor bege, podendo apresentar em seu dorso faixas longitudinais e manchas escuras. Em seu focinho e nas coxas estende-se uma fina linha esverdeada. Aparentemente, reproduz-se o ano todo. O macho vocaliza na vegetação baixa em torno de áreas alagadas na borda de matas. Distribui-se do Rio de Janeiro ao Rio Grande do Sul (FROST, 2007;HADDAD; SAZIMA, 1992; HEYER *et al.*, 1990). Foi registrada na Fazenda Castanheiras (APA Bororé-Colônia) e no Núcleo Curucutu do PESM (SÃO PAULO, 2006).

Hypsiboas faber (Wied-Neuwied, 1821)

sapo-ferreiro (pág. 97)

Perereca de tamanho grande (cerca de 100 mm). Possui coloração variando entre o bege e o castanho-escuro. Tem hábitos noturnos e sua voz é semelhante ao som produzido por marteladas. Os machos constroem ninhos de barro em forma de "panelas" nas margens de lagos e brejos, onde a fêmea deposita seus ovos. Após as chuvas, esses ninhos são inundados e os girinos passam a ocupar os corpos d'água. Sua distribuição abrange vários estados brasileiros, Sudeste do Paraguai e a Província de Misiones na Argentina (FROST, 2007; HADDAD; SAZIMA, 1992; HEYER *et al.*, 1990; IZECKSOHN; CARVALHO-E-SILVA, 2001). Foi registrada para o Parque Anhanguera, a Fazenda Castanheiras (APA Bororé-Colônia) e o Núcleo Curucutu do PESM (SÃO PAULO, 2006).

Hypsiboas cf. *polytaenius* (Cope, 1870)

perereca-de-pijama (pág. 97)

Perereca de tamanho pequeno (em torno de 30 mm) de cor castanha ou bege e que apresenta no dorso diversas linhas longitudinais de coloração castanho-escura. Vocalizam na vegetação marginal de áreas alagadas, em borda de mata. Esta espécie é semelhante à *Hypsiboas polytaenius*. Entretanto, estudos adicionais devem ser realizados, para diagnóstico mais preciso da espécie. Foi registrada para o Núcleo Curucutu do PESM (SÃO PAULO, 2006).

Hypsiboas prasinus (Burmeister, 1856)

perereca (pág. 97)

Perereca de tamanho médio (cerca de 50 mm). A coloração desta espécie pode variar entre verde, amarelo e castanha. O macho vocaliza empoleirado na vegetação, sobre gramíneas ou mesmo flutuando na água, em riachos e lagoas no interior ou borda de matas e, também em áreas abertas. Distribui-se pelo Sudeste do Brasil (FROST, 2007; HADDAD; SAZIMA, 1992; HEYER *et al.*, 1990). Foi registrada para o Parque Anhanguera (SÃO PAULO, 2006).

Phasmahyla cochranae (Bokermann, 1966)

perereca-de-folhagem (pág. 97)

Perereca de porte mediano (cerca de 35 mm) que possui coloração dorsal verde durante o dia e castanho-avermelhada à noite. A lateral do corpo e as porções internas das patas e braços são alaranjadas e apresentam pequenas pintas arroxeadas, dispostas de forma irregular. Sua pupila é vertical e não horizontal como em muitos outros anuros. Esta é uma das

O nome da rã-de-vidro
(*Hyalinobatrachium uranoscopum*) vem
da transparência de seu ventre. Sua
coloração verde fornece boa
camuflagem em meio a vegetação.

pererecu-flautinha
(*Aplastodiscus aubosignatus*)

FAUNA SILVESTRE

características da subfamília Phyllomedusinae, que engloba diversas formas de pererecas-de-folhagem. Habita a vegetação marginal de riachos em locais florestados e costuma locomover-se lentamente, por meio de marcha, em meio a pequenos galhos e folhas. A desova é colocada em ninhos de folhas pendentes sobre remansos de riachos. Após algum tempo, os ovos eclodem e os girinos caem na água, onde terminam o seu desenvolvimento. Distribui-se pelas montanhas da Serra do Mar de São Paulo (CRUZ, 1982; FROST, 2007;HADDAD; SAZIMA, 1992; HEYER *et al.*, 1990). Foi registrada para o Parque Anhanguera (SÃO PAULO, 2006).

Phyllomedusa burmeisteri Boulenger, 1882

perereca-das-folhagens (pág. 98)

Perereca de tamanho grande (cerca de 60 mm) com intensa coloração verde, áreas azuladas nas coxas e manchas circulares amarelas na porção interna das coxas, braços e laterais do corpo. Costuma vocalizar na vegetação próxima às poças de água profundas, em áreas de borda de mata. A desova é semelhante à da espécie citada anteriormente. Os girinos só abandonam o funil de folhas quando as reservas de alimento se esgotam, caindo na poça, onde completam seu desenvolvimento.

Distribui-se amplamente pelo Sudeste e Bahia (FROST, 2007; HADDAD; SAZIMA, 1992; IZECKSOHN; CARVALHO-E-SILVA, 2001). A espécie foi registrada para o Parque Anhanguera (SÃO PAULO, 2006).

Phyllomedusa cf. *tetraploidea* Pombal and Haddad, 1992

perereca-das-folhagens (pág. 98)

Espécie de perereca grande (cerca de 60 mm) com coloração verde, pertencente ao mesmo grupo da espécie acima citada e apresentando hábitos e biologia semelhantes. Alguns indivíduos jovens foram encontrados no Núcleo Curucutu do PESM (SÃO PAULO, 2006). Não foi possível determinar com exatidão a identidade destes exemplares e novas pesquisas de campo serão realizadas com essa finalidade. *Phyllomedusa tetraploidea* distribui-se pelos Estados de São Paulo e Paraná, e pela Província de Misiones, na Argentina (FROST, 2007; POMBAL; HADDAD, 1992).

Scinax crospedospilus (Lutz, 1925)

perereca (pág. 98)

Esta pequena perereca (cerca de 30 mm) possui coloração bege, com manchas escuras no dorso e íris vermelho-acobreada. Habita a vegetação baixa na margem de lagos, na borda e no interior de matas. Distribui-se pelas montanhas costeiras de São Paulo e Rio de Janeiro (FROST, 2007; HEYER *et al.*, 1990). Foi registrada para a Fazenda Castanheiras, APA do Bororé-Colônia (SÃO PAULO, 2006).

Scinax fuscovarius (Lutz, 1925)

perereca-de-banheiro (pág. 98)

Perereca de tamanho mediano (cerca de 45 mm), que apresenta coloração bege, com faixas escuras dispostas transversalmente pelo corpo. Durante o dia abriga-se nas frestas de árvores ou no solo e, com freqüência, refugia-se em habitações humanas. À noite, os machos vocalizam entre a vegetação existente no chão, às margens de lagos, brejos ou poças. Costuma desovar sobre o substrato destes corpos d'água. Distribui-se pelo Sudeste e Centro-Oeste brasileiros, além de Argentina, Paraguai e Bolívia. Devido a sua ampla distribuição deve constituir um complexo de espécies (FROST, 2007; HADDAD; SAZIMA, 1992). A espécie foi registrada para o Parque Anhanguera, na Fazenda Castanheiras (APA Bororé-Colônia) e no Núcleo Curucutu do PESM (SÃO PAULO, 2006).

Scinax hayii (Barbour, 1909)

perereca-de-banheiro (pág. 99)

Perereca de porte médio (cerca de 40 mm), com coloração castanho-amarelada no dorso. Os machos da espécie costumam vocalizar sobre a vegetação baixa, ao redor de poças e lagos. Sua desova é depositada sobre o fundo ou entre a vegetação submersa. Assim como a espécie citada anteriormente, *Scinax hayii* também pode refugiar-se dentro de residências rurais (sítios ou ranchos). Ocorre na Serra do Mar, entre Santa Catarina e Espírito Santo (FROST, 2007; HADDAD; SAZIMA, 1992; HEYER *et al.*, 1990). Foi registrada no Parque Anhanguera, na Fazenda Castanheiras (APA Bororé-Colônia) e no Núcleo Curucutu do PESM (SÃO PAULO, 2006).

Scinax perpusillus (Lutz and Lutz, 1939)

perereca-das-bromélias (pág. 99)

Perereca de pequeno porte (cerca de 18 mm), que apresenta coloração dorsal cinzenta, com algumas manchas e estrias escuras e cor amarelo-alaranjada na virilha e parte interna das coxas. Está sempre associada a bromélias, onde realiza todo o seu ciclo de vida. A sua distribuição abrange a Mata Atlântica dos Estados de São Paulo e Rio de Janeiro (FROST, 2007; HEYER *et al.*, 1990; IZECKSOHN; CARVALHO-E-SILVA, 2001). Foi registrada para o Núcleo Curucutu do PESM (SÃO PAULO, 2006).

Scinax sp. (gr. *catharinae*)

perereca (pág. 99)

Esta perereca de tamanho mediano (41 mm) possui coloração amarronzada e linhas de cor bege dispostas irregularmente pelo corpo. Possivelmente trata-se de uma espécie nova, ainda não descrita. Mais estudos e observações devem ser realizados a fim de conseguir informações sobre sua biologia e determinar com segurança a identidade destes exemplares. Foi registrada para o Núcleo Curucutu do PESM (SÃO PAULO, 2006).

Scinax sp. (aff. *duartei*)

perereca (pág. 99)

Perereca com tamanho de pequeno a médio (cerca de 35 mm). Possui coloração que varia entre o bege e o amarelo. Os machos vocalizam na vegetação baixa, às margens de lagos e áreas brejosas na borda de matas. A espécie foi registrada para a Fazenda Castanheiras, localizada na APA Bororé-Colônia (SÃO PAULO, 2006). No entanto, mais estudos devem ser realizados a fim de se obter dados para uma identificação mais segura destes indivíduos. Aqui, é assinalada sua afinidade com *Scinax duartei*, que se distribui pelas montanhas do Sudeste brasileiro (FROST, 2007).

perereca-verde
(*Aplastodiscus leucopygius*)

O sapo-ferreiro (*Hypsiboas faber*), cuja
vocalização assemelha-se ao som de marteladas,
constrói seu ninho de barro em forma de piscina,
nas margens de coleções de água.

Sphaenorhynchus orophilus (Lutz and Lutz, 1938)

pererequinha-verde (pág. 100)

Pequena pererreca (cerca de 30 mm) de coloração verde com focinho curto que freqüentemente apresenta duas faixas longitudinais dorsais de um tom de verde mais claro. Tem o hábito de vocalizar em meio à vegetação flutuante em trechos profundos de lagos ou poças, na borda de matas ou em áreas abertas. Ocorre na Serra do Mar do Estado de São Paulo (FROST, 2007; HEYER *et al.*, 1990). Foi registrada para a Fazenda Castanheiras, localizada na APA Bororé-Colônia (SÃO PAULO, 2006).

Família Leptodactylidae

Leptodactylus fuscus (Schneider, 1799)

rã-assobiadora (pág. 100)

Rã de tamanho médio (cerca de 50 mm). Apresenta a região dorsal ornada por pequenas manchas de coloração marrom sobre fundo cinza-olváceo. Seu focinho, relativamente afilado, é utilizado para escavar câmaras subterrâneas no solo, em áreas de pastos e campos. Nestas câmaras, os ovos são depositados em meio a um ninho de espuma. Quando as chuvas inundam essas cavidades, os girinos são levados para poças d'água, onde completam seu desenvolvimento. Tem ampla distribuição pelo Brasil e países vizinhos (FROST, 2007; HEYER *et al.*, 1990; IZECKSOHN; CARVALHO-E-SILVA, 2001). No Município, foi registrada para o Núcleo Curucutu do PESM (SÃO PAULO, 2006).

Leptodactylus marmoratus (Steindachner, 1867)

rãzinha-piadeira (pág. 100)

Pequena espécie de rã (cerca de 20 mm) com hábitos diurnos e crepusculares, podendo estender sua atividade até a madrugada. Possui colorido dorsal marrom claro, com algumas estrias enegrecidas dispostas simetricamente. Apresenta, com freqüência, algumas faixas de cor salmão nas laterais do corpo, pernas e braços. Habita o chão de matas ou áreas abertas que possuam algum tipo de vegetação. Para reprodução escava túneis que terminam em uma pequena câmara esférica subterrânea. Deposita ali seus ovos, envoltos em um ninho de espuma, onde os girinos se desenvolvem. Sua vocalização muitas vezes é confundida com o som produzido por grilos. Possivelmente mais de uma espécie esteja sendo chamada pelo mesmo nome. Distribui-se do Rio de Janeiro até Santa Catarina (FROST, 2007; HEYER *et al.*, 1990; POMBAL; GORDO, 2004). *Leptodactylus marmoratus* foi registrada no Núcleo Curucutu do PESM, Fazenda Castanheiras (APA Bororé-Colônia) e Parque Santo Dias. Seu canto também pode ser ouvido no Parque Tenente Siqueira Campos, após fortes chuvas de verão, de novembro a março (MALAGOLI, obs. pess., SÃO PAULO, 2006).

Leptodactylus ocellatus (Linnaeus, 1758)

rã-manteiga (pág. 100)

Esta rã de tamanho grande (cerca de 100 mm) apresenta coloração olivácea pontuada por manchas escuras. Os machos possuem membros anteriores bastante fortes. Costuma adaptar-se bem às alterações ambientais produzidas pelo homem, sendo muito comum em locais habitados. Desova em ninhos de espuma nas margens de lagos. Os ovos e girinos são protegidos de predadores pela fêmea. Por possuir ampla distribuição pela América do Sul, é possível tratar-se de um complexo de espécies (FROST, 2007;HADDAD; SAZIMA, 1992; IZECKSOHN; CARVALHO-E-SILVA, 2001; POMBAL JR; GORDO, 2004). Foi registrada para o Núcleo Curucutu do PESM (SÃO PAULO, 2006).

Paratelmatobius cardosoi Pombal and Haddad, 1999

rãzinha-de-barriga-vermelha (pág. 101)

Pequenina rã (cerca de 17 mm) de coloração dorsal cinza-acastanhada, com pequenas manchas e barras de coloração preta. Seu ventre apresenta manchas grandes de cor vermelho-alaranjada e de forma irregular. Possui hábitos florestais e vive no folhiço do chão de mata.

Com glândulas de veneno volumosas atrás da região dos olhos, o sapo-cururu (*Chaunus ictericus*) apresenta diferenças de coloração entre machos e fêmeas. As fêmeas possuem manchas escuras no dorso.

Os machos do sapo-cururu (*Chaunus ictericus*) apresentam coloração uniforme bege-esverdeada.

Sua reprodução se dá na estação chuvosa. Os machos vocalizam à noite, nas margens de pequenas poças temporárias, no interior e nas bordas de matas. Os ovos são depositados no fundo dessas poças. Distribui-se pela Mata Atlântica de São Paulo (FROST, 2007; POMBAL; HADDAD, 1999). Foi registrada para a Fazenda Castanheiras (APA Bororé-Colônia) e o Núcleo Curucutu do PESM (SÃO PAULO, 2006).

Família Leiuperidae

Physalaemus cuvieri Fitzinger, 1826

rã-cachorro (pág. 101)

Espécie pequena de rã (cerca de 30 mm) com coloração e desenhos dorsais bastante variáveis. Geralmente apresenta cor bege ou marrom-acinzentada. A região inguinal, coxas e axilas possuem manchas com tons salmão ou laranja. Sua vocalização lembra o latido de cães, daí o nome popular. Reproduz-se em áreas abertas ou bordas de mata, em lagos ou represas. A desova é flutuante e envolta em ninho de espuma. Distribui-se amplamente pelo Brasil e por países vizinhos (FROST, 2007; HADDAD; SAZIMA, 1992; HEYER *et al.*, 1990). Foi registrada para os Parques Anhanguera e Cidade de Toronto, Fazenda Capivari, Fazenda Castanheiras (APA Bororé-Colônia) e Núcleo Curucutu do PESM (SÃO PAULO, 2006).

Physalaemus olfersii (Lichtenstein and Martens, 1856)

rãzinha-rangedora (pág. 101)

Rã de porte pequeno (cerca 30 mm), focinho afilado e coloração dorsal marrom-clara, com desenhos margeados de um tom verde-claro. Apresenta uma faixa lateral marrom-escura que se estende dos olhos até a região inguinal. Uma fina linha branca margeia a parte inferior da faixa, partindo dos olhos até os braços. Os machos de *Physalaemus olfersii* vocalizam no chão, próximo a lagos e brejos, no interior de florestas. A desova é realizada em ninhos de espuma dispos-

tos a beira d'água. Distribui-se pela Mata Atlântica desde o Sudeste até o Sul do Brasil (FROST, 2007; HEYER *et al.*, 1990). No Município, foi registrada para a Fazenda Castanheiras (APA Bororé-Colônia) e o Núcleo Curucutu do PESM (SÃO PAULO, 2006).

Família Ranidae

Lithobates catesbeianus (Shaw, 1802)

rã-touro (pág. 101)

Rã de grande porte (pode atingir cerca de 200 mm), coloração esverdeada e membranas interdigitais nos pés. A rã-touro é uma espécie exótica oriunda da América do Norte. Chegou ao Brasil, a partir da década de 40, por conta da instalação de ranários para a produção de carne. A falta de cuidados específicos resultou no escape de muitos exemplares, que vêm colonizando áreas naturais. Esta espécie é potencialmente uma ameaça para outras espécies de anfíbios nativos, por ser uma predadora voraz. Tanto o adulto quanto o girino alimentam-se de outros anfíbios e de seus ovos. É sabido que, no Brasil, a rã-touro chega a reproduzir-se duas vezes ao ano e suas desovas chegam a conter cerca de 20.000 ovos (FROST, 2007; GUIX, 1990; VIZOTTO, 1984). Foi registrada para o Parque Anhanguera e a Fazenda Castanheiras, localizada na APA Bororé-Colônia (SÃO PAULO, 2006).

FAUNA SILVESTRE

A perereca-verde-de-coxas-laranjas
(*Hypsiboas albomarginatus*) é avistada
em margens de lagoas e brejos de
áreas abertas.

Lista das espécies de anfíbios registradas no Município de São Paulo (SÃO PAULO, 2006).						
Ordem	Família	Gênero e Espécie	Nome Popular	Status	Ocorrência	Hábitat
Anura	Brachycephalidae	*Eleutherodactylus*				
		Eleutherodactylus binotatus	rã-do-chão-da-mata		Endêmica	AF
		Eleutherodactylus guentheri	rã-do-chão-da-mata			AF
		Eleutherodactylus parvus	rãzinha-do-chão-da-mata		Endêmica	AF
		Eleutherodactylus cf. *spanios*	rãzinha-do-chão-da-mata		Endêmica	AF
	Bufonidae	*Chaunus*				
		Chaunus ictericus	sapo-cururu			AA, AF, BM
		Chaunus ornatus	sapo-cururuzinho		Endêmica	AA, AF, BM
		Dendrophryniscus				
		Dendrophryniscus brevipollicatus	sapinho-arborícola		Endêmica	AF
		Dendrophryniscus cf. *leucomystax*	sapinho-arborícola		Endêmica	AF
	Centrolenidae	*Hyalinobatrachium*				
		Hyalinobatrachium uranoscopum	rã-de-vidro	Anexo II	Endêmica	AF
	Hylidae	*Aplastodiscus*				
		Aplastodiscus albosignatus	perereca-flautinha		Endêmica	AF
		Aplastodiscus leucopygius	perereca-verde		Endêmica	AF, BM
		Bokermannohyla				
		Bokermannohyla astartea	perereca		Endêmica	AF
		Bokermannohyla circumdata	perereca-com-anéis-nas-coxas		Endêmica	AF, BM
		Bokermannohyla hylax	perereca-com-anéis-nas-coxas		Endêmica	AF
		Dendropsophus				
		Dendropsophus berthalutzae	pererequinha		Endêmica	AA, BM
		Dendropsophus microps	pererequinha			AA, BM
		Dendropsophus minutus	pererequinha-do-brejo			AA, BM
		Hypsiboas				
		Hypsiboas albomarginatus	perereca-verde-de-coxas-laranjas			AA, BM
		Hypsiboas albopunctatus	perereca-cabrinha			AA, BM
		Hypsiboas bischoffi	perereca			AA, BM
		Hypsiboas faber	sapo-ferreiro			AA, BM
		Hypsiboas cf. *polytaenius*	perereca-de-pijama			AA, BM
		Hypsiboas prasinus	perereca			AA, BM
		Phasmahyla				
		Phasmahyla cochranae	perereca-de-folhagem		Endêmica	AF
		Phyllomedusa				
		Phyllomedusa burmeisteri	perereca-das-folhagens			AA, BM

Ordem	Família	Gênero e Espécie	Nome Popular	Status	Ocorrência	Hábitat
		Phyllomedusa cf. *tetraploidea*	perereca-das-folhagens			AA, BM
		Scinax				
		Scinax crospedospilus	perereca		Endêmica	AF, BM
		Scinax fuscovarius	perereca-de-banheiro			AA, BM
		Scinax hayii	perereca-de-banheiro		Endêmica	AF, BM
		Scinax perpusillus	perereca-das-bromélias		Endêmica	AF
		Scinax sp. (gr. *catharinae*)	perereca			AF
		Scinax sp. (aff. *duartei*)	perereca			AA, BM
		Sphaenorhynchus				
		Sphaenorhynchus orophilus	pererequinha-verde		Endêmica	AF, BM
	Leptodactylidae	*Leptodactylus*				
		Leptodactylus fuscus	rã-assobiadora			AA
		Leptodactylus marmoratus	rãzinha-piadeira		Endêmica	AA, BM, AF
		Leptodactylus ocellatus	rã-manteiga			AA
		Paratelmatobius				
		Paratelmatobius cardosoi	rãzinha-de-barriga-vermelha	DD	Endêmica	AF
	Leiuperidae	*Physalaemus*				
		Physalaemus cuvieri	rã-cachorro			AA
		Physalaemus olfersii	rãzinha-rangedora		Endêmica	AF
	Ranidae	*Lithobates*				
		Lithobates catesbeianus	rã-touro		Exótica	AA, BM

Legenda. Status: Anexo II – Consta na lista de espécies provavelmente ameaçadas para o Estado de São Paulo (SÃO PAULO, 1998), DD – Espécie insuficientemente conhecida segundo IUCN (2006a); Ocorrência: Endêmica – Espécies Endêmicas do Bioma Mata Atlântica (FROST, 2007; IUCN, 2006b); Exótica – Espécie introduzida; Hábitat - AF – Áreas Florestais; BM – Borda de Mata; AA – Áreas Abertas (brejos, várzeas).

rã-do-chão-da-mata

Eleutherodactylus binotatus

(CRC: cerca de 60 mm)

rã-do-chão-da-mata

Eleutherodactylus guentheri

(CRC: cerca de 30 mm a 40 mm)

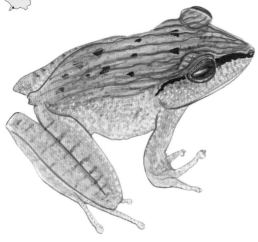

rãzinha-do-chão-da-mata

Eleutherodactylus parvus

(CRC: cerca de 20 mm)

rãzinha-do-chão-da-mata

Eleutherodactylus cf. *spanios*

(CRC: cerca de 16 mm)

BRACHYCEPHALIDAE

sapo-cururu

Chaunus ictericus

(CRC: em torno de 180 mm)

sapo-cururuzinho

Chaunus ornatus

(CRC: cerca de 80 mm)

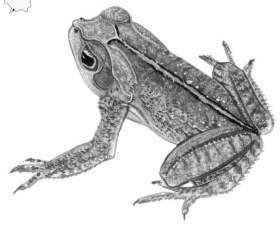

sapinho-arborícola

Dendrophryniscus brevipollicatus

(CRC: cerca de 20 mm)

sapinho-arborícola

Dendrophryniscus cf. *leucomystax*

(CRC: cerca de 20 mm)

rã-de-vidro
Hyalinobatrachium uranoscopum
(CRC: em torno de 20 mm)

perereca-flautinha
Aplastodiscus albosignatus
(CRC: cerca de 40 mm)

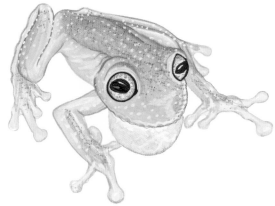

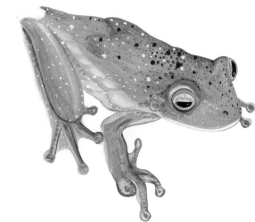

perereca-verde
Aplastodiscus leucopygius
(CRC: cerca de 40 mm)

perereca
Bokermannohyla astartea
(CRC: em torno de 40 mm)

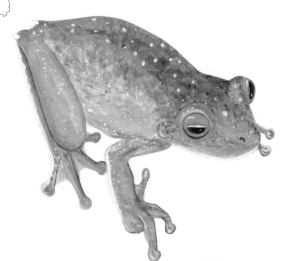

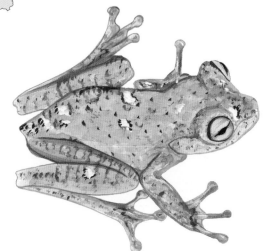

CENTROLENIDAE | HYLIDAE

perereca-com-anéis-nas-coxas
Bokermannohyla circumdata
(CRC: cerca de 80 mm)

perereca-com-anéis-nas-coxas
Bokermannohyla hylax
(CRC: em torno de 65 mm)

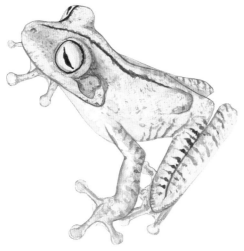

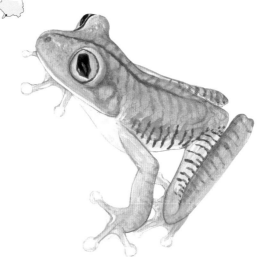

pererequinha
Dendropsophus berthalutzae
(CRC: cerca de 20 mm)

pererequinha
Dendropsophus microps
(CRC: cerca de 25 mm)

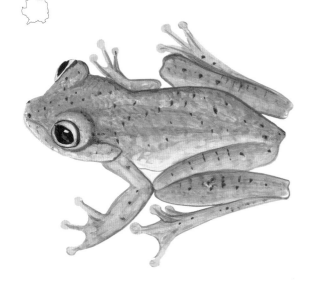

HYLIDAE

pererequinha-do-brejo
Dendropsophus minutus
(CRC: cerca de 20 mm)

pererereca-verde-de-coxas-laranjas
Hypsiboas albomarginatus
(CRC: cerca de 50 mm)

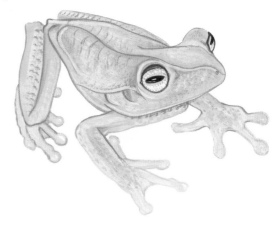

FAUNA SILVESTRE

perereca-cabrinha
Hypsiboas albopunctatus
(CRC: cerca de 60 mm)

perereca
Hypsiboas bischoffi
(CRC: cerca de 50 mm)

HYLIDAE

sapo-ferreiro

Hypsiboas faber

(CRC: cerca de 100 mm)

perereca-de-pijama

Hypsiboas cf. *polytaenius*

(CRC: em torno de 30 mm)

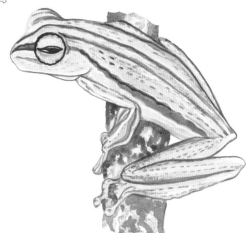

perereca

Hypsiboas prasinus

(CRC: cerca de 50 mm)

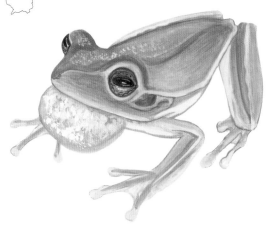

perereca-de-folhagem

Phasmahyla cochranae

(CRC: cerca de 35 mm)

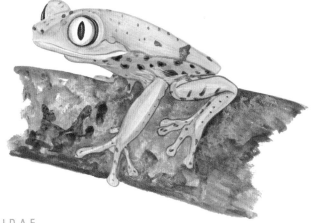

HYLIDAE

perereca-de-folhagem
Phyllomedusa burmeisteri
(CRC: cerca de 60 mm)

perereca-de-folhagem
Phyllomedusa cf. *tetraploidea*
(CRC: cerca de 60 mm)

FAUNA SILVESTRE

perereca
Scinax crospedospilus
(CRC: cerca de 30 mm)

perereca-de-banheiro
Scinax fuscovarius
(CRC: cerca de 45 mm)

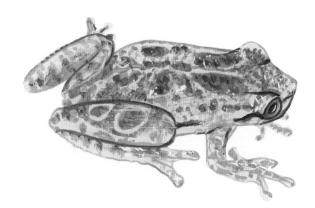

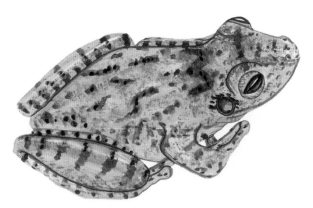

HYLIDAE

perereca-de-banheiro
Scinax hayii
(CRC: cerca de 40 mm)

perereca-das-bromélias
Scinax perpusillus
(CRC: cerca de 18 mm)

perereca
Scinax sp. (gr. *catharinae*)
(CRC: 41 mm)

perereca
Scinax sp. (aff. *duartei*)
(CRC: cerca de 35 mm)

HYLIDAE

pererequinha-verde

Sphaenorhynchus orophilus

(CRC: cerca de 30 mm)

rã-assoviadora

Leptodactylus fuscus

(CRC: cerca de 50 mm)

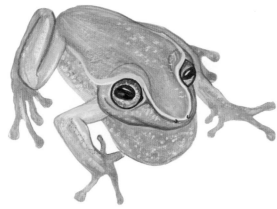

rãzinha-piadeira

Leptodactylus marmoratus

(CRC: cerca de 20 mm)

rã-manteiga

Leptodactylus ocellatus

(CRC: cerca de 100 mm)

HYLIDAE | LEPTODACTYLIDAE

rãzinha-de-barriga-vermelha

Paratelmatobius cardosoi

(CRC: cerca de 17 mm)

rã-cachorro

Physalaemus cuvieri

(CRC: cerca de 30 mm)

rãzinha-rangedora

Physalaemus olfersii

(CRC: cerca 30 mm)

rã-touro

Lithobates catesbeianus

(CRC: pode atingir cerca de 200 mm)

LEPTODACTYLIDAE | LEIUPERIDAE | RANIDAE

Referências Bibliográficas

ARAÚJO, C. O. **Levantamento da fauna de anuros do Parque Anhanguera São Paulo, SP**. São Paulo: Instituto de Biociências da USP. 1997. 45p. Relatório de Iniciação à Pesquisa II.

BASLDISSERA JR, F. A.; CARAMASCHI, U.; HADDAD, C. F. B . Review of The *Bufo crucifer* Species Group, With Descriptions of Two New Related Species (Amphibia, Anura, Bufonidae). **Arquivos do Museu Nacional, Rio de Janeiro,** Rio de Janeiro, v. 62, n. 3, p.255-282, 2004.

BLAUSTEIN, A.R. ; KIESECKER, J.M.. Complexity in conservation: lessons from the global decline of amphibian populations. Ecology Letters, n.5, p.597-608, 2002 .

BOKERMANN, W.C.A.. **Lista anotada das localidades tipo de anfíbios brasileiros**. São Paulo: Serviço de Documentação – RUSP, 1966. 181 p.

BOKERMANN, W. C. A.. Notas sobre cantos núpcias de anfíbios brasileiros (Anura). **Anais da Academia Brasileira de Ciências**, I, n.. 39, p. 441-443.1967.

Conservation International, and NatureServe. Global Amphibian Assessment. 2006 Disponível em: <http://www.globalamphibians.org>. Acesso em: 4 Abr. 2007

Conservation International na NatureServe. Red List of Threatened Species. Disponível em :< http://www.iucnredlist.org>. Acesso em: 19 abr. 2007.

CRUZ, C. A. G.. Conceituação de Grupos de Espécies de Phyllomedusinae Brasileiras com Base em Caracteres Larvários (Amphibia, Anura, Hylidae). **Arquivos da Universidade Federal Rural do Rio de Janeiro,** Rio de Janeiro, v.5, n.2, p.147-171. 1982.

CRUZ, C. A. G.; PEIXOTO, O. L. Espécies verdes de *Hyla*: o complexo"albosignata" (Amphibia, Anura, Hylidae). **Arquivos da Universidade Federal Rural do Rio de Janeiro,** Rio de Janeiro, n. 7, p. 31-47.1985.

DIXO, M. ; VERDADE, V.K. Herpetofauna de serrapilheira da Reserva Florestal de Morro Grande, Cotia (SP). *Biota Neotrop*. Mai/Aug 2006 v. 6 n.. 2.Disponívelem::<http://www.biotaneotropica.org.br/v6n2/pt/abstract?article+bn00706022006>.

DUELLMAN ; TRUEB. **Biology of Amphibians**. New Jersey : McGraw-Hill Book, 1986.

ETEROVICK, P. C. Amphibian Declines in Brazil: An Overview. **Biotropica,**. v.37, n. 2, p. 166-179. 2005.

FAIVOVICH, J.; HADDAD, C. F. B.; GARCIA, P. C. A.; FROST, D. R.; CAMPBELL, J. A.; WHEELER, W. C. 2005. Systematic review of the frog family Hylidae, with special reference to Hylinae: phylogenetic analysis and taxonomic revision. **Bulletin of the American Museum of Natural History, n. 224**. 240p.

FROST, D. R. Amphibian Species of the World: an Online Reference. Version 5.0 (1 February, 2007). Disponível em: <http://research.amnh.org/herpetology/amphibia/index.php>. American Museum of Natural History, New York, USA. Acesso em :18 mar. 2007.

FROST, D. R; GRANT, T; FAIVOVICH, J; BAIN, R, H; HAAS, A; HADDAD, C, F, B; DE SÁ, R. O; CHANNING, A; WILKINSON, M; DONNELLAN, S. C; RAXWORTHY, C. J; CAMPBELL, J. A; BLOTTO, B. L; MOLER, P; DREWES, R. C; NUSSBAUM, R. A; LYNCH, J. D; GREEN, D. M, AND WHEELER, W. C. The Amphibian Tree of Life. **Bulletin of the American Museum of Natural History. n° 297**: 370 p. 2006.

GRANT, T; FROST, D. R; CALDWELL, J. P; GAGLIARDO, R; HADDAD, C. F. B; KOK, P. J. R; MEANS, D. B; NOONAN, B. P; SCHARGEL, W. E, AND WHEELER, W. C. Phylogenetic Systematics of Dart-Poison Frogs and their Relatives (Amphibia: Athesphatanura: Dendrobatidae). **Bulletin of the American Museum of Natural History. n° 299**: 262 p. 2006.

GUIX, J. C. Introdução e colonização de *Rana catesbeiana* Shaw, 1802 em um pequeno vale no Município de Suzano (SP), sudeste do Brasil. **Grupo de Estudos Ecológicos,** São Paulo, n.2, p.32-42. 1990. Série Documentos.

HADDAD, C.F.B. Biodiversidade de anfíbios do Estado de São Paulo. In: Joly, C. A. & Bicudo, C. E. de M. **Biodiversidade do Estado de São Paulo: Síntese do conhecimento ao final do século XX. 6**: Vertebrados. São Paulo: FAPESP, 1998.

HADDAD, C.F.B.; SAZIMA, I. Anfíbios anuros da Serra do Japi. In:Morellato, L. P. C. **História natural da Serra do Japi: ecologia e preservação de uma área florestal no Sudeste do Brasil.** Campinas, SP: UNICAMP/FAPESP. 1992. p. 188-211..

HADDAD, C. F. B.; SAWAYA, R. J. Reproductive modes of Atlantic Forest Hylid Frogs: a general overview and the description of a new mode. **Biotropica,** n. 32, p. 862–871. 2000.

HADDAD, C. F. B.; GIOVANELLI, J. G. R.; GIASSON, L. O. M. ; TOLEDO, L. F. . **Guia Sonoro dos Anfíbios anuros da Mata Atlântica**. São Paulo, Biota / FAPESP. 2005.

HEYER, W.R. Variation, systematics, and zoogeography of *Eleutherodactylus guentheri* and closely related species (Amphibia: Anura: Leptodactylidae**). Smithsonian Contr. Zool.**, n. 402:1-42. 1984.

HEYER, W. R. . New species of frogs from Boracéia. São Paulo, Brazil. **Proc.Biol. Wash,**, v. 98, n. 3, p. 657-671, 1985.

HEYER, W.R., RAND, A.S., CRUZ, C.A.G.; PEIXOTO, O.L.. Decimations, extinctions, and colonizations of frog populations in southeast Brazil and their evolutionary implications. **Biotropica,** n.2, 230-235. 1988.

HEYER, W.R., RAND, A.S., CRUZ, C.A.G.; PEIXOTO, O.L. ; NELSON, C.E. Frogs of Boracéia. **Arquivos de Zoologia**, São Paulo, n.31, p.231-410. 1990..

HEYER, W.R; DONNELLY, M.A., MCDIARMID, R.W., HAYEK, L.A.C. & FOSTER, M.S. (eds.). **Measuring and Monitoring Biological Diversity: Standard Methods for Amphibians**. Washington: Smithsonian Institution Press. 1994.

IZECKSOHN, E. 1993. Três novas espécies de *Dendrophryniscus* Jiménez de la Espada das regiões Sudeste e Sul do Brasil (Amphibia, Anura, Bufonidae).**Revista Brasileira de Zoologia**, V.10, n.3, p. 473-488.

IZECKSOHN, E.; CARVALHO-E-SILVA, S.P. . **Anfíbios do Município do Rio de Janeiro**. Editora UFRJ. 148p.

JACINTO, F. I. Preferência de habitat em uma comunidade de anuros no ParqueCidade de Toronto, Cidade de São Paulo. 2001. 27p. Monografia apresentada à Faculdade de Ciências Exatas e Experimentais da Universidade Prebisteriana Mackenzie. São Paulo, 2001.

MALAGOLI, L.R., OLIVEIRA, A.T.R.A. ; PALOMBO, C.R.. Levantamento preliminar dos anuros (Amphibia) da Fazenda Parque Castanheiras, península do Bororé-Colônia, Município de São Paulo - SP. In: ENCONTRO DE BIÓLOGOS DO CRBIO-1 do CRBio, 14., 2003, Cuiabá – MT. **Anais...** Cuiabá, 2003, p. 119. .

MARQUES, O. A. V.; DULEPA, W. **Estação Ecológica Juréia-Itatins: ambiente físico, flora e fauna**. Ribeirão Preto, SP: Holos, p. 243-256.

MORELATTO, L. P. C. & HADDAD, C. F. B. 2000. The Brazilian Atlantic Forest. **Biotropica**, v. 32 n. 4b, p.786-792. 2000.

POMBAL, J.P.; HADDAD, C.F.B. *Espécies de Phyllomedusa do Grupo Burmeisteri do Brasil Oriental, com Descrição de uma Espécie Nova (Amphibia, Hylidae).* **Revista Brasileira de Zoologia**, v. 52, n.2, p. 217-229. 1992.

POMBAL, J.P. & HADDAD, C.F.B. . Frogs of the Genus *Paratelmatobius* (Anura: Leptodactylidae) with Descriptions of Two New Species. **Copeia,** n. 4, p.1014-1026. 1999.

POUGH, F.H.; ANDREWS, R.M.; CADLE, J. E.; CRUMP, M.L.; SAVITZKY, A.H. & WELLS, K.D. **Herpetology**. 2nd ed. Prentice Hall, Upper Saddle River, New Jersey. 2001.

SÃO PAULO (Estado). Secretaria de Estado do Meio Ambiente. **Fauna ameaçada no Estado de São Paulo**. São Paulo : SMA/CED, 1998. Série Documentos Ambientais.

SÃO PAULO (Cidade). Secretaria do Verde e do Meio Ambiente. Inventário da Fauna do Município de São Paulo. **Diário Oficial da Cidade de São Paulo**. São Paulo, 6 jun. 2006. v.51, n.104, 1-47p. Suplemento..

SBH. 2005. Lista de espécies de anfíbios do Brasil. Sociedade Brasileira de Herpetologia (SBH). Disponível em: <http://www.sbherpetologia.org.br/checklist/anfibios.htm>. acessado em : 15 mar. 2007.

VIZOTTO, L.D. Ranicultura. **Cienc. Cult,** v.36, n.1, p. 42-45, 1984.

WEYGOLDT, P. Changes in the Composition of Mountain Stream Frog Communities in the Atlantic Mountains of Brazil: Frogs as Indicators of Environmental Deteriorations? Stud. **Neot. Fauna and Environment**. v. 243,n. 4, p. 249-255.1989.

YOUNG, B. E.; LIPS, K. R.; REASER, J. K.; IBÁÑEZ, R.; SALAS, A. W.; CEDEÑO, J. R.; COLOMA, L. A.; RON, S.; MARCA, E.; MEYER, J. R.; MUÑOZ, A.; BOLAÑOS, F.; CHAVEZ, G.; ROMO, D. Population declines and priorities for amphibian conservation in Latin America. **Conservation Biology, Seatle, v. 15:** n. 5, p. 1213-1223. 2001.

RÉPTEIS

CAPÍTULO 3

Répteis do Município de São Paulo

Rosanna Gualdieri Quagliuolo Benesi

Os répteis são representados por todos os animais amniotas excetuando-se as aves e os mamíferos. Este conjunto reúne crocodilos, jacarés, tuataras, lagartos, cobras e tartarugas agrupados na Classe Reptilia. Os dinossauros pertencentes à super ordem Dinosauria e extintos no final do Mesozóico, também fazem parte da classe dos répteis.

Algumas características notáveis da classe são destacadas a seguir. Para regular a temperatura e o metabolismo corporal, os répteis são muito dependentes da temperatura ambiente. A temperatura de incubação também determina a razão de nascimentos de machos e fêmeas em algumas famílias, como nas tartarugas, jacarés e até em alguns gêneros de lagartos.

O corpo dos répteis é recoberto por placas e escamas córneas que, por vezes, apresentam magnífico colorido. Seus membros encurtados podem ser totalmente adaptados à vida aquática, como nas tartarugas marinhas, ou estarem ausentes, como nas serpentes. Além do modo de vida aquático, os répteis podem ser semi-aquáticos, terrícolas, fossoriais (subterrâneos), semi-fossoriais e arborícolas. A maioria é carnívora e ovípara (põe ovos), mas também podem ser ovovivíparas (põem ovos com o embrião totalmente desenvolvido) ou vivíparas (geram filhotes).

Representantes da classe são encontrados em todos os continentes, exceto na Antártica. No entanto, a principal distribuição compreende os trópicos e subtrópicos. O Brasil é o quinto país com maior diversidade, com cerca de 650 espécies (RODRIGUES, 2005). Segundo o autor, o Brasil está apenas na fase exploratória em termos de conhecimento da biodiversidade, e serão necessários muitos inventários e pesquisas de campo para que se possa avançar além das informações preliminares.

Em relação à conservação, a principal ameaça para os répteis é a destruição de hábitats. As espécies florestais são as mais vulneráveis neste caso, enquanto as espécies de formações abertas são as mais resistentes.

Para répteis comercialmente importantes – jacarés, tartarugas e cágados – a perseguição por suas carnes, peles, ovos e filhotes tem colaborado para colocá-los em risco. Nestes casos, o policiamento, a conscientização ambiental e novas alternativas econômicas para as comunidades locais são medidas efetivas de proteção, como ficou demonstrado por projetos específicos para tartarugas marinhas – Projeto Tamar – e tartarugas de água doce – Cenaqua (Centro Nacional de Conservação e Manejo de Quelônios da Amazônia).

A falsa-coral (*Oxyrhopus guibei*), apesar da semelhança com a coral verdadeira, não é cobra peçonhenta. Ocorre em parques das regiões leste e oeste.

A destruição dos rios, ocasionada pela retirada da vegetação de borda, assoreamento e poluição, também é outra grande ameaça. Da mesma forma são ameaças: a supressão de florestas, a caça, a mineração e a utilização de defensivos químicos na lavoura. O desconhecimento sobre os efeitos de longo prazo sobre a Classe Reptilia é um empecilho para se delinear medidas efetivas de conservação. O monitoramento de populações répteis é essencial em situações como esta.

Com esta finalidade, a Divisão de Fauna vem realizando desde 1992 o "Inventariamento da fauna silvestre nas áreas verdes do Município de São Paulo". Dentre as 414 espécies de animais silvestres registradas nos 13 anos de estudo em São Paulo, 37 (8,9 %) são répteis. Este registro representa apenas os animais que entraram na Divisão de Fauna e não inclui outros levantamentos de répteis do Município.

Os répteis encontrados em Parques Municipais são encaminhados à Divisão de Fauna pelos administradores, que para essa eventualidade recebem material para captura e transporte. Esses animais, uma vez identificados, são recolocados nos Parques de origem. Os répteis também podem ser encaminhados pela Polícia Ambiental, pelo Corpo de Bombeiros e pela população.

A identificação das espécies é realizada pela equipe técnica da Divisão de Fauna, com a colaboração de profissionais especialistas de outras Instituições como o Instituto Butantan e o Museu de Zoologia da Universidade de São Paulo - MZUSP.

O grupo mais numeroso de répteis que entrou na Divisão de Fauna, de 1993 a 2005, é o da Família Colubridae, com 20 espécies de serpentes, das quais 15 pertencem ao ecossistema da Mata Atlântica.

A seguir, são apresentadas algumas informações e ilustrações de cada espécie que consta do "Inventário da Fauna do Município de São Paulo" (SÃO PAULO, 2006). A classificação taxonômica seguiu a Sociedade Brasileira de Herpetologia (2004).

Lista comentada

Ordem Testudines - Cágados e Tigres d'água

Foram registradas quatro espécies de cágados na cidade de São Paulo.

Família Emydidae

Trachemys dorbigni (Duméril & Bibron, 1835)

tigre d'água (pág. 137)

A distribuição original do tigre-d'água, *Trachemys dorbigni*, compreende o Sul da América do Sul. A espécie ocorre no Uruguai, Nordeste da Argentina e Brasil, onde é encontrada no Lago Guaíba, na Lagoa dos Patos e no Banhado do Taim, Rio Grande do Sul (HAHN, 2005). Em São Paulo é considerada como espécie "nativa introduzida" e pode ser observada em diversos lagos e represas da cidade, como resultado de "solturas" realizadas por particulares. Um problema recorrente é a grande demanda por instituições que aceitem doações de tigres-d'água de pessoas que compram a espécie como animal de estimação e, mais tarde, os abandonam em áreas públicas, irresponsavelmente. Problema semelhante ocorre também com a espécie seguinte, *T. scripta elegans*.

Trachemys dorbigni possui listras amareladas na cabeça, no pescoço e nas patas, e alaranjadas no casco, com manchas contínuas entre os escudos e o plastrão. Seu comprimento varia de 22 a 26 cm. O macho possui a cauda e as unhas das patas dianteiras mais desenvolvidas, para se fixar nas fêmeas (CUBAS; SILVA; CATÃO-DIAS, 2006).

O tigre-d'água alimenta-se de plantas, invertebrados e peixes (HAHN, 2005). Os ninhos têm formato de garrafa. Põe de 1 a 18 ovos, e a incubação é de 60 a 120 dias, em temperatura de 23 a 30°C (CUBAS; SILVA; CATÃO-DIAS, 2006).

Esta espécie de cágado, o tigre-d'água (*Trachemys dorbigni*), não tem ocorrência natural no Município de São Paulo. Pode ser encontrada em alguns parques onde foi introduzida inadvertidamente por munícipes.

De ocorrência natural no Estado de São Paulo, o cágado-de-barbicha (*Phrynops geoffroanus*), é uma espécie característica por apresentar duas protuberâncias na porção inferior da cabeça.

Trachemys scripta elegans (Wied, 1838)

tigre-d'água-de-orelha-vermelha (pág. 137)

Trachemys scripta elegans é uma espécie exótica de cágado, e pode ser facilmente diferenciada da espécie nativa anterior, *Trachemys dorbigni*, por apresentar duas faixas alaranjadas nas laterais da cabeça. Sua carapaça pode atingir até 28 cm de comprimento. Habita rios, lagos e córregos de água calma e fundo lodoso com vegetação abundante. Sua distribuição original abrange o Vale do Mississipi, de Illinois até o Golfo do México (ERNST; BARBOUR, 1989). Foi introduzida em São Paulo da mesma maneira que a espécie anterior, através de "solturas" em áreas públicas. Nos lagos dos Parques Municipais, são mais numerosas do que a espécie nativa. Pode ser encontrada nos Parques Ibirapuera e Piqueri e, certamente, em outros lagos, rios e córregos de parques e de áreas particulares, tendo em vista a grande quantidade de munícipes que procuram a Divisão de Fauna para doações.

Alimenta-se de plantas aquáticas, pequenos peixes, crustáceos, larvas de insetos e de animais mortos. O jovem no primeiro ano de crescimento é predominantemente carnívoro. O adulto é herbívoro e carnívoro oportunista (GIBBONS, 1989).

Família Chelidae

Hydromedusa tectifera (Cope, 1869)

cágado-pescoço-de-cobra (pág. 137)

Esta espécie de cágado de água doce é muito característica por apresentar um longo pescoço com recolhimento lateral na carapaça. Distribui-se pelo Sudeste e Sul do Brasil, Uruguai, Nordeste da Argentina e Leste do Paraguai (ERNST; BARBOUR, 1989). É encontrada em rios, córregos e lagos.

Aparentemente, o cágado-pescoço-de-cobra é uma espécie comum na cidade, correspondendo a 54% (67 exemplares) do total de cágados nativos recebidos na Divisão de Fauna. Em São Paulo, foi registrado nos Parques Anhanguera, Cidade de Toronto, Ibirapuera, Jardim Felicidade, Luz e no Clube de Campo São Paulo. A média do comprimento da carapaça dos indivíduos atendidos foi 25,5 cm.

A carapaça possui coloração marrom-avermelhada, com manchas enegrecidas, e a porção posterior possui projeções em relevo. O macho é menor que a fêmea, com cauda mais longa (CUBAS; SILVA; CATÃO-DIAS, 2006). Alimenta-se de vermes, moluscos, pequenos peixes, anfíbios e vegetais (ERNST; BARBOUR, 1989). A *H. tectifera* é considerada provavelmente ameaçada de extinção no Estado de São Paulo (SÃO PAULO, 1998).

Phrynops geoffroanus (Schweigger, 1812)

cágado-de-barbicha (pág. 137)

Assim como a espécie anterior, *Phrynops geoffroanus* recolhe lateralmente o pescoço na carapaça. A porção inferior da cabeça é dotada de duas protuberâncias características, o que dá origem ao nome popular. A espécie tem ampla distribuição na América do Sul. Ocorre no Sudoeste da Venezuela, Sudeste da Colômbia, Leste do Equador e do Peru. No Brasil, está presente nas Regiões Sudeste, Centro-Oeste e Nordeste (ERNST; BARBOUR, 1989). Habita rios, lagos e lagoas de águas calmas e fundo lodoso com vegetação abundante (ERNST; BARBOUR, 1989). Em São Paulo, o cágado-de-barbicha correspondeu a 20% (25 exemplares) do total de cágados nativos recebidos. Há registros para os Parques da Luz, Previdência e Ibirapuera, além de outras localidades.

Alimenta-se de peixes, insetos e outros invertebrados aquáticos (ERNST; BARBOUR, 1989). A carapaça mede 27 cm de comprimento (VANZOLINI; RAMOS-COSTA; VITT, 1980). Está ativa durante o dia, nidificando em solos arenosos ou argilosos, cobertos com vegetação arbustiva. Incuba de 10 a 14 ovos durante 10 semanas (SOUZA, 2004).

Maior lagarto da América do Sul, o teiú
(*Tupinambis merianae*) possui a língua cor-
de-rosa comprida e bífida.

Ordem Crocodylia – Jacarés

Família Alligatoridae

Caiman crocodilus (Linnaeus, 1758)

jacaré-do-pantanal (pág. 138)

Ocorre em pântanos, áreas alagadas, rios, lagos e vazantes, do Norte da Argentina até o Sul da Bacia Amazônica, sendo característica do Pantanal (CUBAS; SILVA; CATÃO; DIAS, 2006). Em São Paulo, um único exemplar foi registrado na Represa da Guarapiranga e considerado como espécie silvestre "nativa introduzida" no Município. O comprimento total foi 154 cm, a cauda mediu 71 cm e a massa corporal foi 14,3 kg.

Vive tanto dentro como fora d'água. Alimenta-se de peixes, vertebrados aquáticos, invertebrados, caranguejos, caramujos e insetos. A dieta é fortemente influenciada pelo hábitat. Na seca, centenas de indivíduos concentram-se em poças à espera das primeiras chuvas. A atividade em grupo dos jacarés parece estar relacionada à proteção contra predadores e à probabilidade de encontrar alimentos. Durante a cheia, o grupo se dispersa pelos campos inundados para se reproduzir e se alimentar individualmente. Desova de 20 a 30 ovos em uma câmara no interior do ninho (ORR, 1986). Esta espécie, segundo a CITES (2007), poderá tornar-se ameaçada de extinção devido ao tráfico.

Caiman latirostris (Daudin, 1802)

jacaré-de-papo-amarelo (pág. 138)

Sua distribuição ocorre no Norte da Argentina, na Bolívia, no Paraguai e Uruguai. No Brasil, ocorre no litoral do Rio Grande do Norte ao Rio Grande do Sul. Está presente nas bacias dos rios São Francisco e Paraná até o rio Paraguai (CUBAS; SILVA; CATÃO-DIAS, 2006). Habita pântanos, brejos, estuários e rios. Também costuma habitar lagos e açudes artificiais em propriedades rurais. O jacaré-de-papo-amarelo, endêmico da Mata Atlântica, foi registrado pela Divisão de Fauna em cinco ocasiões. Na maioria das vezes, foram capturados e trazidos pelo Corpo de Bombeiros, vindos de diferentes regiões da cidade.

O ventre é amarelo-esbranquiçado, por isso o nome vulgar. Possui 68 a 78 dentes. O macho mede até 300 cm de comprimento e a fêmea 200 cm. Alimenta-se de invertebrados e pequenos vertebrados e os filhotes são insetívoros. A fêmea coloca de 20 a 60 ovos, e o período de incubação é de 60 a 90 dias. Quanto mais velha a fêmea, mais ovos ela coloca (AZEVEDO, 2003).

Esta espécie é considerada ameaçada de extinção segundo a CITES (2007) e espécie vulnerável no Estado de São Paulo (SÃO PAULO, 1998).

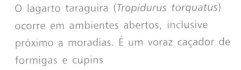

O lagarto taraguira (*Tropidurus torquatus*) ocorre em ambientes abertos, inclusive próximo a moradias. É um voraz caçador de formigas e cupins

Predominantemente terrestre e noturna, a jararaca (*Bothrops jararaca*) é uma serpente peçonhenta cujo comportamento defensivo inclui a camuflagem.

Exemplar juvenil de cobra-cipó
(*Chironius bicarinatus*), serpente
subarborícola, encontrada tanto
sobre a vegetação quanto no
chão das matas.

É comum diferentes espécies de animais terem o mesmo nome popular, como no caso das serpentes dormideiras. Este filhote é um exemplar da *Sibynomorphus neuwiedi*.

Ordem Squamata

Anfisbênias

Família Anphisbaenidae

Amphisbaena alba (Linnaeus, 1758)

cobra-de-duas-cabeças (pág. 138)

Amphisbaena alba distribui-se em praticamente todo o Brasil, América do Sul e Leste dos Andes (VANZOLINI; RAMOS-COSTA; VITT, 1980). Foi registrada para os Parques Ibirapuera, Lina e Paulo Raia e Piqueri. São encontradas em ambientes florestais, no Cerrado e em outras formações vegetais (VANZOLINI; RAMOS-COSTA; VITT, 1980).

As cobras-de-duas-cabeças são comumente confundidas com as serpentes devido à forma alongada do seu corpo. As duas extremidades do corpo são semelhantes, o que dificulta a distinção entre a cauda e a cabeça e explica seu nome popular. As fêmeas são maiores que os machos, medindo em média 58,7 cm e os machos 55,6 cm de comprimento. Vivem sob o solo e possuem olhos muito reduzidos. Sua dieta é variada: alimentam-se de pequenos vertebrados e artrópodes, principalmente de besouros, formigas e larvas de insetos (COLLI; ZAMBONI, 1999). Cavam seus próprios túneis com auxílio de seu crânio rígido, movendo a cabeça de um lado para o outro. Quando ameaçadas, curvam-se em no formato de "ferradura", com a cauda e a cabeça soerguidas e a boca escancarada. (SAZIMA; HADDAD, 1992).

Lagartos

Família Iguanidae

Iguana iguana (Linnaeus, 1758)

iguana (pág. 138)

Iguana iguana possui vasta distribuição geográfica, ocorrendo do México ao Brasil Central. No país é encontrada nos biomas Amazônia, Cerrado e Caatinga (VANZOLINI; RAMOS-COSTA; VITT, 1980).

A iguana mede 30 cm de comprimento rostro-cloacal e 80 cm de cauda (VANZOLINI; RAMOS-COSTA; VITT, 1980).

Alimenta-se de vegetais, frutas e folhas. Tem hábitos diurnos e, de acordo com o clima e a época do ano, pode mudar de cor. É principalmente arborícola, porém também se desloca no solo, onde corre com velocidade por curtos espaços. É uma excelente nadadora. Enterra seus ovos no solo de areia (VANZOLINI; RAMOS-COSTA; VITT, 1980).

Atualmente, segundo a CITES (2007), a espécie poderá tornar-se ameaçada de extinção devido ao tráfico.

Família Leiosauridae

Enyalius inheringii, (Boulenger, 1885)

papa-vento (pág. 139)

No Brasil, o papa-vento, *Enyalius inheringii*, ocorre do Rio de Janeiro ao Rio Grande do Sul. Habita a Mata Atlântica. Em São Paulo, a espécie foi registrada nos Parques Alfredo Volpi e do Carmo e mais recentemente no Parque Previdência.

Lagarto diurno e subarborícola, que se desloca na vegetação e no solo, medindo aproximadamente 25 cm de comprimento. À noite repousa empoleirado em ramos. Alimenta-se de artrópodes. "Foi observado caçando na serrapilheira, alternando deslocamentos curtos e rápidos com períodos de imobilidade, tendo apresado um grilo no decorrer desta atividade" (SAZIMA; HADDAD, 1992).

Enyalius perditus, (Jackson, 1978)

camaleão (pág. 139)

Enyalius perditus pode ser encontrado em áreas de mata do Estado do Rio de Janeiro e no Planalto Atlântico de São Paulo. A ocorrência da espécie nos Estados do Paraná e Santa Catarina é bastante provável (JACKSON, 1978). No Município de São Paulo, foi registrada apenas na Fazenda Castanheiras (APA-Bororé).

É um lagarto de porte médio, com cerca de 10 cm do focinho à cloaca (DIXO; VERDADE, 2006). Alimenta-se de grande variedade de artrópodes e suas larvas (formigas, grilos, gafanhotos e cupins). O microhábitat mais utilizado é o folhiço, sendo os arbustos mais utilizados para o período de repouso, a poucos centímetros do solo. *Enyalius perditus* utiliza a estratégia de caça do tipo senta-e-espera (LIMA, 2005).

É considerada provavelmente ameaçada de extinção no Estado de São Paulo (SÃO PAULO, 1998).

Família Tropiduridae

Tropidurus torquatus (Wied, 1820)

taraguira (pág. 139)

A espécie distribui-se da Venezuela até o Paraguai (VANZOLINI; RAMOS-COSTA; VITT, 1980). É abundante na Caatinga, sendo encontrada em todos os hábitats, inclusive casas, muros e cercas. Em São Paulo, foi registrada nas diferentes regiões da cidade.

O comprimento rostro-cloacal é de 13 cm (VANZOLINI; RAMOS-COSTA; VITT, 1980). O macho é maior que a fêmea e defende seu território. É ovípara, com ninhadas de 4 a 14 ovos, dependendo do tamanho da fêmea (VANZOLINI; RAMOS-COSTA; VITT, 1980).

Nos variados microhábitats, *T. torquatus* costuma esconder-se em pequenas tocas, onde repousa durante as horas mais quentes do dia. Alimenta-se de insetos, principalmente formigas, cupins e abelhas e, ocasionalmente, captura pequenos vertebrados. A estratégia de caça adotada é a da espera (TEIXEIRA, 1999).

Família Gekkonidae

Hemidactylus mabouia (Moreau de Jonnès, 1818)

lagartixa-de-parede (pág. 139)

A lagartixa-de-parede, *Hemidactylus mabouia*, tem origem africana, com histórico antigo de introdução no Brasil. Ocorre na África, Antilhas e América do Sul Cisandina. No Brasil, distribui-se por toda costa leste, na Amazônia, na Caatinga e no Cerrado, sendo menos freqüente nos dois últimos. Seu hábitat é antrópico e periantrópico, principalmente, em edificações humanas (VANZOLINI; RAMOS-COSTA;VITT, 1980).

Possui comprimento rostro-cloacal de 6,8 cm. Apresenta hábitos noturnos, alimenta-se de artrópodes, principalmente aranhas, e caça insetos espreitados junto à luz. A fêmea coloca dois ovos em frestas ou pilhas de materiais (VANZOLINI; RAMOS-COSTA; VITT, 1980).

Família Anguidae

Ophiodes fragilis (Raddi, 1820)

cobra-de-vidro (pág. 140)

A cobra-de-vidro ocorre no Nordeste da Argentina, no Sul e Sudeste do Brasil, Sul da Bahia, Minas Gerais e Mato Grosso do Sul (PIZZATO, 2005). É uma espécie da Mata Atlântica. Seu hábitat inclui matas, campos e banhados, além de ambientes antrópicos. Em São Paulo, é relativamente comum, podendo ser encontrada nos Parques Anhanguera, Carmo, Cidade de Toronto, Raposo Tavares, Raul Seixas e Vila dos Remédios.

A cobra d'água (*Liophis miliaris*) ocorre nas proximidades da água, onde procura anfíbios e peixes para se alimentar.

Este lagarto apresenta pele reluzente e aspecto peculiar devido à ausência dos membros anteriores e à redução extrema dos posteriores. É freqüentemente confundido com serpentes, fato que também explica seu nome popular. Vive enterrado sob o solo e, devido a esse hábito fossorial, não é observado com mais freqüência. As fêmeas possuem em média 19,25 cm de comprimento, e os machos são menores do que as fêmeas, com 15,89 cm em média (PIZZATO, 2005). Em geral, alimenta-se de invertebrados. Como forma de defesa, solta pedaços de sua cauda (MARQUES; ETEROVIC; SAZIMA, 2001).

Família Teiidae

Ameiva ameiva (Linnaeus, 1758)

lagarto-ameiva (pág. 140)

Esta espécie de lagarto possui ampla distribuição, ocorrendo do Panamá até o Sul do Brasil e Norte da Argentina (VANZOLINI; RAMOS-COSTA; VITT, 1980). Vive em matas e cerrados, sendo também comum em áreas alteradas pelo homem. Em São Paulo, um único indivíduo foi registrado, proveniente do Distrito da Penha.

A medida do comprimento rostro-cloacal é de 18 cm (VANZOLINI; RAMOS-COSTA; VITT, 1980). Seu hábito alimentar é classificado como sendo onívoro, incluindo artrópodes (formigas), pequenos vertebrados, ovos e itens vegetais. Este lagarto é terrícola e aquece-se ao sol (heliófilo), abrigando-se em tocas cavadas no solo pela própria espécie. Costuma estar ativa em temperaturas altas. Durante a caça "cisca" o solo, movimentando-se sem cessar. As fêmeas colocam de cinco a seis ovos (VANZOLINI; RAMOS-COSTA;VITT, 1980).

Tupinambis merianae, (Duméril & Bibron, 1839)

lagarto-teiú (pág. 140)

Possui distribuição do Sul do Amazonas ao Norte da Argentina (VANZOLINI; RAMOS-COSTA; VITT, 1980). No Brasil, ocorre na Região Sudeste (CASTRO; GALETTI, 2004). Seu hábitat inclui florestas, cerrados e caatingas. Em São Paulo, o lagarto-teiú é a espécie de lagarto mais freqüente, sendo comum em áreas com alguma vegetação remanescente. Pode ser encontrado nos Parques Anhanguera, Burle Marx, Carmo, Guarapiranga e Santo Dias, e nas áreas do Clube de Campo São Paulo e Fazenda Castanheiras (APA Bororé).

É a maior espécie de lagarto do Município. Os machos adultos chegam a ter comprimento rostro-cloacal de 45 cm. Possui hábitos alimentares generalistas (onívoro) e a dieta pode incluir invertebrados, pequenos vertebrados, ovos e várias espécies de frutos, podendo atuar como dispersor de sementes em pequenos fragmentos florestais (CASTRO; GALETTI, 2004). Ao sentir-se ameaçado normalmente, fica imóvel e tenta camuflar-se no ambiente ou fugir rapidamente. No entanto, foi registrado um comportamento curioso no Parque Burle Marx, quando uma fêmea tentou agredir uma freqüentadora que circulava próximo ao ninho. Costuma freqüentar áreas modificadas pela atividade humana. Passa a maior parte do tempo à procura de presas (VITT, 1995).

O lagarto-teiú, segundo a CITES (2007), poderá tornar-se ameaçado de extinção devido ao tráfico.

A cascavel (*Crotalus durissus terrificus*) é uma serpente peçonhenta inconfundível por possuir no final da cauda um guizo ou chocalho.

Serpentes

Família Colubridae

Apostolepis assimilis (Reinhardt, 1861)

falsa-coral (pág. 140)

Esta espécie distribui-se principalmente na Região Centro-Oeste do Brasil (Goiás, Mato Grosso, Distrito Federal e Minas Gerais) e também em São Paulo e Pernambuco (FERRAREZZI; BARBO; ALBUQUERQUE, 2005). No Município, foi registrada apenas no Parque Anhanguera. É encontrada no bioma Cerrado, habita áreas abertas, bordas de matas de galeria e matas mesófilas. Possui padrão de cor avermelhada no dorso e mancha clara e larga no focinho (FERRAREZZI; BARBO; ALBUQUERQUE, 2005). Também é considerada uma espécie urbana. Possui comprimento rostro-cloacal de 51,8 cm. Apresenta hábitos fossoriais e diurnos. Alimenta-se de pequenos vertebrados.

Atractus pantostictus (Fernandes & Puorto, 1993)

cobra-da-terra (pág. 141)

Esta espécie é amplamente distribuída na América do Sul. Ocorre no Brasil Central, tendo sido registrada nos Estados do Tocantins, Goiás, Minas Gerais e na Região Metropolitana de São Paulo (IBAMA, 2002). Na cidade, foi registrado um exemplar no Parque Anhanguera, zona oeste.

É encontrada em cerrados, matas de galeria e áreas urbanas. O gênero *Atractus* reúne serpentes fossoriais, que vivem enterradas. Apresentam comprimento rostro-cloacal de 26 cm. (SAWAYA, 2003). Alimentam-se principalmente de minhocas e pequenos vertebrados (SAWAYA, 2003).

Chironius bicarinatus (Wied, 1820)

cobra-cipó (pág. 141)

No Brasil, a cobra-cipó já foi relatada para os Estados de Minas Gerais, Espírito Santo, Rio Grande do Sul, Rio de Janeiro, São Paulo, Paraná, Santa Catarina e Distrito Federal (IBAMA, 2002). É uma espécie de Mata Atlântica, encontrada na Região Metropolitana de São Paulo, em ambientes florestais, inclusive em matas muito alteradas pelo homem (SAZIMA; HADDAD, 1992). Foi registrado um único exemplar de *C. bicarinatus* no Parque Anhanguera, zona oeste da Cidade de São Paulo.

Esta serpente tem comprimento total que varia entre 50 a 100 cm (MARQUES, ETEROVIC; SAZIMA, 2001). Tem hábitos arborícolas, terrícolas e, principalmente, diurnos. Alimenta-se de sapos, rãs e pererecas, ocasionalmente de lagartos. Quando ameaçada, como tática de defesa, achata lateralmente o corpo, escancara a boca, deflagra bote e elimina fezes e outras substâncias (descarga cloacal) (MARQUES, ETEROVIC; SAZIMA, 2001).

Echinanthera affinis (Günther, 1858)

sem nome popular (pág. 141)

Esta espécie foi registrada no Brasil, em Minas Gerais, Espírito Santo, Rio de Janeiro, São Paulo, Paraná, Santa Catarina, Rio Grande do Sul, Bahia e Alagoas (IBAMA, 2002). É uma espécie de Mata Atlântica. Em São Paulo, foi encontrada no Distrito de Engenheiro Marsilac, extremo sul do Município.

O comprimento total é menor que 50 cm (MARQUES, ETEROVIC; SAZIMA, 2001). Apresenta hábitos terrícolas, arborícolas e subterrâneos, enterrando-se sob o solo e folhiço. Alimenta-se de sapos, rãs, pererecas e de lagartos. É ativa durante o dia, porém dificilmente é avistada. É uma serpente ovípara. Defende-se achatando o corpo dorsalmente e produzindo descarga cloacal (MARQUES, ETEROVIC; SAZIMA, 2001).

Espécie terrícola, a cobra-verde (*Liophis typhlus*) pode passar desapercebida quando próxima à vegetação.

A cobra-d'água (*Helicops modestus*) possui narinas na parte superior da cabeça, o que favorece sua respiração na superfície d'água.

A cobra-de-duas-cabeças (*Amphisbaena alba*) se defende adquirindo postura "em ferradura", com a cauda e a cabeça soerguidas e a boca escancarada.

A dormideira (*Sibynomorphus mikanii*) é
a espécie de serpente não peçonhenta
mais registrada nos parques. Possui este
nome devido a seus movimentos lentos.

Echinanthera undulata (Wied, 1824)

papa-rã (pág. 141)

Echinanthera undulata é encontrada no Rio de Janeiro, Minas Gerais, Paraná, Santa Catarina e São Paulo (IBAMA, 2002). É uma espécie da Mata Atlântica. No Município de São Paulo, foi registrada no Parque do Carmo, zona leste. Esta serpente tem comprimento total menor que 50 cm (MARQUES, ETEROVIC; SAZIMA, 2001). Possui hábitos terrícolas e põe ovos. Alimenta-se de sapos, rãs e pererecas. Apresenta como comportamentos de defesa o achatamento dorsal, aplanando o corpo horizontalmente, e descargas cloacais de fezes e outras substâncias (MARQUES, ETEROVIC; SAZIMA, 2001).

Erythrolamprus aesculapii venustissimus (Wied, 1821)

falsa-coral (pág. 142)

Sua distribuição geográfica no Brasil inclui os Estados do Paraná, Santa Catarina, Distrito Federal, Roraima, Amazonas, Pará, Bahia, Mato Grosso, Mato Grosso do Sul, Rio de Janeiro, Minas Gerais e São Paulo (IBAMA, 2002). É uma espécie da Mata Atlântica. Além das áreas florestais, também ocorre em ambientes modificados por atividade agrícola. No Município de São Paulo, foi registrada no Parque Anhanguera, zona oeste. O comprimento total varia entre 50 a 100 cm (MARQUES, ETEROVIC; SAZIMA, 2001).

Possui hábito terrícola e atividade diurna; contudo, é avistada com pouca freqüência. Alimenta-se de outras serpentes e répteis, principalmente cobras-cegas e cobras-de-vidro (SAZIMA; HADDAD, 1992). Possui dentes injetores posteriores. É ovípara. Tem comportamento agressivo, mordendo quando molestada. Seu repertório defensivo é rico e inclui achatar o corpo, esconder a cabeça e exibir a cauda enrodilhada (MARQUES, ETEROVIC; SAZIMA, 2001).

Helicops modestus (Günther, 1861)

cobra-d'água (pág. 142)

No Brasil, sua distribuição inclui os Estados de Minas Gerais, Distrito Federal e São Paulo (IBAMA, 2002). É uma espécie de Mata Atlântica. Em São Paulo, é comum nos lagos dos Parques do Carmo, Cidade de Toronto e Ibirapuera.

Esta serpente aquática possui as narinas mais próximas do que o habitual e localizadas na porção superior da cabeça, facilitando sua respiração sob a água. Alimenta-se de peixes e é vivípara (MARQUES, ETEROVIC; SAZIMA, 2001). Possui comprimento rostro-cloacal de 40,1 cm (SCARTOZZONI, 2005).

Liophis jaegeri (Günther, 1858)

cobra-verde (pág. 142)

Distribui-se, no Brasil, nos Estados do Rio Grande do Sul, Paraná, Santa Catarina, Rio de Janeiro, São Paulo, Espírito Santo, Minas Gerais e Mato Grosso do Sul (IBAMA, 2002). É encontrada no Cerrado, em campos limpos e banhados (principalmente nos meses de setembro a março). No Município de São Paulo, foi registrada no Parque Anhanguera, zona oeste.

Tem hábitos aquáticos e diurnos. Alimenta-se de sapos, rãs e pererecas. Como defesa, apresenta, principalmente, comportamentos de fuga e descarga cloacal e com menor freqüência, movimentos erráticos e achatamento dorsal do corpo (MARQUES, ETEROVIC; SAZIMA, 2001). Possui comprimento rostro-cloacal de 44 cm.

Liophis miliaris (Linnaeus, 1758)

cobra-d'água (pág. 142)

Esta espécie de serpente possui ampla distribuição, ocorrendo na América do Sul e em praticamente todo o Brasil (IBAMA, 2002). Ocorre nos biomas Mata Atlântica e Cerrado. Em São Paulo, pode ser encontrada nos Parques Cidade de Toronto e Ibirapuera e no Clube de Campo

A parelheira (*Phlodryas patagoniensis*) vive em locais descampados e outras áreas abertas. É ativa nas horas mais quentes do dia.

São Paulo. O comprimento total varia entre 50 a 100 cm (MARQUES, ETEROVIC; SAZIMA, 2001). Possui hábitos semi-aquáticos, vivendo nas proximidades de rios e lagos. Alimenta-se de sapos, rãs, pererecas e peixes. A presa é engolida viva. Os jovens apresentam atividades crepusculares, noturnas e diurnas. É uma serpente ovípara. O comportamento de defesa inclui o achatamento dorsal do corpo e descargas cloacais (MARQUES, ETEROVIC; SAZIMA, 2001).

Liophis typhlus (Linnaeus, 1758)
cobra-verde (pág. 143)

No Brasil, é encontrada nos Estados do Paraná, Rio de Janeiro, São Paulo, Roraima, Amazonas, Distrito Federal, Goiás, Bahia, Minas Gerais, Mato Grosso do Sul, Mato Grosso e Acre (IBAMA, 2002). Em São Paulo, é mais rara que a espécie anterior, com registro para o Bairro de Perus, zona oeste.

O comprimento total desta serpente varia entre 50 a 100 cm (MARQUES, ETEROVIC; SAZIMA, 2001). Tem hábitos terrícolas e aquáticos e é ovípara. Alimenta-se de sapos, rãs e pererecas. Apresenta como defesa o achatamento dorsal, aplanando as partes do corpo horizontalmente, e produção de descargas cloacais de fezes e outras substâncias (MARQUES, ETEROVIC; SAZIMA, 2001).

Oxyrhopus clathratus (Duméril, Bibron & Duméril, 1854)
falsa-coral (pág. 143)

Espécie encontrada no Brasil, nos Estados de Minas Gerais, São Paulo, Paraná, Santa Catarina, Rio de Janeiro, Rio Grande do Sul e Bahia (IBAMA, 2002). Ocorre na Mata Atlântica. Em São Paulo, foi registrada na Zona Sul, nos Distritos de Parelheiros, Santo Amaro e Engenheiro Marsilac.

O comprimento total varia entre 50 a 100 cm (MARQUES, ETEROVIC; SAZIMA, 2001). Alimenta-se de roedores, marsupiais e lagartos. Como defesa, faz movimentos erráticos, mudando brusca e repetidamente de postura, e esconde a cabeça (MARQUES, ETEROVIC; SAZIMA, 2001).

Oxyrhopus guibei (Hoge & Romano, 1977)
falsa-coral (pág. 143)

Registrada na Bahia, Minas Gerais, São Paulo, Paraná, Mato Grosso e Alagoas (IBAMA, 2002). Espécie da Mata Atlântica. Encontrada em bordas de mata, clareiras e também em áreas perturbadas por atividade agrícola. É a espécie de coral mais comumente encontrada para o Município, sendo registrada em vários bairros e para os Parques do Carmo, Cidade de Toronto, Luis Carlos Prestes, Previdência e Raul Seixas.

Alimenta-se de cobras, cobras-cegas, cobras-de-vidro e roedores. Já foi encontrado filhote de pomba juriti (*Leptotila* sp.) na sua dieta (SAZIMA; HADDAD, 1992). Possui hábitos terrícolas, com atividades crepusculares, noturnas e diurnas. O comprimento total desta serpente varia entre 22 a 119 cm, com uma média de 78,7 cm. Sua tática defensiva inclui o mimetismo com as corais verdadeiras. Não dá bote nem morde quando molestada. Sufoca suas presas através da constrição (MARQUES, ETEROVIC; SAZIMA, 2001).

Philodryas olfersii (Linchtenstein, 1823)
cobra-verde (pág. 143)

A cobra-verde, *Philodryas olfersii*, possui ampla distribuição pelo Brasil, ocorrendo em praticamente todos os Estados (RS, MT, RR, DF, PI, PE, RJ, SP, SC, PR, PA, BA, MG, CE, MA e outros Estados do Nordeste) (IBAMA, 2002). Seu hábitat inclui matas, cerrados, ambientes abertos e bordas de mata. Também costuma ocupar telhados em habitações rurais. Em São Paulo, pode ser encontrada nos Parques do Carmo, zona leste e, em Cotia, no Parque CEMUCAM. Há também um registro curioso desta espécie para a Praça da República, no centro antigo da cidade.

Possui comprimento rostro-cloacal de 69,9 cm. (SAWAYA, 2003). Possui hábitos diurnos, é ovípara e principalmente arborícola. Forrageia pelo chão ou pela vegetação, à procura de pequenos vertebrados, preferencialmente roedores, nas horas mais quentes do dia. O modo de subjugar a presa consiste em envenenamento e constrição. Quando perturbada, normalmente foge. Porém, pode apresentar comportamento agressivo, sendo ágil para morder e inocular seu veneno. Ao contrário das serpentes peçonhentas, a *P. olfersii* possui o dente inoculador de veneno situado no fundo da boca (opistóglifa). Por esse motivo, a espécie é considerada não peçonhenta. Contudo, há registros na literatura de acidentes semelhantes aos acidentes botrópicos leves e BUCARETCHI *et al.* (1993) recomendam sua inclusão na relação das serpentes de interesse médico.

Philodryas patagoniensis (Girard, 1857)
parelheira (pág. 144)

É encontrada no Rio Grande do Sul, Distrito Federal, Mato Grosso, Goiás, Rio de Janeiro, São Paulo, Paraná, Santa Catarina e Mato Grosso do Sul (IBAMA, 2002). Ocorre nos biomas Mata Atlântica e Cerrado. No Município de São Paulo, pode ser encontrada nos Parques Anhanguera e Burle Marx e bairros na zona leste.

O tamanho total desta serpente varia entre 50 e 100 cm (MARQUES, ETEROVIC; SAZIMA, 2001). Apresenta hábitos subarborícola ou terrícola. É ativa nas horas mais quentes do dia. Alimenta-se de sapos, rãs, pererecas, aves, lagartos e outras serpentes. Os mais jovens alimentam-se de lagartos. É ovípara. Apresenta como comportamento de defesa o achatamento dorsal do corpo, além de deflagrar botes (MARQUES, ETEROVIC; SAZIMA, 2001).

Sibynomorphus mikanii (Schlegel, 1837)
dormideira (pág. 144)

Espécie encontrada no Rio Grande do Norte, Minas Gerais, São Paulo, Paraná, Mato Grosso e Distrito Federal (IBAMA, 2002). Ocorre no Cerrado. É bastante comum inclusive em áreas urbanas. Foi a espécie de serpente mais freqüente nos registros da Divisão de Fauna, com notificação de 67 exemplares, vindos tanto de bairros centrais como periféricos de São Paulo. Pode ser encontrada em sete Parques Municipais: Ibirapuera, Burle Marx,

Previdência, Anhanguera, Raposo Tavares, Santo Dias e CEMUCAM.

Possui hábitos diurnos, é terrícola e ovípara. O comprimento total desta serpente varia, tendo em média 40,6 cm. Freqüentemente é encontrada em gramados, onde se alimenta de lesmas e caramujos, artrópodes e anelídeos. Não possui comportamento agressivo quando molestada. Como defesa, apresenta descarga cloacal de fezes e outras substâncias.

Sibynomorphus neuwiedii (Ihering, 1911)
dormideira (pág. 144)

Espécie registrada no Rio Grande do Sul, Rio de Janeiro, São Paulo, Paraná, Santa Catarina e Bahia (IBAMA, 2002). Vive na Mata Atlântica. Foi registrada apenas no Parque CEMUCAM.

A *S. neuwiedii* é muito semelhante à espécie anterior, porém seus olhos têm coloração mais clara, sendo seu registro menos freqüente. Seu comprimento total chega a 50 cm (MARQUES, ETEROVIC; SAZIMA, 2001). Possui hábitos terrícolas e arborícolas. Alimenta-se de moluscos (lesmas e caramujos) encontrados em gramados. É ovípara, e apresenta como defesa expansão dos maxilares (cabeça triangular), esconde a cabeça, bote, além de produzir descarga cloacal, expulsando fezes e outras substâncias (MARQUES, ETEROVIC; SAZIMA, 2001).

Thamnodynastes strigatus (Günther, 1858)
corredeira (pág. 144)

Thamnodynastes strigatus ocorre nas regiões serranas do Estado do Espírito Santo em direção ao sul, nos Estados do Rio de Janeiro, Minas Gerais, São Paulo, Paraná, Santa Catarina e Rio Grande do Sul, onde também pode ser encontrada em áreas baixas (IBAMA, 2002). Espécie da Mata Atlântica. No Município de São Paulo foi registrada no Parque Previdência, zona oeste da Cidade. O tamanho total desta serpente varia entre 50 e 100 cm (MARQUES, ETEROVIC; SAZIMA, 2001). Alimenta-se de sapos, rãs, pererecas e roedores. Possui hábitos terrícolas e arborícolas. Apresenta como comportamento de defesa o achatamento dorsal e deflagra bote (MARQUES, ETEROVIC; SAZIMA, 2001).

A cobra-espada (*Tomodon dorsatus*) alimenta-se de lesmas e caramujos.

A corredeira (*Thamnodynastes strigatus*)
possui hábitos terrícola e arborícola.
Para se defender achata-se dorsalmente
e deflagra bote.

Tomodon dorsatus (Duméril, Bibron & Duméril, 1854)

cobra-espada (pág. 145)

Encontrada na Mata Atlântica do Rio de Janeiro, São Paulo, Paraná e Rio Grande do Sul (IBAMA, 2002). Foi registrada no Parque Ibirapuera.

O comprimento total varia entre 50 e 100 cm (MARQUES, ETEROVIC; SAZIMA, 2001). É terrícola, sendo facilmente avistada. Alimenta-se de moluscos (lesmas e caramujos). Os comportamentos de defesa incluem achatamento dorsal do corpo, escancarar a boca, deflagrar bote e esconder a cabeça (MARQUES, ETEROVIC; SAZIMA, 2001).

Tropidodryas striaticeps (Cope, 1869)

cobra-cipó (pág. 145)

Espécie de serpente da Mata Atlântica, encontrada em São Paulo, Paraná, Santa Catarina, Rio Grande do Sul, Bahia, Rio de Janeiro e Minas Gerais (IBAMA, 2002). Na Cidade de São Paulo foi registrado um exemplar no Parque do Carmo, zona leste. Chega a medir 1 m de comprimento total.

Tem hábitos tanto terrícolas quanto arborícolas. É ovípara. Alimenta-se de roedores e lagartos. Os jovens alimentam-se de sapos, rãs e pererecas. Possui a tática de atrair suas presas com movimentos da cauda (engodo caudal). Como comportamento de defesa, apresenta expansão lateral dos maxilares (cabeça triangular) e deflagra bote (MARQUES, ETEROVIC; SAZIMA, 2001).

Waglerophis merremii (Wagler, 1924)

boipeva (pág. 145)

Esta espécie possui ampla distribuição, sendo encontrada em vários Estados do Brasil (RS, RR, MT, MS, PR, DF, PE, SP, SC, e GO) (IBAMA, 2002). No Município de São Paulo, é encontrada nos Parques do Carmo e Previdência, e em Cotia no Parque CEMUCAM.

Devido ao seu padrão de coloração, freqüentemente é confundida com as serpentes do gênero *Bothrops* e *Crotalus*. Está associada a ambientes com vegetação rala e próximos a água. Tem hábitos terrestres e forrageia durante o dia em busca de anfíbios, principalmente sapos do gênero *Bufo*. Reproduz-se mais de uma vez ao ano, é ovípara, pondo de 5 a 29 ovos. Possui tamanho de 105 cm. O comportamento defensivo inclui: achatamento extremo da parte anterior do corpo (pescoço), achatamento do corpo, assoprar, deflagrar falsos botes de aparente ferocidade. Quando acuada ou capturada morde com facilidade. (MARQUES, ETEROVIC; SAZIMA, 2001).

Família Viperidae

Nesta família estão incluídas as serpentes peçonhentas dotadas de longos dentes inoculadores de veneno localizados na parte da frente da boca, com canal por onde o veneno é conduzido, e presos ao maxilar, curto e móvel (solenóglifas). Dentro deste grupo de serpentes, que oferece maior risco à população, foram duas as espécies registradas no Município.

Bothrops jararaca (Wied, 1824)

jararaca (pág. 145)

Serpente da Mata Atlântica, com distribuição geográfica no Rio de Janeiro, Minas Gerais, São Paulo, Paraná, Espírito Santo e Bahia (IBAMA, 2002). Encontrada nos Parques Anhanguera, Burle Marx, Carmo e CEMUCAM, e no Clube de Campo São Paulo. A jararaca é a espécie de serpente que ocasiona a maior parte dos acidentes ofídicos registrados, fato que concorda com a abundância com que é encontrada (BOSCHNER; STRUCHINER, 2003). Em termos de freqüência foi a segunda serpente mais registrada.

O tamanho total da jararaca, *B. jararaca*, varia entre 50 e 100 cm (MARQUES, ETEROVIC; SAZIMA, 2001). Tem hábitos predominantemente crepusculares e noturnos, com pouca atividade diurna. Ocorre junto a áreas florestais e abertas. É observada no chão e, ocasionalmente, sob

Lagarto de pele reluzente, a cobra-de-vidro
(*Ophiodes fragilis*) assemelha-se a uma serpente
por não possuir membros anteriores e os
posteriores serem vestigiais.

a vegetação. Alimenta-se principalmente de pequenos vertebrados (roedores). Os jovens apresentam outro padrão de dieta, alimentando-se de anfíbios anuros e lagartos. Subjuga a presa por envenenamento. Oferece risco de envenenamento grave. Utiliza a cauda como chamariz para atrair a presa (engodo caudal). O comportamento defensivo é variado e inclui imobilidade e camuflagem, facilitada por sua coloração semelhante à do ambiente. Quando acuada, achata dorsalmente o corpo, eleva a cabeça e o pescoço, bate com a cauda no solo e desfere bote (MARQUES, ETEROVIC; SAZIMA, 2001).

Seu comportamento de camuflagem e imobilidade facilitam a ocorrência de acidentes ofídicos. As notificações desses acidentes no Ministério da Saúde são de 85% para o gênero *Bothrops*. (BOSCHNER; STRUCHINER, 2003).

Crotalus durissus terrificus (Laurenti, 1768)

cascavel (pág. 146)

A cascavel possui ampla distribuição pelo Brasil, ocorrendo em todos os Estados, com exceção do Acre, Rio de Janeiro e Espírito Santo (IBAMA, 2002). Ocorre no Cerrado, áreas abertas e secas, podendo invadir áreas alteradas, desmatadas de forma a ser encontrada, ocasionalmente, na Mata Atlântica (trechos alterados da Serra do Mar). Em São Paulo, foi registrada no Parque Anhanguera, zona oeste.

Seu tamanho varia de 100 a 130 cm. Muito conhecida pela população devido à presença do chocalho na extremidade da cauda, o que a torna inconfundível. Possui hábitos crepusculares ou noturnos, podendo também ser encontrada de dia. Os adultos preferem áreas de vegetação mais fechadas. Alimenta-se de aves, mamíferos (principalmente ratos e roedores). Os jovens também comem lagartos. É vivípara, e os nascimentos ocorrem principalmente no mês de dezembro. O comportamento defensivo da cascavel inclui vibração da cauda em advertência, produzindo ruído devido ao chocalho. Pode dar botes. Mata a presa por envenenamento (MARQUES; HETEROVIC; SAZIMA, 2001). Os acidentes ofídicos notificados para o Ministério da Saúde com o gênero *Crotalus* são de 10% no Brasil e 20%, particularmente para o Estado de São Paulo (BOSCHNER; STRUCHINER, 2003).

RESUMO RÉPTEIS			
Ordem	Número de Famílias	Número de Gêneros	Número de Espécies
Testudines	2	3	4
Crocodylia	1	1	2
Squamata - Anfisbênias	1	1	1
Squamata - Lagartos	6	7	8
Squamata - Serpentes	2	16	22
3 Ordens	12 famílias	28 gêneros	37 espécies

Listas dos répteis do Município de São Paulo (SÃO PAULO, 2006) espécies nativas e introduzidas, status de conservação, espécies endêmicas (Mata Atlântica).				
Ordem	Família	Gênero e Espécie	Nome Popular	Status/Endemismo
Testudines	Emydidae	*Trachemys*		
		Trachemys dorbigni	tigre-d'água	Nativa introduzida
		Trachemys scripta elegans	tigre-d'água-de-orelha-vermelha	Exótica introduzida
	Chelidae	*Hydromedusa*		
		Hydromedusa tectifera	cágado-pescoço-de-cobra	Anexo II (SP)
		Phrynops		
		Phrynops geoffroanus	cágado-de-barbicha	
Crocodylia	Alligatoridae	*Caiman*		
		Caiman crocodilus	jacaré-do-pantanal	Apêndice II (CITES) Nativa introduzida
		Caiman latirostris	jacaré-de-papo-amarelo	Endêmica Apêndice I (CITES) Anexo I-VU (SP)
Squamata	Amphisbaenidae	*Amphisbaena*		
		Amphisbaena alba	cobra-de-duas-cabeças	
	Iguanidae	*Iguana*		
		Iguana iguana	iguana	Apêndice II (CITES) Exótica introduzida
	Leiosauridae	*Enyalius*		
		Enyalius inheringii	papa-vento	
		Enyalius perditus	camaleão	Anexo II (SP)
	Tropiduridae	*Tropidurus*		
		Tropidurus torquatus	taraguira	
	Gekkonidae	*Hemidactylus*		
		Hemidactylus mabouia	lagartixa-de-parede	
	Anguidae	*Ophiodes*		
		Ophiodes fragilis	cobra-de-vidro	
	Teiidae	*Ameiva*		
		Ameiva ameiva	lagarto-ameiva	

Ordem	Família	Gênero e Espécie	Nome Popular	Status/Endemismo
		Tupinambis		
		Tupinambis merianae	lagarto-teiú	Apêndice II (CITES)
Serpentes	Colubridae	*Apostolepis*		
		Apostolepis assimillis	falsa-coral	
		Atractus		
		Atractus pantostictus	cobra-da-terra	
		Chironius		
		Chironius bicarinatus	cobra-cipó	
		Echinanthera		
		Echinanthera affinis	sem nome popular	
		Echinanthera undulata	papa-rã	
		Erythrolamprus		
		Erythrolamprus aesculapii venustissimus	falsa-coral	
		Helicops		
		Helicops modestus	cobra-d'água	
		Liophis		
		Liophis jaegeri	cobra-verde	
		Liophis miliaris	cobra-d'água	
		Liophis typhlus	cobra-verde	
		Oxyrhopus		
		Oxyrhopus clathratus	falsa-coral	
		Oxyrhopus guibei	falsa-coral	
		Philodryas		
		Philodryas olfersii	cobra-verde	
		Philodryas patagoniensis	parelheira	
		Sibynomorphus		
		Sibynomorphus mikanii	dormideira	
		Sibynomorphus neuwiedi	dormideira	
		Thamnodynastes		
		Thamnodynastes strigatus	corredeira	
		Tomodon		
		Tomodon dorsatus	cobra-espada	
		Tropidodryas		
		Tropidodryas striaticeps	cobra-cipó	
		Waglerophis		
		Waglerophis merremii	boipeva	

Listas dos répteis do Município de São Paulo (SÃO PAULO, 2006) espécies nativas e introduzidas, status de conservação, espécies endêmicas (Mata Atlântica).

Ordem	Família	Gênero e Espécie	Nome Popular	Status/Endemismo
	Viperidae	*Bothrops*		
		Bothrops jararaca	jararaca	
		Crotalus		
		Crotalus durissus terrificus	cascavel	

Listas dos répteis do Município de São Paulo (SÃO PAULO, 2006) espécies nativas e introduzidas, status de conservação, espécies endêmicas (Mata Atlântica).

Legenda

Status segundo CITES 2007 (Convention on International Trade in endangered Species of World Fauna and Flora).

Apêndice I: Espécie Ameaçada de Extinção que é ou pode ser afetada pelo tráfico.

Apêndice II: (espécie que, embora atualmente não se encontre necessariamente em perigo de extinção, poderá vir a esta situação a menos que o comércio de espécimes de tal espécie esteja sujeito à regulamentação rigorosa).

Status segundo Decreto Nº 42.838/98 – Governo do Estado De São Paulo (Lista da Fauna Silvestre Ameaçada de Extinção e Provavelmente Ameaçada de Extinção no Estado de São Paulo).

Anexo I–EP: espécie ameaçada de extinção na categoria Em Perigo (risco de extinção no futuro próximo)

Anexo I–VU: espécie ameaçada de extinção na categoria Vulnerável (alto risco de extinção a médio prazo)

Anexo I-CP: espécie ameaçada de extinção na categoria Criticamente em perigo (alto risco de extinção em futuro muito próximo).

Anexo II: espécie provavelmente ameaçada de extinção.

tigre-d'água

Trachemys dorbigni

(CA: 22 a 36 cm)

tigre-d'água-de-orelha-vermelha

Trachemys scripta elegans

(CA: até 28 cm)

cágado-pescoço-de-cobra

Hydromedusa tectifera

(CA: 25,5 cm)

cágado-de-barbicha

Phrynops geoffroanus

(CA: 27 cm)

EMYDIDAE | CHELIDAE

jacaré-do-pantanal
Caiman crocodilus
(CT: 154cm)

jacaré-de-papo-amarelo
Caiman latirostris
(CT: macho 300 cm / fêmea 200 cm)

F A U N A   S I L V E S T R E

cobra-de-duas-cabeças
Amphisbaena alba
(CT: macho 55,6 cm / fêmea 58,7 cm)

iguana
Iguana iguana
(CT: 110 cm)

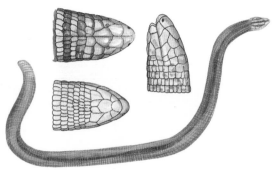

ALLIGATORIDAE | AMPHISBAENIDAE | IGUANIDAE

papa-vento
Enyalius inheringii
(CT: 25 cm)

camaleão
Enyalius perditus
(CRC: 10 cm)

taraguira
Tropidurus torquatus
(CRC: 13 cm)

lagartixa-de-parede
Hemidactylus mabouia
(CRC: 6,8 cm)

LEIOSAURIDAE | TROPIDURIDAE | GEKKONIDAE

cobra-de-vidro
Ophiodes fragilis
(CT: 12,6 a 22,1 cm)

lagarto-ameiva
Ameiva ameiva
(CRC: 18 cm)

FAUNA SILVESTRE

lagarto-teiú
Tupinambis merianae
(CRC: 45 cm)

falsa-coral
Apostolepis assimillis
(CT: 45 cm)

ANGUIDAE | TEIIDAE | COLUBRIDAE

cobra-da-terra

Atractus pantostictus

(CT: 30 cm)

cobra-cipó

Chironius bicarinatus

(CT: 50 a 100 cm)

sem nome popular

Echinanthera affinis

(CT: < 50 cm)

papa-rã

Echinanthera undulata

(CT: < 50 cm)

COLUBRIDAE

falsa-coral

Erythrolamprus aesculapii venustissimus
(CT: 50 a 100 cm)

cobra-d'água

Helicops modestus
(CT: 55 a 80 cm)

F A U N A   S I L V E S T R E

cobra-verde

Liophis jaegeri
(CT: 50 a 100 cm)

cobra-d'água

Liophis miliaris
(CT: 50 a 100 cm)

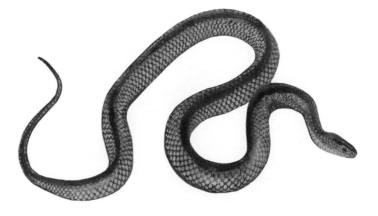

COLUBRIDAE

cobra-verde
Liophis typhlus
(CT: 50 a 100 cm)

falsa-coral
Oxyrhopus clathratus
(CT: 50 a 100 cm)

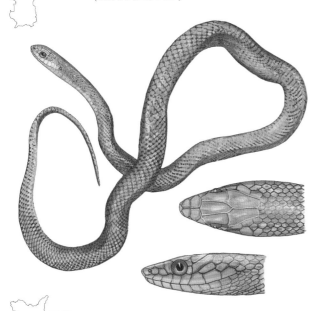

falsa-coral
Oxyrhopus guibei
(CT: 80 cm)

cobra-verde
Philodryas olfersii
(CT: 50 a 100 cm)

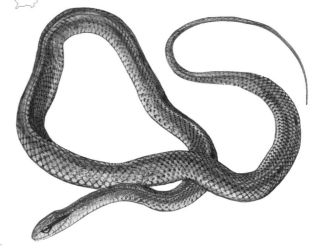

COLUBRIDAE

parelheira

Philodryas patagoniensis

(CT: 50 a 150 cm)

dormideira

Sibynomorphus mikanii

(CT: 40,6 cm)

F A U N A   S I L V E S T R E

dormideira

Sibynomorphus neuwiedi

(CT: 50 cm)

corredeira

Thamnodynastes strigatus

(CT: 50 a 100 cm)

COLUBRIDAE

cobra-espada

Tomodon dorsatus

(CT: 50 a 100 cm)

cobra-cipó

Tropidodryas striaticeps

(CT: 120 cm)

boipeva

Waglerophis merremii

(CT: 80 a 120 cm)

jararaca

Bothrops jararaca

(CT: 50 a 120 cm)

cascavel
Crotalus durissus terrificus
(CT: 100 a 120 cm)

Referências Bibliográficas

AZEVEDO, J. C. N. **Crocodilianos — biologia, manejo e conservação**. Paraíba: Arpoador, 2003.

BOCHENER, R.; STRUCHINRT, C. J. Epidemiologia dos acidentes ofídicos nos últimos 100 anos no Brasil: uma revisão. **Caderno de Saúde Pública.** Rio de Janeiro,v. 19, n. 1, p. 7-16, 2003.

BUCARETCHI, F; VIEIRA, R. J; FERMINO, C. A.; BAVARESCO, A. P.; FONSE-CA, M. R. C. C.; DOUGLAS, J. L. & ZAMBRONE, F. A. D., 1993. Acidentes por Philodryas olfersii relatório de dois casos. In: **III Congresso Latino-Americano de Herpetologia**, Resumos. Campinas: Instituto de Biologia da Universidade Estadual de Campinas.

CASTRO, R.E.; GALETTI, M. Frugivoria e dispersão de sementes pelo lagarto Teiú Tupinambis merinae(Reptilia: Teoodae). **Papéis Avulsos de Zoologia.** São Paulo, v.44, n.6 p. 91-7, 2004.

COLLI, G.R.; ZAMBONI, D. S. Ecology of the worm-lizard Amphisbaena alba in the Cerrado of Central Brazil. **Copeia** , v.3, p. 733-742, 1999.

CUBAS, S. Z.; SILVA, J. C. R.; DIAS, J. L. C. **Tratado de animais selvagens — medicina veterinária**. São Paulo: Roca, 2006.

CONVENTION ON INTERNATIONAL TRADE IN ENDANGERED SPECIES OF WILD FAUNA ABD FLORA. **Apêndices I, II e III.** 2007. Disponível em: < http://www.cites.org >. Acesso em: 12 abr. 2007.

DIXO, M; VERDADE, V.K. Leaf litter herpetofauna of the Reserva Florestal de Morro Grande, Cotia (SP). **Biota Neotrop.**, Campinas, v. 6, n. 2, 2006. Disponível em: <http://www.scielo.br/scielo.php?script=sci_arttext&pid=S1676-06032006000200009&lng=en&nrm=iso>. Acesso em: 25 June 2007. Pré-publicação.

ERNEST, C. H.; BARBOUR, B. R. W. **Turtles of the world.** Washington: Smithsonian Institution Press, 1989.

FERRAREZZI, H.; BARBO, F. E.; ALBUQUERQUE, C. E. Phylogenetic relationships of a new species of Apostolepis from Brazilian Cerrado with notes os the animals group (serpentes : colubridae : Xerodontical : Elapomorphini). **Papeis Avulsos de Zoologia**, São Paulo, v. 45, n. 16, p. 215- 229, 2005.

GIBBONS, J. W. **Life history and ecology of the slider turtle**. Washington: Smithsonian Institution Press, 1989. 368 p.

HAHN, A. T. **Análise da dieta de Trachemys dorbigni** (Duméril & Bibron. 1835) no sul do Rio Grande do Sul, Brasil (Testudines: **Emydidae)**. 2005. 23 f. Dissertação (Mestrado). Instituto de Biociências da Universidade Federal do Rio Grande do Sul, Porto Alegre – RS, 2005.

IBAMA. **Centro de conservação e manejo de répteis e anfíbios. Lista das serpentes do Brasil**. 2002. Disponível em: <http://www.ibama.gov.br/projetos_centros/centros/ran/serpentes.htm. RAN-répteis e anfíbios>. Acesso em: abr. 2007.

JACKSON,J.F. Differentiation in the genera Enyalius and Strobilurus (Iguanidae):Implications for Pleistocene climatic changes in eastern Brasil. **Arq.Zool. São Paulo,** v. 30. p. 1-79, 1978.

LIMA, A. F. B. **Dieta, forrageio, morfologia e uso de microhábitat de** *Enyalius perditus* Jackson, 1978 (Sáuria, Polychrotidae) na reserva biológica municipal Santa Cândida, Juiz de Fora, **Minas Gerais**. 2005. 62f. Dissertação (Mestrado em Comportamento e Biologia Animal) - Universidade Federal de Juiz de Fora, Mina Gerais, 2005.

MARQUES, O.; ETEROVIC, E.; SAZIMA, I. **Serpentes da Mata Atlântica: guia ilustrado parsa a Serra do Mar**. Ribeirão Preto: Holos, 2001, 84 p.

ORR, R. T. **Biologia dos vertebrados**. 5. ed. São Paulo: Roca, 1986.

PIZZATO, L. Reproductive biology of the"*Ophiodes fragilis (*Squamata: Anguidae in south-east Brazil. **Herpetological Journal**, v. 1, p. 9-13, 2005.

RODRIGUES, M.T. Conservação dos répteis brasileiros: os desafios para um país megadiverso. **Megadiversidade**. V. 1. n.1.: 87-94, 2005.

SAZIMA, I.; HADDAD, C. P. B. Répteis da Serra do Japi: Notas sobre história natural.In: **História natural da serra do Japí – ecologia e preservação de uma área florestal no sudeste do Brasil**. Campinas-SP: UNICAMP/ FAPESP, 1992.

SAWAYA, R. J. **História natural e ecologia de serpentes de cerrado da região de Itirapina, SP**. 2003. 145 p. Dissertação (Doutorado em Ecologia) - Instituto de Biologia, Universidade Estadual de Campinas, Campinas, 2003.

SCARTOZZONI, R. R.**Morfologia de serpentes aquáticas neotropicais: um estudo comparativo**. 2005. 102p. Dissertação (Mestrado em Ecologia) - Instituto de Biociências, Universidade de São Paulo, São Paulo, 2005.

SOUZA, F. L. Uma revisão sobre padrões de atividade, reprodução e alimentação de cágados brasileiros (Testudines, Chelidae). **Phyllomedusa,** v. 3, n. 1, p. 15-27, 2004.

SÃO PAULO. (Estado). Decreto n. 42.838, de 4 de fevereiro de 1998. Declara as espécies da fauna silvestre ameaçadas de extinção no estado de São Paulo e dá providências correlatas. **Diário Oficial do Estado de São Paulo**, São Paulo,v. 108, n. 25, set. 1998. Poder Executivo, Seção I.

SÃO PAULO.(Cidade). Secretaria Municipal do Verde e do Meio Ambiente. Inventário da Fauna do Município de São Paulo: resultados preliminares. **Diário Oficial Cidade de São Paulo**, São Paulo, v. 51, n. 104, Jun, 2006. Suplemento 3.

SOCIEDADE BRASILEIRA DE HERPETOLOGIA. **Lista de espécies de répteis do Brasil**. 2004. Disponível em: <http://www2.sbherpetologia.org.br/checklist/répteis.htm> Acesso em 30 mar. 2007.

TEIXEIRA, R. L. E.; GIOVANELLI, M. Ecologia de *Tropidurus Torquatus*. (Sauria: Tropiduridae) da restinga de Guriri, São Mateus, ES. **Revista Brasileira de Biologia**, v. 59, n. 1, p. 11-18, 1999.

VANZOLINI, P. E.; RAMOS-COSTA, A. M.; VITT, L. J. **Répteis das caatingas**. Rio de Janeiro: Academia Brasileira de Ciências, 1980.

VITT, L. J. The ecology of tropical lizards in the caatinga of northeast Brazil. **Occ. Pap. Oklahoma Mus. Nat. Hist.**, v. 1, p. 1-29, 1995.

AVES

CAPÍTULO 4

Aves do Município de São Paulo

Anelisa Ferreira de Almeida Magalhães

As aves chamam muito a atenção na cidade de São Paulo pela diversidade de espécies, capacidade de se adaptar ao meio modificado e dinâmica de suas populações. Correspondem a 80% dos animais silvestres atendidos pela Divisão Técnica de Medicina Veterinária e Manejo da Fauna Silvestre (Divisão de Fauna). Praticamente a metade delas é residente ou visitante, coabita com a população – 11 milhões de pessoas – e busca condições para completar seu ciclo de vida.

Os registros das espécies atendidas pela Divisão de Fauna, somados às observações sistemáticas realizadas a campo, revelam uma riqueza surpreendente, com 284 espécies de aves. Entre elas figuram desde o familiar pardal, *Passer domesticus*, até o imponente gavião-pega-macaco, *Spizaetus tirannus*.

A dinâmica destes animais é outro fato que chama a atenção. É possível distinguir padrões de ocorrência para determinadas espécies, como, por exemplo, o falcão-peregrino, *Falcus peregrinus*, modificações ao longo dos anos nas populações de outras, como no caso da asa-branca, *Patagioenas picazuro*, e também identificar pressões e conflitos relacionados às aves nas áreas urbanas.

Este capítulo pretende avaliar a avifauna da cidade segundo suas características ecológicas. Esta análise baseia-se exclusivamente na lista de espécies da avifauna registradas para o Município de São Paulo pela Divisão de Fauna e seus colaboradores, de 1993 até o final de 2005 (SÃO PAULO, 2006). Não serão comentados, portanto, os estudos realizados por outros pesquisadores ou instituições para o Município de São Paulo.

Procedimentos

A lista de espécies apresentada no final do capítulo é resultado dos registros realizados por meio de incursões a campo em 48 áreas diferentes. Estas áreas incluem 34 Parques Municipais, três Parques Estaduais, a APA estadual do Carmo, sete localidades nas APAs municipais – Capivari-Monos e Bororé-Colônia – e três áreas verdes significativas. Os ambientes percorridos apresentam paisagens muito distintas, desde ambientes estritamente urbanos até áreas com fragmentos de matas. Para um detalhamento maior da fisionomia e da estrutura da vegetação, consultar o Capítulo inicial.

O método para as observações a campo constitui-se em caminhar pelos diferentes ambientes das áreas de estudo, com binóculos, registrando as aves vistas e ouvidas. Recentemente, as vocalizações de espécies florestais foram registradas com gravador digital MD (Sony) e microfone direcional (Nady). As observações ocorreram no período da manhã e totalizaram 1.425 horas. A utilização de redes ornitológicas foi uma metodologia complementar e secundária aplicada em apenas duas áreas. Foram incluídos também os registros esporádicos das espécies de vida livre atendidas na Divisão de Fauna oriundas do Município e que não foram observadas nos trabalhos a campo.

A lista de espécies seguiu a taxonomia adotada pelo Comitê Brasileiro de Registros Ornitológicos (CBRO, 2006).

falcão-peregrino (*Falco peregrinus*)

A saracura-sanã (*Pardirallus nigricans*) apresenta bico verde e curvo, olhos e pernas vermelhas que ajudam a identificar a espécie. Pode ser vista na beira de lagos se alimentando.

Análise dos Dados

Com o intuito de traçar um panorama da avifauna registrada nas diferentes áreas da cidade, as espécies foram classificadas e agrupadas segundo algumas de suas características ecológicas. Estratégia esta que auxilia a compreensão dos mecanismos que regulam a dinâmica populacional no ambiente. Esse entendimento é decisivo quando é necessário propor medidas que visem à conservação da fauna e flora nativas.

As espécies foram agrupadas pelos tipos de ambientes onde ocorrem, segundo as informações obtidas da literatura (RIDGELY; TUDOR, 1989; SICK, 1997; STOTZ *et al.*, 1996; DEVELEY; ENDRIGO, 2004). Com base nessas informações, e a fim de simplificar a análise, os diferentes ambientes foram categorizados da seguinte forma: **áreas florestadas** são as matas e matas secundárias; **áreas abertas,** os campos, pastagens, gramados, plantações, jardins, cidades, brejos e varjões; **áreas semi-abertas,** as bordas de mata, capoeiras e cerrados; **aquáticos,** os lagos, represas e rios; e **todos os tipos de área,** todos os ambientes anteriores.

A análise das aves segundo o hábito alimentar seguiu a classificação que considera o principal item alimentar (WILLIS, 1979; RIDGELY; TUDOR, 1989; MOTTA-JUNIOR, 1990; SICK, 1997; DEVELEY; ENDRIGO, 2004): **insetívoras** (artrópodes), **frugívoras** (frutos), **granívoras** (sementes), **carnívoras** (vertebrados), **picívoras** (peixes), **malacófagas** (moluscos), **necrófagas** (carniça), **nectarívoras** (néctar), **onívoras** (animais e vegetais) e **filtradoras** (pequenos organismos aquáticos).

Quanto à sensibilidade às modificações antrópicas, as espécies de aves foram classificadas segundo as categorias **alta**, **média** e **baixa,** propostas por Stotz e colaboradores (1996).

Resultados

Foram identificadas para o Município de São Paulo 284 espécies de aves pertencentes a 233 gêneros, 53 famílias e 19 ordens. Destas, 44 espécies possuem distribuição restrita ao bioma Mata Atlântica, com a taxa de endemismo correspondendo a 15% do total das espécies. Em relação ao status de conservação, 85 espécies estão classificadas em pelo menos uma das categorias de ameaça nas listas compiladas pela União Mundial para a Conservação (IUCN, 2006), Convenção sobre o Comércio de Espécies da Flora e Fauna Silvestre em perigo de Extinção (CITES, 2007), Ministério do Meio Ambiente (BRASIL, 2003) e Secretaria do Meio Ambiente do Estado de São Paulo, (SÃO PAULO, 1998).

A **Figura 1** mostra a distribuição das espécies de acordo com o tipo de ambiente que ocupam. Essa análise demonstra que 26% das aves registradas (73 espécies) estão associadas às áreas florestadas. Esse número é o maior na comparação com as outras categorias, quando consideradas isoladamente. Dentre as espécies florestais encontradas para o Município destacamos o macuco, *Tinamus solitarius*, ave endêmica ameaçada de extinção segundo a CITES (2007) e ameaçada de extinção no Estado de São Paulo (SÃO PAULO, 1998), com um único registro para o Bairro do Tremembé, zona norte da cidade. O macuco parece ser atualmente uma espécie rara para o Município. Contudo, salientamos a necessidade da realização de um censo dessa espécie, para definição do seu estado de conservação.

Curiosos são os registros de espécies florestais que, por vezes, são encontradas em plena área urbana. É o caso do gavião-pomba, *Leucopternes lacernulatus*, espécie ameaçada de extinção segundo o

Durante o dia, o savacu (Nycticorax nycticorax) dorme em meio à folhagem das copas das árvores, e ao entardecer, fica à margem dos córregos, riachos ou lagos para capturar peixes e pequenos vertebrados.

Ministério do Meio Ambiente (BRASIL, 2003) e no Estado de São Paulo (SÃO PAULO, 1998), encontrada recorrentemente nas zonas centrais e extremamente urbanizadas da cidade sempre nos meses de março e abril. A Divisão de Fauna recebe indivíduos de gavião-pomba com plumagem característica de imaturo, capturados em bairros centrais. Chegam apresentando ferimentos nas asas, freqüentemente causados por choques contra edificações. Seriam necessários estudos específicos, mais uma vez, para compreendermos os motivos que levam uma espécie tipicamente florestal a se aventurar por áreas urbanas. Entretanto, considerando a maturidade dos indivíduos capturados, uma possível explicação poderia ser a busca por novos territórios. Esta necessidade obrigaria os indivíduos jovens a abandonar o território dos

pais, arriscando-se na travessia da mancha urbana em busca de novas áreas florestadas para se estabelecerem. Durante essa jornada podem ocorrer acidentes, como o choque contra edifícios envidraçados.

Outra espécie florestal que visita periodicamente os parques centrais é a araponga, *Procnias nudicolis*, ave símbolo da Mata Atlântica e ameaçada de extinção. Há quatro anos consecutivos, a araponga visita o Parque Ibirapuera entre os meses de setembro e outubro, onde permanece por aproximadamente duas semanas. Neste período, foi observada alimentando-se dos frutos da figueira-benjamim, *Ficus microcarpa*, espécie exótica abundante no Parque, e que, por produzir frutos durante vários meses, é um importante recurso alimentar para as aves frugívoras no local (SOMENZARI *et al.*, 2006).

FAUNA SILVESTRE

Figura 1. Tipos de ambientes utilizados pela avifauna no Município de São Paulo

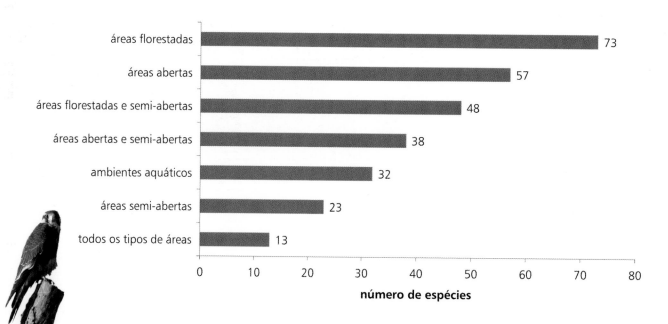

Categorias: áreas florestadas (matas); áreas abertas (campos, pastagens, gramados, plantações, jardins, cidades, caatingas, brejos e varjões); áreas semi-abertas (bordas de mata, capoeiras e cerrados); ambientes aquáticos (lagos, represas e rios).

Uma única espécie de cracídeo, *Penelope obscura*, o jacuguaçu, foi registrada em duas das áreas estudadas: o Parque CEMUCAM, que na realidade pertence ao Município de Cotia; e a Fazenda Castanheiras, uma propriedade particular protegida, localizada na APA do Bororé-Colônia, zona sul. Ambas as áreas possuem remanescentes de mata.

Vinte por cento do total das aves registradas (57 espécies) estão associadas aos campos, pastagens, gramados, plantações, jardins, cidades, brejos e varjões (RIDGELY; TUDOR, 1989; STOTZ *et al.*, 1996; SICK, 1997; DEVELEY; ENDRIGO, 2004), aqui considerados como áreas abertas. Nesta categoria, destacamos uma espécie que colonizou recentemente o Município, a lavadeira-mascarada, *Fluvicula nengeta*, com seu primeiro registro na década de 90 (LO, 1994).

Quatro espécies associadas aos ambientes abertos, a rolinha, *Columbina talpacoti*, o sanhaço-cinzento, *Thraupis sayaca*, o tico-tico, *Zonothrichia capensis* e a andorinha-de-casa-pequena, *Pygochelidon cyanoleuca*, estão entre as dez aves mais freqüentes neste estudo, ou seja, observadas em 40 ou mais áreas.

Outras 48 espécies de aves (17% do total) estão associadas tanto às áreas florestadas como às semi-abertas (bordas de mata, cerrados e capoeiras). Dentre elas, o pica-pau-verde-barrado, *Veniliornis spilogaster*, é uma espécie bem adaptada às áreas verdes da Cidade, sendo registrada em grande parte delas (observada em 26 áreas). Por outro lado, o inhambu-chintã, *Crypturellus tataupa*, foi registrado apenas no Parque Anhanguera.

Treze por cento das aves (38 espécies) estão associadas às áreas abertas e também às semi-abertas. Uma das espécies que se enquadra nessa categoria, a asa-branca, *Patagioenas picazuro*, teve sua população aumentada no Parque Ibirapuera na última década, se compararmos a freqüência de registros da espécie nos dois períodos amostrados. Em 1993, durante o levantamento realizado nesse Parque, a pomba-asa-branca foi registrada uma única vez, no mês de setembro, em um total de 47 incursões a campo ao longo do ano. Passado pouco mais de

É muito comum ver o martim-pescador-verde (*Chloroceryle amazona*) atravessando os lagos de uma margem a outra, rente à água. Constrói seu ninho em barrancos ou rochas. Empoleira-se em galhos baixos.

uma década, durante o levantamento de 2005, essa espécie foi registrada em 11 meses, refletindo um nítido aumento na sua freqüência de ocorrência. Outras três espécies de áreas abertas e semi-abertas estão entre as mais freqüentes neste estudo: o bentevi, *Pitangus sulphuratus*, o tesourão, *Eupetomena macroura* e a corruíra, *Troglodytes musculus*.

As aves aquáticas correspondem a 11% do total das espécies registradas. Entre elas, as duas espécies de garça, a garça-branca-grande, *Ardea alba*, e a graça-branca-pequena, *Egretta thula*, podem ser facilmente observadas no lago do Parque Ibirapuera.

Durante os meses mais frios o número de garças aumenta nas margens do lago, tornando-se um belo atrativo na paisagem. O aumento populacional também pode ser observado para o irerê, *Dendrocygna viduata*, um gracioso marreco silvestre comum no lago.

As aves que ocorrem exclusivamente em áreas semi-abertas correspondem a 8% do total. Um exemplo é o maracanã-nobre, *Diopsittaca nobilis*, que, à semelhança da asa-branca, *Patagioenas picazuro*, também teve um aumento na freqüência de ocorrência para o Parque Ibirapuera na última década.

Cinco por cento das aves (13 espécies) ocupam um amplo espectro de ambientes, desde áreas abertas até áreas florestadas. Dentre elas, destacamos o urubu-de-cabeça-preta, *Coragyps atratus*, espécie estigmatizada por sua aparência e hábitos necrófagos, que, no entanto, possui valor ecológico inquestionável. Bem adaptado ao ambiente urbano, o urubu habituou-se a utilizar sacadas e floreiras em edifícios para construção de ninhos, causando incomodo à população. A espécie está entre as mais freqüentes nas áreas estudadas. Outro conflito é sua presença próxima às áreas aeroportuárias e o conseqüente prejuízo devido aos danos causados pelos choques contra aeronaves, além do risco de acidentes aéreos mais graves. Vale ressaltar que o problema de colisão envolve outras espécies de aves que, igualmente, freqüentam áreas urbanas descampadas, como o quero-quero, *Vanellus chilensis* e as diferentes espécies de garças brancas, *Egreta thula*, *Ardea alba* e *Bubulcu ibis*, por exemplo. O maior problema, segundo Serrano e colaboradores (2005), é a ausência de saneamento básico e a presença de focos de atração de aves, como lixões nas Áreas de Segurança Aeroportuárias. A recomendação é de que haja planejamento das atividades próximas, além de monitoramento das populações de urubu e manejo da paisagem.

Para finalizar a avaliação das aves segundo o tipo de ambiente de ocorrência em São Paulo, destacamos a maior diversidade de aves de ambientes florestais, em comparação com outros tipos de ambiente. Este resultado não é surpresa, uma vez que os ambientes florestais costumam ser os mais complexos e ricos.

Um importante fato a destacar é que, embora o número de espécies florestais seja o maior, essas aves foram menos freqüentes e, como demonstrado no tópico seguinte, são as mais suscetíveis às alterações ambientais, sendo registradas em poucas áreas mais preservadas. Por outro lado, se considerarmos as dez aves mais freqüentes em São Paulo, quatro delas são de ambientes abertos, três de ambientes abertos e semi-abertos e três ocorrem em todos os tipos de ambientes. Por essa razão, as espécies florestais devem ser priorizadas em projetos de conservação, para que suas populações não tendam a desaparecer num futuro próximo.

Chamamos a atenção também para a ocorrência de espécies florestais em parques urbanos, mesmo que por um breve período. Este fato ressalta a importância dessas áreas verdes como locais de passagem e descanso para as aves que se deslocam entre os fragmentos de mata.

A conclusão final é que os 21 % de matas existentes atualmente em São Paulo (SÃO PAULO, 2004) são, em grande parte, responsáveis pela biodiversidade registrada na cidade, sendo esta mais uma confirmação da necessidade de conservação de tais áreas.

A saíra-sete-cores (*Tangara seledon*) vive em pequenos bandos, juntamente com outras espécies de saíras, nas matas contínuas e seus arredores. A fêmea tem cores mais desbotadas do que o macho.

Ave típica de áreas florestadas, o capitão-de-saíra (*Atila rufus*) é observado na região sul do Município de São Paulo, como nas APAs Capivari-Monos e Bororé-Colônia.

Espécie de beija-flor muito comum, o tesourão (*Eupetomena macroura*) é caracterizado pela cauda comprida e bifurcada. Possui cabeça e pescoço azuis e plumagem verde-escura brilhante.

Vivendo em bandos, o canário-da-terra-verdadeiro (*Sicalis flaveola*) faz ninhos em cavidades naturais, ou aproveita os ninhos feitos por outros pássaros. Alimenta-se de sementes de gramíneas.

Espécie de pequeno porte e muito comum na cidade, a andorinha-pequena-de-casa (*Pygochelidon cyanoleuca*) vive em bandos. Procura sua alimentação em vôos acrobáticos. Pode ser vista também pousada em fios da rede elétrica.

O bentevi-do-gado (*Machetornis rixosa*) caminha pelo chão em busca da alimentação que é essencialmente constituída de insetos, como grilos e gafanhotos.

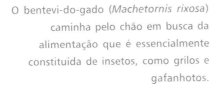

FAUNA SILVESTRE

Sensibilidade às modificações ambientais e hábitos alimentares

A **Figura 2** reúne a classificação da avifauna segundo a sensibilidade às perturbações ambientais, estabelecida por Stotz e colaboradores (1996). Nesta análise, é possível verificar que a maioria das espécies listadas para o Município (55%) apresenta grande tolerância a modificações ambientais, sendo capazes de se adaptar a essas condições e, por vezes, ser por ela beneficiadas. Fazem parte das espécies resistentes as aves mais populares no Município, como o sabiá-laranjeira, *Turdus rufiventris*, considerado um símbolo para a Cidade, o bentevi, *Pitangus sulphuratus*, o periquito-rico, *Brotogeris tirica*, e o joão-de-barro, *Furnarius rufus*.

Quarenta por cento das espécies apresentam média sensibilidade às modificações ambientais e apenas 5% das espécies são altamente sensíveis. Neste último caso, com exceção do talha-mar, *Rynchops niger*, todas as espécies estão associadas aos ambientes florestais. Essa análise reflete a situação atual do Município, com a presença de um grande número de espécies resistentes e um número reduzido de espécies sensíveis.

FAUNA SILVESTRE

Figura 2. Classificação segundo a sensibilidade às perturbações ambientais (STOTZ *et al*, 1996)

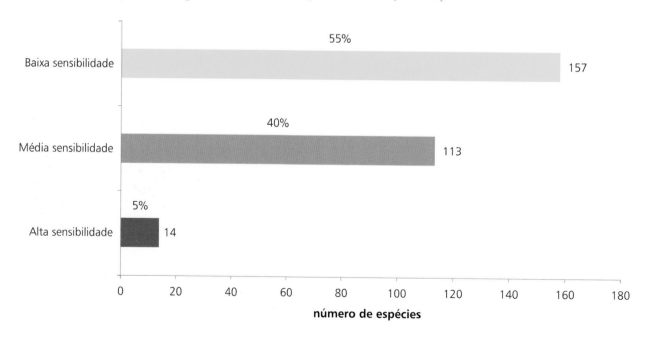

número de espécies

A **Figura 3** mostra a distribuição da avifauna segundo os hábitos alimentares. Em relação às aves registradas para o Município de São Paulo, ocorre prevalência de espécies insetívoras (36%), seguidas por espécies onívoras (19%), com as duas totalizando, portanto, 55% das espécies (**Figura 3**.). Dentre as insetívoras, 53% são consideradas pouco sensíveis às perturbações ambientais; no caso das onívoras, essa porcentagem sobe para 60%.

Figura 3. Distribuição segundo os hábitos alimentares

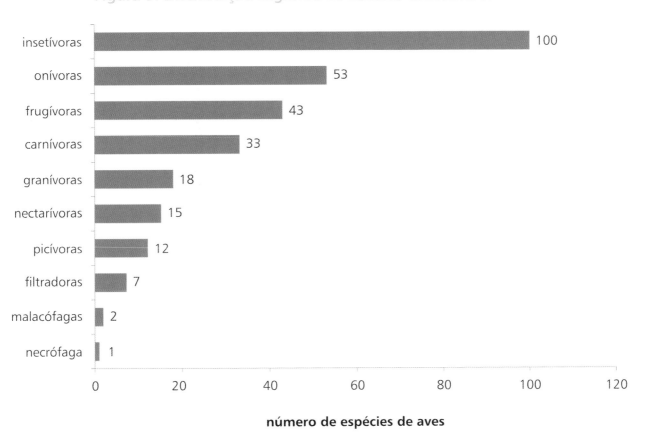

número de espécies de aves

Insetívoras – espécies que se alimentam principalmente de artrópodes (insetos, aranhas etc); **onívoras** – espécies que se alimentam tanto de animais quanto de vegetais; **frugívoras** – espécies que se alimentam principalmente de frutos; **carnívoras** – espécies que se alimentam de vertebrados; **granívoras** – espécies que se alimentam principalmente de sementes; **nectarívoras** – espécies que se alimentam principalmente de néctar; **picívoras** – espécies que se alimentam de peixes; **filtradoras** – espécies que se alimentam de pequenos organismos aquáticos; **malacófagas** – espécies que se alimentam principalmente de moluscos; **necrófaga** – espécie que se alimenta de carniça.

Filhote de morucututu-de-barriga-amarela (*Pulsatrix koeniswaldiana*) espécie que vive em matas altas e alimenta-se de pequenos mamíferos e pássaros.

Espécie de hábito diurno, a buraqueira (*Athene cunicularia*) é facilmente observada em áreas abertas. Pousa ereta nos gramados ou em locais próximos a seus ninhos no chão.

Espécie de tamanho avantajado, o jacuguaçu
(*Penelope obscura*) habita a mata alta e alimenta-se
de uma grande variedade de frutos.

Ambientes aquáticos podem reunir diversas espécies de aves que se associam em bandos, especialmente nos horários mais quentes do dia, para descanso e higiene da plumagem.

As aves insetívoras se utilizam de diferentes estratégias para obter seu alimento. As andorinhas e andorinhões, por exemplo, são especializadas na captura de insetos em pleno vôo. Os pica-paus, por sua vez, buscam os insetos nos troncos das árvores, utilizando ativamente o bico na exploração de orifícios. O bentevi-do-gado, *Machetornis rixosa*, caminha nos campos e gramados à procura de insetos no solo. Outras, como os limpa-folhas, capturam insetos nas folhas das árvores. Independentemente da maneira de se alimentar, todas elas acabam por controlar as populações de artrópodes e desempenhar assim um papel essencial no combate a pragas.

As espécies frugívoras representam 15% do total de aves do Município. Nesta categoria estão as aves dispersoras de sementes, que, depois de se alimentarem da polpa dos frutos, eliminam as sementes no ambiente, auxiliando a disseminação de espécies da flora. Aves dispersoras, como a araponga, *Procnias nudicolis*, o pavão-do-mato, *Pyroderus scutatus,* e o jacuguaçu, *Penelope obscura,* são necessárias para a manutenção de remanescentes florestais.

Diferentemente do observado para as aves insetívoras e onívoras, dentre as frugívoras houve predomínio de espécies com média sensibilidade (25 espécies) e também o maior número de espécies com alta sensibilidade às perturbações do meio. Como exemplo de aves sensíveis destacamos a pomba, *Patagioenas plumbea,* e o corocochó, *Capornis cucullata,* encontradas longe dos domínios urbanos. Sob este aspecto, um aumento na proporção de espécies frugívoras com maior exigência ambiental na comunidade de aves seria um indicativo de qualidade ambiental. A manutenção dos remanescentes florestais, a criação de corredores verdes, o manejo adequado da vegetação e a seleção de árvores atrativas à fauna para a arborização de ruas, praças e parques urbanos são exemplos de ações pró-biodiversidade.

As aves com hábitos carnívoros somam 33 espécies (11,6 % do total) na Cidade, com nítida predominância de rapinantes. São 11 espécies de gaviões, sete de falcões e cinco de corujas (excluindo-se a corujinha-do-mato, *Megascops choliba*, que é insetívora). Estas aves caçam e capturam desde pequenos lagartos e roedores, até animais de médio porte, como macacos. Estão no topo da cadeia alimentar, sendo fundamentais para manter a diversidade de espécies na comunidade. No ecossistema urbano, também atuam no controle de roedores sinantrópicos. Dentre os gaviões comuns, o gavião-carijó, *Rupornis magnirostris*, é o mais avistado, tanto dentro quanto fora das áreas urbanas. Foram notificados três casos de comportamento agressivo por parte de *Rupornis magnirostris* contra animais domésticos, crianças e até adultos que passavam próximo aos seus ninhos. Também é comum observar outra espécie, o peneira, *Elanus leucurus*, batendo as asas de modo a ficar parado no ar, "peneirando", sobre as Marginais Pinheiros e Tietê, à procura de presas. A coruja-orelhuda, *Rhinoptynx clamator*, da mesma forma, encontra-se entre as mais freqüentes, com registros em diversas áreas verdes de São Paulo.

As aves nectarívoras da cidade estão representadas por 14 beija-flores e pela cambacica, *Coereba flaveola*. Correspondem a 5 % do total de espécies. A maioria delas atua como polinizadora, transportando o pólen de uma flor para outra enquanto se alimenta do néctar, viabilizando assim a fecundação e a produção de sementes pelas plantas. O tesourão, *Eupetomena macroura* – beija-flor mais freqüente no Município – tem comportamento territorialista, chegando a afugentar aves de porte maior. A diversidade de beija-flores depende, em grande parte, da presença de determinadas plantas que possuem flores muito atrativas. São exemplos de árvores atrativas: o embiruçu, *Pseudobombax grandiflorum*, os ipês, *Tabebuia* spp., o mulungu, *Erythrina* spp., a primavera, *Bougainvillea glabra,* e o mate, *Ilex paraguariensis*. Muitas espécies de plantas ornamentais também são atrativas para beija-flores, como a ave-do-paraíso, *Strelitzia reginae*, as bromeliáceas em geral, o malvavisco, *Malvaviscus arboreus*, a escova-de-macaco, *Combretum* spp., o brinco de princesa, *Fuchsia regia*, a esponjinha-vermelha, *Calliandra* spp. e a helicônia, *Heliconea* spp. (LORENZI; SOUZA, 1999).

Para finalizar, destacamos que a predominância dos hábitos alimentares insetívoros e onívoros é característica de ambientes urbanos, onde normalmente a avifauna está representada por espécies generalistas, mais adaptadas e até favorecidas por esse tipo de ecossistema (WILLIS, 1979; ARGEL DE OLIVEIRA, 1995; VILLANUEVA; SILVA, 1996). A prevalência das espécies insetívoras sobre as demais foi igualmente registrada por outros estudos em ambiente urbano (BEISSINGER; OSBORNE, 1982; MOTTA-JUNIOR, 1990; MATARAZO-NEUBERGER, 1995; D'ANGELO NETO *et al.*, 1998; FRANCHIN; MARÇAL-JUNIOR, 2004), provavelmente por ser uma estratégia vantajosa, que se vale da grande disponibilidade de insetos durante o ano todo.

O saí-azul (*Dacnis cayana*) recebe esse nome devido à coloração azul predominante na plumagem do macho, muito embora a fêmea seja esverdeada. Sua densidade populacional varia de acordo com as estações, em decorrência da maior ou menor oferta de alimentos.

Migração

Assim como em outras regiões do País, algumas espécies de aves podem ser observadas em São Paulo apenas durante um determinado período, desaparecendo em seguida para retornar no ano seguinte. A proximidade do inverno e a redução na oferta de alimentos, além de sinais fisiológicos endógenos, faz com que algumas aves migrem em busca de melhores condições para dar continuidade a seu ciclo de vida. Passado o período crítico, elas retornam aos seus locais de procriação (SICK, 1983; BELTON, 1994; NUNES, 2004).

Em São Paulo, computamos pelo menos 35 espécies que apresentam comportamento migratório, baseados em informações da literatura e no padrão dos registros dessas espécies para a cidade.

As aves migratórias podem vir do Hemisfério Norte, durante o inverno boreal (migrantes setentrionais), ou do Hemisfério Sul, durante o inverno austral (migrantes meridionais). Durante esses deslocamentos, chegam a percorrer milhares de quilômetros. Algumas espécies apenas atravessam o território brasileiro, vindas do Ártico em direção à Terra do Fogo, aqui permanecendo por pouco tempo, para descansar. Este é o caso de algumas espécies de maçaricos e batuíras (SICK, 1983).

Migrações por distâncias menores, nos limites do Continente Sul-americano, ocorrem entre o Brasil e países vizinhos, como a Argentina e o Uruguai. Há também os deslocamentos regionais dentro do território brasileiro, sendo comum espécies residentes na Região Sul migrarem para regiões mais ao norte. Outro tipo de deslocamento observado é o altitudinal, em que determinadas espécies de regiões montanhosas migram para áreas próximas, de menor altitude, durante o inverno (SICK, 1983; SICK, 1997).

Dentre as aves listadas em São Paulo, quatro espécies vêm do Hemisfério Norte. São as migrantes setentrionais, que partem dos EUA e do Canadá em agosto e setembro, início do outono boreal, e retornam na primavera boreal, em abril e maio. A águia-pescadora, *Pandion halietus*, é uma delas e pode ser observada capturando peixes na represa Billings. Esta espécie está ameaçada principalmente devido à poluição das águas de onde obtém sua alimentação. O imponente falcão-peregrino, *Falco peregrinus*, é outra espécie do Hemisfério Norte que inverna na América do Sul. A Divisão de Fauna atendeu 17 indivíduos que chegaram entre os meses de dezembro a abril (de 1992 a 2005). Dentre os passeriformes, a juruviara, *Vireo olivaceus*, pode ser vista e ouvida a partir de setembro em grande parte das áreas estudadas (23 áreas), desaparecendo a partir de março.

Em São Paulo, listamos 12 espécies migrantes meridionais, que partem das regiões mais ao sul da América do Sul durante o inverno austral, em direção ao norte. Dentre elas destacamos os tiranídeos – pássaros insetívoros que se deslocam até o extremo norte do país – onde encontram companheiros da mesma espécie, que naquelas regiões são residentes (SICK, 1983). *Pyrocephalus rubinus*, o chamativo verão, está entre as primeiras espécies que no final de janeiro abandona a região de procriação, na Argentina, voltando para o Sul no final de setembro (SICK, 1983). Foi observado em maio e junho, no Parque Ibirapuera. A tesoura, *Tyrannus savana*, permanece na Argentina de setembro a fevereiro, migrando depois em formações familiares e voltando apenas a partir de agosto (SICK, 1983). Em São Paulo, foi observada nos meses de outubro e dezembro, chamando a atenção pela longa cauda e pelos vôos acrobáticos.

As andorinhas também migram por longas distâncias: a *Progne tapera* e a *P. chalybea* chegam até o Panamá, vindas da Argentina (SICK, 1983).

O padrão dos registros do andorinhão-do-temporal, *Chaetura meridionalis*, em São Paulo sugere seu desaparecimento em meados do outono e inverno – período em que migra para o norte (SICK, 1983) – com volta no início da primavera, quando há registros de sua reprodução na Cidade.

Certas espécies registradas para o Município deslocam-se apenas dentro do Continente Sul-americano. O falcão-de-coleira, *Falco femoralis*, é uma delas e foi registrada em São Paulo durante o verão, nos meses de dezembro, fevereiro e abril. Seu destino, segundo Nunes (2004), é desconhecido.

Alguns icterídeos partem de regiões restritas ao sul da América do Sul sem atingirem grandes extensões ao norte (SICK, 1983). O chopim, *Molothrus bonariensis*, é observado em grande número, em São Paulo, de agosto a março.

Menos conclusivos são os deslocamentos de alguns pássaros como o sabiá-poca, *Turdus amaurochalinus*, que, segundo Sick (1983), é um migrante local no Rio de Janeiro, vindo do sul. Em São Paulo, as datas dos registros para a espécie vão do inverno ao início do verão, não havendo registros para meados do verão e outono. O sabiá-una, *Platycichla flavipes*, migratório no Rio Grande do Sul (BELTON, 1994) e Rio de Janeiro (SICK, 1983), foi observado em São Paulo praticamente o ano todo e, portanto, ao contrário de Develey e Endrigo (2004), não foi considerado migratório. O saí-andorinha, *Tersina viridis*, espécie de coloração azul-reluzente muito vistosa, foi observado em São Paulo durante o outono e o inverno. Essa ave é tida como migratória no Sul (BELTON, 1994), no Norte da América do Sul migra altitudinalmente e fora do período reprodutivo tem hábito errante (ARGEL, 2002).

Outras espécies possuem deslocamentos regionais. Dentre elas, chamam a atenção espécies aquáticas como o irerê, *Dendrocygna viduata*, cujos bandos pode contar com até 400 indivíduos no lago do Ibirapuera nos meses mais frios do ano. As garças grande e pequena , *Ardea alba*, e *Egretta thula*, também aumentam em número durante o inverno. Há registros de exemplares de irerê e garça-branca-grande anilhados em São Paulo e capturados em Mogi das Cruzes e São José dos Campos, respectivamente (ver próximo capítulo).

O gavião-pega-macaco (*Spizaetus tyrannus*) voa rente à copa das árvores ou desloca-se de galho em galho em busca de presas que têm hábitos arborícolas, como macacos e quatis. Este indivíduo apresenta plumagem juvenil.

O anu-branco (*Guira guira*) vive em bandos familiares
em áreas abertas ou com arborização esparsa,
freqüentando inclusive parques e praças com intensa
movimentação de pessoas.

Muito freqüente nos parques, o tesoura (*Tyrannus savana*) apresenta a cauda longa e bifurcada, que abre e fecha como se fosse lâminas de uma tesoura. Captura insetos realizando vôo espiral.

tucano-de-bico-verde
(*Ramphastos dicolorus*)

Modificação na avifauna ao longo das décadas

O histórico das modificações na avifauna ao longo dos anos é uma questão recorrente dentro e fora do meio científico. Conhecer quais animais foram extintos localmente e, por outro lado, quais surgiram recentemente, reflete o histórico das transformações da paisagem de nossa cidade. Dessa forma, é necessário considerar a cobertura vegetal original do Município, onde predominava a Floresta Ombrófila Densa que, em cerca de 100 anos, foi subtraída pelos processos de desmatamento e urbanização, restando aproximadamente 20% da original. Com esse quadro em mente, é lógico supor que a porcentagem de espécies florestais e suas populações tenham sido maiores antigamente do que são na atualidade.

Figueiredo e Lo (2000) relata que Natterer, em 1819, fez os mais antigos registros de aves para o Município de São Paulo. Porém, os registros mais numerosos de espécies foram realizados através de coletas de espécimes para o Museu Paulista, hoje Museu de Zoologia da USP, no final do século XIX e início do século XX (FIGUEIREDO; LO, 2000), de modo que as comparações entre as aves atuais e as antigas limitam-se a esses casos.

Dos registros feitos para o Município desde o início do século XIX até 1940 (FIGUEIREDO; LO, 2000), 41 espécies não foram mais registradas. Muitas delas podem ter sido extintas localmente ou não terem sido mais observadas por tratar-se de espécies difíceis de serem detectadas a campo. No entanto, esse quadro vem se modificando graças ao aumento no esforço de observação empenhado a partir da década de 80 (ARGEL-DE-OLIVEIRA, 1987; LO, 1994; ALMEIDA *et al.*, 2003; GOMES, 2003; CEO, 2007).

Entre os grandes cracídeos que parecem estar extintos localmente figura a jacutinga, *Pipile jacutinga*, que teve seu último registro em 1898 (FIGUEIREDO; LO, 2000). Outras espécies que aparentemente estão extintas localmente, segundo Figueiredo e Lo (2000), são a codorna, *Nothura maculosa*, a perdiz, *Rhynchotus rufescens* e o inhambuchororó, *Crypturellus parvirostris*.

Há registros interessantes de grandes aves aquáticas no lago do Ibirapuera. O colhereiro, *Platalea ajaja* e o cabeça-seca, *Mycteria americana*, cujos registros para cidade são do fim do século XIX (1898) e início do século XX (1898-1905), respectivamente, (FIGUEIREDO; LO, 2000), foram novamente observados em 2002 por técnicos da Divisão de Fauna, com um intervalo de praticamente um século entre um registro e outro.

A substituição da avifauna ao longo das décadas pode se dar por extinção ou rarefação de espécies menos resistentes às alterações ambientais, e pela colonização por outras espécies mais resistentes.

A colonização, por sua vez, pode ser um processo natural, quando espécies expandem suas áreas de ocorrência, favorecidas por modificações ambientais. É o caso da já citada lavadeira-mascarada, *Fluvicola nengeta*, que habita áreas abertas ou semi-abertas próximas à água: sua ocorrência no Brasil era tipicamente para a Região Nordeste Oriental (MEYER DE SHAUENSEE, 1982) e se expandiu em direção ao Sudeste, sendo registrada para São Paulo na década de 90 (LO, 1994).

Ao contrário da expansão natural, a colonização também pode ser ocasionada por solturas e escapes de gaiolas, com as aves encontrando no novo ambiente condições favoráveis para seu estabelecimento. Esse é o caso de algumas espécies apreciadas por criadores, como o galo-da-campina, *Paroaria dominicana*, e o cardeal, *Paroaria coronata*, soltos há tempos no Parque Ibirapuera (FIGUEIREDO; LO, 2000). A primeira espécie ocorre no Nordeste, enquanto a segunda ocorre nas regiões Sul e Centro do País. As duas espécies estabeleceram-se no Parque, havendo, inclusive, registro de reprodução. Outro exemplo é o de psitacídeos, como o papagaio-verdadeiro, *Amazona aestiva*, e o maracanã-nobre, *Diopsittaca nobilis*, com registros de bandos de até quinze aves nos Parques Ibirapuera, Luz e Remédios.

Os registros de colonizações e de rarefações de espécies no Município demonstram a importância do monitoramento contínuo da avifauna, para a compreensão da sua dinâmica e, em longo prazo, dos efeitos das atividades antrópicas sobre as mesmas. Com esse conhecimento e, portanto, de forma consciente, é possível propor medidas efetivas de proteção e conservação para a surpreendente biodiversidade de São Paulo – uma riqueza natural que não perde para sua riqueza econômica.

biguá (*Phalacrocorax brasilianus*)

A vocalização barulhenta do periquito-rico
(*Brotogeris tirica*) é o som predominante nas
áreas verdes da cidade de São Paulo. Alimenta-se
de frutos, flores, folhas e sementes.

O papagaio-verdadeiro (*Amazona aestiva*), cada vez
mais freqüente nos parques da cidade de São Paulo,
alimenta-se de brotos, flores, sementes e frutos.
Pode ser visto em casais ou em bandos.

A maitaca-de-maximiliano (*Pionus maximiliani*) voa de maneira peculiar, levando as asas muito abaixo do nível do corpo. Sua alimentação é constituída de frutos.

A garça-branca-pequena (*Egretta thula*) difere da garça-branca-grande (*Ardea alba*) por ser menor que esta, pela cor amarela dos pés e pelo bico escuro. Ambas espécies se alimentam de peixes e pequenos crustáceos.

Ave típica de campos, o quero-quero (*Vanellus chilensis*) costuma defender agressivamente seus ovos e filhotes. Sua presença é denunciada pelo grito estridente, lembrando "quero-quero".

Espécie das mais raras no Município de São Paulo, o mocho-diabo (*Asio stygius*) denota em campo "orelhas" ou tufos de penas bipartidas na cabeça, cuja função é quebrar os contornos arredondados da mesma visando o mimetismo.

A alma-de-gato (*Piaya cayana*) apresenta uma cauda comprida com listras na sua parte interna. Seu vôo silencioso também é uma de suas características.

Presente na maioria das áreas, o bentevi (*Pitangus sulphuratus*), é muito conhecido por sua vocalização característica. Esta ave se alimenta de insetos e frutos. Não é avistada em bandos.

O arapaçu-do-cerrado (*Lepidocolaptes angustirostris*), como o próprio nome indica, é típico deste bioma. Foi registrado pela primeira vez na cidade no Parque Ibirapuera. Apóia-se nas penas enrijecidas da cauda quando pousa verticalmente nos troncos das árvores.

O sabiá-laranjeira (*Turdus rufiventris*) é muito popular por entoar um canto melodioso, ouvido até de madrugada durante o período reprodutivo.

O sabiá-do-campo (*Mimus saturninus*), apesar de também ser conhecido popularmente como sabiá, não apresenta nenhum parentesco com o sabiá-laranjeira (*Turdus rufiventris*). Possui hábitos gregários e tem grande repertório de vocalizações.

Com uma faixa negra na região dos olhos, formando uma máscara na cabeça branca, a lavadeira-mascarada (*Fluvicola nengeta*) é avistada sempre ao redor de porções de água.

Comum nos parques da cidade de
São Paulo, o pica-pau-de-banda-
branca (*Dryocopus lineatus*) se
destaca pelo penacho vermelho
que tem na cabeça.

Com porte semelhante ao pombo-
doméstico (*Columba livia domestica*),
porém mais esguio, a asa-branca
(*Patagioenas picazuro*) ainda depende
de alguma arborização para sobreviver.

				Listas das aves do Município de São Paulo (SÃO PAULO, 2006) espécies nativas e introduzidas, hábito alimentar, hábitats, sensibilidade às modificações ambientais (STOTZ, 1996), registro de migração, status de conservação, espécies endêmicas (Mata Atlântica) e número de áreas de ocorrência a campo.						
Ordem	Família	Gênero e Espécie	Nome Popular	Hábito Alimentar	Hábitat	Sensibilidade	Migração	Status/ Endemismo	Nº áreas de ocorrência
Tinamiformes	Tinamidae	*Tinamus*							
		Tinamus solitarius	macuco	Onívora	F	M		Endêmica Apêndice I (CITES) Anexo-I-VU (SP)	# 1
		Crypturellus							
		Crypturellus obsoletus	inhambu-guaçu	Onívora	F	B			1
		Crypturellus tataupa	inhambu-chintã	Onívora	SA/F	B			1
Anseriformes	Anatidae	*Dendrocygna*							
		Dendrocygna bicolor	marreca-caneleira	Filtradora	AQ	B	R		2
		Dendrocygna viduata	irerê	Filtradora	AQ	B	R		16
		Dendrocygna autumnalis	asa-branca	Filtradora	AQ	B	R		1
		Sarkidiornis							
		Sarkidiornis silvicola	pato-de-crista	Filtradora	AQ	M		Apêndice II (CITES)	1
		Amazonetta							
		Amazonetta brasiliensis	ananaí	Filtradora	AQ	B	R		5
		Anas							
		Anas georgica	marreca-parda	Filtradora	AQ	B			1
Galliformes	Cracidae	*Penelope*							
		Penelope obscura	jacuguaçu	Frugívora	F	M		Anexo II (SP)	2
	Odontophoridae	*Odontophorus*							
		Odontophorus capueira	uru	Frugívora	F	A		Endêmica	1
Podicipediformes	Podicipedidae	*Rollandia*							
		Rollandia rolland	mergulhão-de-cara-branca	Picívora	AQ	M	R		# 1
		Tachybaptus							
		Tachybaptus dominicus	mergulhão-pequeno	Picívora	AQ	M	R		1
		Podilymbus							
		Podilymbus podiceps	mergulhão	Picívora	AQ	M	R		3
		Policephorus							
		Policephorus major	mergulhão-grande	Onívora	AQ	M			1
Pelecaniformes	Phalacrocoracidae	*Phalacrocorax*							
		Phalacrocorax brasilianus	biguá	Carnívora	AQ	B			13

Listas das aves do Município de São Paulo (SÃO PAULO, 2006) espécies nativas e introduzidas, hábito alimentar, hábitats, sensibilidade às modificações ambientais (STOTZ, 1996), registro de migração, status de conservação, espécies endêmicas (Mata Atlântica) e número de áreas de ocorrência a campo.									
Ordem	Família	Gênero e Espécie	Nome Popular	Hábito Alimentar	Hábitat	Sensibilidade	Migração	Status/ Endemismo	Nº áreas de ocorrência
	Anhingidae	*Anhinga*							
		Anhinga anhinga	biguatinga	Picívora	AQ	M			3
Ciconiiformes	Ardeidae	*Tigrisoma*							
		Tigrisoma lineatum	socó-boi	Picívora	AQ	M			1
		Ixobrychus							
		Ixobrychus involucris	socoí-amarelo	Picívora	AQ	M			# 1
		Nycticorax							
		Nycticorax nycticorax	savacu	Carnívora	AQ	B			16
		Butorides							
		Butorides striata	socozinho	Carnívora	AQ	B	MA		11
		Bubulcus							
		Bubulcus ibis	garça-vaqueira	Insetívora	A	B	MA		6
		Ardea							
		Ardea cocoi	socó-grande	Carnívora	AQ	B			7
		Ardea alba	garça-branca-grande	Carnívora	AQ	B			25
		Syrigma							
		Syrigma sibilatrix	maria-faceira	Carnívora	A	M			3
		Egretta							
		Egretta thula	garça-branca-pequena	Carnívora	AQ	B			9
	Threskiornithidae	*Theristicus*							
		Theristicus caudatus	curicaca	Onívora	A	B			1
		Platalea							
		Platalea ajaja	colhereiro	Filtradora	AQ	M	MA		2
	Ciconiidae	*Mycteria*							
		Mycteria americana	cabeça-seca	Onívora	AQ	B	MA	Anexo-I-VU (SP)	1
Carthartiformes	Carthartidae	*Coragyps*							
		Coragyps atratus	urubu-de-cabeça-preta	Necrófaga	A/F	B			40
Falconiformes	Pandionidae	*Pandion*							
		Pandion haliaetus	águia-pescadora	Picívora	A	M	S	Apêndice II (CITES) Anexo II (SP)	3

		Listas das aves do Município de São Paulo (SÃO PAULO, 2006) espécies nativas e introduzidas, hábito alimentar, hábitats, sensibilidade às modificações ambientais (STOTZ, 1996), registro de migração, status de conservação, espécies endêmicas (Mata Atlântica) e número de áreas de ocorrência a campo.							
Ordem	Família	Gênero e Espécie	Nome Popular	Hábito Alimentar	Hábitat	Sensibilidade	Migração	Status/ Endemismo	Nº áreas de ocorrência
	Accipitridae	*Leptodon*							
		Leptodon cayanensis	gavião-de-cabeça-cinza	Carnívora	F	M		Apêndice II (CITES) Anexo II (SP)	4
		Elanus							
		Elanus leucurus	peneira	Carnívora	A	B		Apêndice II (CITES)	12
		Rosthramus							
		Rosthramus sociabilis	gavião-caramujeiro	Malacófaga	A	B	R	Apêndice II (CITES)	1
		Harpagus							
		Harpagus diodon	gavião-bombachinha	Carnívora	SA/F	M		Apêndice II (CITES)	# 1
		Accipiter							
		Accipiter striatus	gavião-miúdo	Carnívora	SA/F	B		Apêndice II (CITES) LC (IUCN)	# 1
		Leocopternes							
		Leocopternes lacernulatus	gavião-pomba	Carnívora	F	A		Endêmica Apêndice II (CITES) Vulnerável (BR) Anexo-I-VU (SP)	1
		Buteogallus							
		Heterospizias meridionalis	gavião-caboclo	Carnívora	A	B		Apêndice II (CITES)	3
		Parabuteo							
		Parabuteo unicinctus	gavião-asa-de-telha	Carnívora	A	B		Apêndice II (CITES) Anexo I EP (SP)	# 1
		Rupornis							
		Rupornis magnirostris	gavião-carijó	Carnívora	A/SA	B		Apêndice II (CITES)	35
		Buteo							
		Buteo albicaudatus	gavião-de-rabo-branco	Carnívora	A	B		Apêndice II (CITES)	# 1
		Buteo brachyurus	gavião-de-cauda-curta	Carnívora	F	M		Apêndice II (CITES)	1
		Spizaetus							
		Spizaetus tyrannus	gavião-pega-macaco	Carnívora	F	M		Apêndice II (CITES) Anexo-I-VU (SP)	6
	Falconidae	*Caracara*							
		Caracara plancus	caracará	Carnívora	A	B		Apêndice II (CITES)	29
		Milvago							
		Milvago chimachima	carrapateiro	Carnívora	A	B		Apêndice II (CITES)	5

Listas das aves do Município de São Paulo (SÃO PAULO, 2006)
espécies nativas e introduzidas, hábito alimentar, hábitats, sensibilidade às modificações ambientais (STOTZ, 1996), registro de migração, status de conservação, espécies endêmicas (Mata Atlântica) e número de áreas de ocorrência a campo.

Ordem	Família	Gênero e Espécie	Nome Popular	Hábito Alimentar	Hábitat	Sensibilidade	Migração	Status/ Endemismo	Nº áreas de ocorrência
		Herpetotheres							
		Herpetotheres cachinnans	acauã	Carnívora	A/F	B		Apêndice II (CITES)	1
		Micrastur							
		Micrastur semitorquatus	gavião-relógio	Carnívora	F	M		Apêndice II (CITES)	# 1
		Falco							
		Falco sparverius	quiriquiri	Carnívora	A	B	R	Apêndice II (CITES)	8
		Falco femoralis	falcão-de-coleira	Carnívora	A	B	MA	Apêndice II (CITES)	5
		Falco peregrinus	falcão-peregrino	Carnívora	A/F	M	S	Apêndice I (CITES)	2
Gruiformes	Aramidae	*Aramus*							
		Aramus guarauna	carão	Malacófaga	AQ	M	R		4
	Rallidae	*Aramides*							
		Aramides cajanea	três-potes	Onívora	F	A			6
		Aramides saracura	saracura-do-mato	Onívora	SA/F	M		Endêmica	1
		Amaurolimnas							
		Amaurolimnas concolor	saracurinha-da-mata	Onívora	F	M			# 1
		Pardirallus							
		Pardirallus maculatus	saracura-carijó	Onívora	AQ	M			1
		Pardirallus nigricans	saracura-sanã	Onívora	AQ	M			6
		Gallinula							
		Gallinula chloropus	frango-d'água-comum	Onívora	AQ	B	MA		10
		Porphyrio							
		Porphyrio martinica	frango-d'água-azul	Onívora	AQ	B	MA		4
	Heliornithidae	*Heliornis*							
		Heliornis fulica	picaparra	Carnívora	AQ	M		Anexo-I-VU (SP)	1
Charadriiformes	Charadriidae	*Vanellus*							
		Vanellus chilensis	quero-quero	Insetívora	A	B			27
	Recurvirostridae	*Himantopus*							
		Himantopus melanurus	pernilongo-de-costas-brancas	Onívora	A	M	R		2

Ordem	Família	Gênero e Espécie	Nome Popular	Hábito Alimentar	Hábitat	Sensibilidade	Migração	Status/ Endemismo	N° áreas de ocorrência
	Jacanidae	*Jacana*							
		Jacana jacana	jaçanã	Onívora	AQ	B			9
	Rynchopidae	*Rynchops*							
		Rynchops niger	talha-mar	Picívora	AQ	A	R		2
Columbiformes	Columbidae	*Columbina*							
		Columbina talpacoti	rolinha	Granívora	A	B			44
		Columba							
		Columba livia domestica	pombo-doméstico	Onívora	A	B		Exótica introduzida	33
		Patagioenas							
		Patagioenas speciosa	pomba-trocal	Frugívora	F	M			1
		Patagioenas picazuro	asa-branca	Frugívora	A/SA	M	R		11
		Patagioenas cayennensis	pomba-galega	Frugívora	SA/F	M			1
		Patagioenas plumbea	pomba-amargosa	Frugívora	F	A			2
		Zenaida							
		Zenaida auriculata	avoante	Granívora	A	B			6
		Leptotila							
		Leptotila verreauxi	juriti	Frugívora	SA/F	B			6
		Leptotila rufaxilla	gemedeira	Frugívora	F	M			6
		Geotrygon							
		Geotrygon violacea	juriti-vermelha	Frugívora	F	A		Anexo-I-VU (SP)	# 1
		Geotrygon montana	juriti-piranga	Frugívora	F	M			1
Psittaciformes	Psittacidae	*Diopsittaca*							
		Diopsittaca nobilis	maracanã-nobre	Frugívora	SA	M		Apêndice II (CITES)	11
		Aratinga							
		Aratinga leucophthalma	periquitão-maracanã	Frugívora	A/SA	B		Anexo I EP (SP) Apêndice II (CITES)	1
		Aratinga auricapillus	jandaia-de-testa-vermelha	Frugívora	A/SA	M		Endêmica Apêndice II (CITES) Anexo-I-VU (SP)	1
		Pyrrhura							
		Pyrrhura frontalis	tiriba-de-testa-vermelha	Frugívora	F	M		Endêmica Apêndice II (CITES)	6

Listas das aves do Município de São Paulo (SÃO PAULO, 2006)
espécies nativas e introduzidas, hábito alimentar, hábitats, sensibilidade às modificações ambientais (STOTZ, 1996),
registro de migração, status de conservação, espécies endêmicas (Mata Atlântica) e número de áreas de ocorrência a campo.

Listas das aves do Município de São Paulo (SÃO PAULO, 2006) espécies nativas e introduzidas, hábito alimentar, hábitats, sensibilidade às modificações ambientais (STOTZ, 1996), registro de migração, status de conservação, espécies endêmicas (Mata Atlântica) e número de áreas de ocorrência a campo.								
Ordem	Família	Gênero e Espécie	Nome Popular	Hábito Alimentar	Hábitat	Sensibilidade	Migração	Status/ Endemismo	Nº áreas de ocorrência
		Myiopsitta							
		Myiopsitta monachus	caturrita	Frugívora	A/SA	B		Apêndice II (CITES) Escape de cativeiro	1
		Forpus							
		Forpus xanthopterygius	tuim	Frugívora	A/SA	M		Apêndice II (CITES)	15
		Brotogeris							
		Brotogeris tirica	periquito-rico	Frugívora	A/F	B		Endêmica Apêndice II (CITES)	37
		Brotogeris chiriri	periquito-de-encontro-amarelo	Frugívora	SA	M		Apêndice II (CITES)	3
		Pionopsitta							
		Pionopsitta pileata	cuiú-cuiú	Frugívora	F	M	B	Endêmica Apêndice I (CITES) Anexo I-VU (SP)	1
		Pionus							
		Pionus maximiliani	maitaca-de-maximiliano	Frugívora	F	M		Apêndice II (CITES)	7
		Amazona							
		Amazona aestiva	papagaio-verdadeiro	Frugívora	SA	M		Apêndice II (CITES) Anexo I-VU (SP)	8
Cuculiformes	Cuculidae	*Coccyzus*							
		Coccyzus euleri	papa-lagarta-de-euler	Carnívora	F	M			1
		Coccyzus melacoryphus	papa-lagarta	Insetívora	A/F	B			2
		Piaya							
		Piaya cayana	alma-de-gato	Insetívora	A/F	B			30
		Crotophaga							
		Crotophaga ani	anu-preto	Insetívora	A	B			23
		Guira							
		Guira guira	anu-branco	Insetívora	A	B			19
		Tapera							
		Tapera naevia	saci	Insetívora	SA	B			1
Strigiformes	Tytonidae	*Tyto*							
		Tyto alba	suindara	Carnívora	A	B		Apêndice II (CITES)	1
	Strigidae	*Megascops*							
		Megascops choliba	corujinha-do-mato	Insetívora	A/SA	B		Apêndice II (CITES)	16

				Listas das aves do Município de São Paulo (SÃO PAULO, 2006)					
				espécies nativas e introduzidas, hábito alimentar, hábitats, sensibilidade às modificações ambientais (STOTZ, 1996), registro de migração, status de conservação, espécies endêmicas (Mata Atlântica) e número de áreas de ocorrência a campo.					
Ordem	Família	Gênero e Espécie	Nome Popular	Hábito Alimentar	Hábitat	Sensibilidade	Migração	Status/ Endemismo	Nº áreas de ocorrência
		Pulsatrix							
		Pulsatrix koeniswaldiana	morucututu-de-barriga-amarela	Carnívora	F	A		Endêmica Apêndice II (CITES)	# 1
		Bubo							
		Bubo virginianus	mocho-orelhudo	Carnívora	A/F	B		Apêndice II (CITES)	# 1
		Athene							
		Athene cunicularia	buraqueira	Carnívora	A	M		Apêndice II (CITES)	12
		Rhinoptynx							
		Rhinoptynx clamator	coruja-orelhuda	Carnívora	A	B		Apêndice II (CITES)	14
		Asio							
		Asio stygius	mocho-diabo	Carnívora	SA	M		Apêndice II (CITES) Anexo-I-VU (SP)	2
Caprimulgiformes	Nyctibiidae	*Nyctibius*							
		Nyctibius griseus	urutau	Insetívora	A/F	B			2
	Caprimulgidae	*Lurocalis*							
		Lurocalis semitorquatus	tuju	Insetívora	SA/F	M			# 1
		Nyctidromus							
		Nyctidromus albicollis	curiango	Insetívora	A/SA	B			2
		Caprimulgus							
		Caprimulgus parvulus	bacurau-pequeno	Insetívora	SA	B	S		1
Apodiformes	Apodidae	*Streptoprocne*							
		Streptoprocne zonaris	andorinhão-de-coleira	Insetívora	A/F	B			8
		Chaetura							
		Chaetura meridionalis	andorinhão-do-temporal	Insetívora	A/F	B	S	LC (IUCN)	26
	Trochilidae	*Phaethornis*							
		Phaethornis pretrei	rabo-branco-de-sobre-amarelo	Nectarívora	SA/F	B		Apêndice II (CITES)	9
		Eupetomena							
		Eupetomena macroura	tesourão	Nectarívora	A/SA	B		Apêndice II (CITES)	43
		Florisuga							
		Florisuga fusca	beija-flor-preto-e-branco	Nectarívora	A/SA	M	R	Apêndice II (CITES)	12
		Colibri							
		Colibri serrirostris	beija-flor-de-orelha-violeta	Nectarívora	SA	B		Apêndice II (CITES)	1

								Listas das aves do Município de São Paulo (SÃO PAULO, 2006) espécies nativas e introduzidas, hábito alimentar, hábitats, sensibilidade às modificações ambientais (STOTZ, 1996), registro de migração, status de conservação, espécies endêmicas (Mata Atlântica) e número de áreas de ocorrência a campo.		
Ordem	Família	Gênero e Espécie	Nome Popular	Hábito Alimentar	Hábitat	Sensibilidade	Migração	Status/ Endemismo	Nº áreas de ocorrência
		Anthracothorax							
		Anthracothorax nigricolis	beija-flor-preto	Nectarívora	SA/F	B	S	Apêndice II (CITES)	2
		Chlorostilbon							
		Chlorostilbon lucidus	besourinho-de-bico-vermelho	Nectarívora	A/SA	B		Apêndice II (CITES)	8
		Thalurania							
		Thalurania glaucopis	tesoura-de-fronte-violeta	Nectarívora	SA/F	M		Endêmica Apêndice II (CITES)	7
		Hylocharis							
		Hylocharis cyanus	beija-flor-roxo	Nectarívora	SA	B		Apêndice II (CITES)	1
		Hylocharis chrysura	beija-flor-dourado	Nectarívora	SA/F	M		Apêndice II (CITES)	1
		Leucochloris							
		Leucochloris albicollis	papo-branco	Nectarívora	A/SA	B		Apêndice II (CITES)	10
		Amazilia							
		Amazilia versicolor	beija-flor-de-banda-branca	Nectarívora	SA/F	B		Apêndice II (CITES)	2
		Amazilia fimbriata	beija-flor-de-garganta-verde	Nectarívora	SA	B		Apêndice II (CITES)	3
		Amazilia lactea	beija-flor-de-peito-azul	Nectarívora	A/SA	B		Apêndice II (CITES)	18
		Calliphlox							
		Calliphlox amethystina	estrelinha	Nectarívora	A/SA	B		Apêndice II (CITES)	1
Troginiformes	Trogonidae	*Trogon*							
		Trogon surrucura	surucuá-de-peito-azul	Onívora	F	M		Endêmica	1
Coraciiformes	Alcedinidae	*Ceryle*							
		Ceryle torquatus	martim-pescador-grande	Picívora	AQ	B			16
		Chloroceryle							
		Chloroceryle amazona	martim-pescador-verde	Picívora	AQ	B			10
		Chloroceryle americana	martim-pescador-pequeno	Picívora	AQ	B			3
		Chloroceryle aenea	arirambinha	Picívora	F	M		Anexo II (SP)	1
Galbuliformes	Bucconidae	*Nystalus*							
		Nystalus chacuru	joão-bobo	Insetívora	A	M			3
		Malacoptila							
		Malacoptila striata	joão-barbudo	Insetívora	F	M			2

FAUNA SILVESTRE

Listas das aves do Município de São Paulo (SÃO PAULO, 2006) espécies nativas e introduzidas, hábito alimentar, hábitats, sensibilidade às modificações ambientais (STOTZ, 1996), registro de migração, status de conservação, espécies endêmicas (Mata Atlântica) e número de áreas de ocorrência a campo.								
Ordem	Família	Gênero e Espécie	Nome Popular	Hábito Alimentar	Hábitat	Sensibilidade	Migração	Status/ Endemismo	Nº áreas de ocorrência
Piciformes	Ramphastidae	*Ramphastos*							
		Ramphastos vitellinus	tucano-de-bico-preto	Onívora	F	A		Endêmica Apêndice II (CITES)	1
		Ramphastos dicolorus	tucano-de-bico-verde	Onívora	F	M		Endêmica	7
		Selenidera							
		Selenidera maculirostris	araçari-poca	Frugívora	F	M		Endêmica	# 1
	Picidae	*Picumnus*							
		Picumnus temminckii	pica-pau-anão-barrado	Insetívora	SA/F	M		Endêmica	26
		Melanerpes							
		Melanerpes candidus	birro	Insetívora	A	B			13
		Veniliornis							
		Veniliornis spilogaster	pica-pauzinho-verde-carijó	Insetívora	SA/F	M			26
		Colaptes							
		Colaptes melanochloros	pica-pau-verde-barrado	Insetívora	SA	B			3
		Colaptes campestris	pica-pau-do-campo	Insetívora	A	B			24
		Celeus							
		Celeus flavescens	pica-pau-de-cabeça-amarela	Insetívora	SA/F	M			23
		Dryocopus							
		Dryocopus lineatus	pica-pau-de-banda-branca	Insetívora	SA/F	B			16
Passeriformes	Thamnophilidae	*Batara*							
		Batara cinerea	matracão	Insetívora	F	M			1
		Mackenziaena							
		Mackenziaena leachii	borralhara-assobiadora	Insetívora	SA/F	M		Endêmica	3
		Biatas							
		Biatas nigropectus	papo-branco	Insetívora	F	M		Endêmica Vulnerável (BR) Anexo I - CP (SP)	1
		Thamnophilus							
		Thamnophilus caerulescens	choca-da-mata	Insetívora	SA	B			11
		Thamnophilus ruficapillus	choca-de-chapéu-vermelho	Insetívora	SA	B			1
		Dysithamnus							
		Dysithamnus mentalis	choquinha-lisa	Insetívora	SA/F	M			2

Ordem	Família	Gênero e Espécie	Nome Popular	Hábito Alimentar	Hábitat	Sensibilidade	Migração	Status/ Endemismo	Nº áreas de ocorrência
		Myrmotherula							
		Myrmotherula gularis	choquinha-de-garganta-pintada	Insetívora	F	M		Endêmica	1
		Drymophila							
		Drymophila malura	choquinha-carijó	Insetívora	SA	M		Endêmica	2
		Pyriglena							
		Pyriglena leucoptera	papa-taoca-do-sul	Insetívora	F	M		Endêmica	5
		Myrmeciza							
		Myrmeciza squamosa	papa-formiga-da-grota	Insetívora	F	M			1
	Conopophagidae	*Conopophaga*							
		Conopophaga lineata	chupa-dente	Insetívora	SA/F	M			3
	Scleruridae	*Sclerurus*							
		Sclerurus scansor	vira-folhas	Insetívora	F	A			1
	Dendrocolaptidae	*Sittasomus*							
		Sittasomus griseicapillus	arapaçu-verde	Insetívora	F	M			3
		Xiphorynchus							
		Xiphorynchus fuscus	arapaçu-rajado	Insetívora	F	A		Endêmica	4
		Lepidocolaptes							
		Lepidocolaptes angustirostris	arapaçu-do-cerrado	Insetívora	SA/F	M			4
		Lepidocolaptes squamatus	arapaçu-escamado	Insetívora	F	A		LC (IUCN)	1
	Furnariidae	*Furnarius*							
		Furnarius rufus	joão-de-barro	Insetívora	A	B			32
		Synallaxis							
		Synallaxis ruficapilla	pichororé	Insetívora	SA/F	M			18
		Synallaxis spixi	joão-teneném	Insetívora	A/SA	B			29
		Cranioleuca							
		Cranioleuca pallida	arredio-pálido	Insetívora	SA/F	M		Endêmica	23
		Certhiaxis							
		Certhiaxis cinnamomeus	curutié	Insetívora	A	M			2
		Philydor							
		Philydor rufum	limpa-folha-de-testa-baia	Insetívora	F	M			2

195

FAUNA SILVESTRE

				Listas das aves do Município de São Paulo (SÃO PAULO, 2006) espécies nativas e introduzidas, hábito alimentar, hábitats, sensibilidade às modificações ambientais (STOTZ, 1996), registro de migração, status de conservação, espécies endêmicas (Mata Atlântica) e número de áreas de ocorrência a campo.					
Ordem	Família	Gênero e Espécie	Nome Popular	Hábito Alimentar	Hábitat	Sensibilidade	Migração	Status/ Endemismo	Nº áreas de ocorrência
		Automolus							
		Automolus leucophtalmus	barranqueiro-de-olho-branco	Insetívora	F	M			1
		Lochmias							
		Lochmias nematura	joão-porca	Insetívora	F	M			10
		Xenops							
		Xenops rutilans	bico-virado-carijó	Insetívora	F	M			1
	Tyrannidae	*Mionectes*							
		Mionectes rufiventris	abre-asa-de-cabeça-cinza	Insetívora	F	M		Endêmica	1
		Leptopogon							
		Leptopogon amaurocephalus	cabeçudo	Insetívora	SA/F	M			1
		Hemitriccus							
		Hemitriccus orbitatus	tiririzinho-do-mato	Insetívora	F	M		Endêmica	1
		Poecilotriccus							
		Poecilotriccus plumbeiceps	ferreirinho-de-cara-canela	Insetívora	F	M			5
		Todirostrum							
		Todirostrum policephalum	teque-teque	Insetívora	A/SA	B		Endêmica	2
		Todirostrum cinereum	relógio	Insetívora	A/SA	B			28
		Phyllomias							
		Phyllomias fasciatus	piolhinho	Insetívora	SA/F	M			1
		Elaenia							
		Elaenia flavogaster	guaracava-de-barriga-amarela	Onívora	A/SA	B			21
		Elaenia mesoleuca	tuque	Onívora	SA/F	B			3
		Camptostoma							
		Camptostoma obsoletum	risadinha	Insetívora	A/SA	B			22
		Serpophaga							
		Serpophaga subcristata	alegrinho	Insetívora	SA/F	B	M		10
		Myiornis							
		Myiornis auricularis	miudinho	Insetívora	SA/F	B		Endêmica	1
		Tolmomyias							
		Tolmomyias sulphurescens	bico-chato-de-orelha-preta	Insetívora	F	M			9
		Platyrinchus							
		Platyrinchus mystaceus	patinho	Insetívora	F	M			1
		Myiophobus							
		Myiophobus fasciatus	filipe	Insetívora	A/SA	B			5

Listas das aves do Município de São Paulo (SÃO PAULO, 2006)
espécies nativas e introduzidas, hábito alimentar, hábitats, sensibilidade às modificações ambientais (STOTZ, 1996), registro de migração, status de conservação, espécies endêmicas (Mata Atlântica) e número de áreas de ocorrência a campo.

Ordem	Família	Gênero e Espécie	Nome Popular	Hábito Alimentar	Hábitat	Sensibilidade	Migração	Status/ Endemismo	Nº áreas de ocorrência
		Myiobius							
		Myiobius barbatus	assanhadinho	Insetívora	F	A		Endêmica	1
		Hirundinea							
		Hirundinea ferruginea	gibão-de-couro	Insetívora	A	B	M		2
		Lathrotriccus							
		Lathrotriccus euleri	enferrujado	Insetívora	SA/F	M	MA		16
		Contopus							
		Contopus cinereus	papa-mosca-cinzento	Insetívora	F	B	R		2
		Pyrocephalus							
		Pyrocephalus rubinus	verão	Insetívora	A	B	M		5
		Satrapa							
		Satrapa icterophrys	suiriri-pequeno	Insetívora	SA	B			4
		Xolmis							
		Xolmis cinereus	maria-branca	Insetívora	A	B	MA		2
		Muscipipra							
		Muscipipra vetula	tesoura-cinzenta	Insetívora	SA	M		Endêmica	3
		Fluvicola							
		Fluvicola nengeta	lavadeira-mascarada	Insetívora	A	B			5
		Arundinicola							
		Arundinicola leucocephala	lavadeira-de-cabeça-branca	Insetívora	A/SA	M			1
		Colonia							
		Colonia colonus	viuvinha	Insetívora	SA/F	B			3
		Machetornis							
		Machetornis rixosa	bentevi-do-gado	Insetívora	A	B			15
		Legatus							
		Legatus leucophaius	bentevi-pirata	Insetívora	SA/F	B			3
		Myiozetetes							
		Myiozetetes similis	bentevizinho-de-penacho-vermelho	Insetívora	A/SA	B			22
		Pitangus							
		Pitangus sulphuratus	bentevi	Onívora	A/SA	B			47
		Conopias							
		Conopias trivirgatus	bentevi-pequeno	Insetívora	F	M			1
		Myiodynastes							
		Myiodynastes maculatus	bentevi-rajado	Insetívora	SA/F	B	R		21

Ordem	Família	Gênero e Espécie	Nome Popular	Hábito Alimentar	Hábitat	Sensibilidade	Migração	Status/ Endemismo	Nº áreas de ocorrência
		Megarynchus							
		Megarynchus pitangua	bentevi-de-bico-chato	Insetívora	A/F	B	MA		12
		Empidonomus							
		Empidonomus varius	peitica	Insetívora	SA	B	M		10
		Tyrannus							
		Tyrannus melancholicus	suiriri	Insetívora	A	B	M		37
		Tyrannus savana	tesoura	Insetívora	A	B	M		24
		Sirystes							
		Sirystes sibilator	gritador	Insetívora	F	M	MA		1
		Myiarchus							
		Myiarchus swainsoni	irrê	Insetívora	SA	B	M		6
		Myiarchus ferox	maria-cavaleira	Insetívora	A/SA	B			1
		Attila							
		Attila rufus	capitão-de-saíra	Onívora	SA/F	M		Endêmica	6
	Cotingidae	*Carpornis*							
		Carpornis cucullata	corocochó	Frugívora	F	A		Endêmica	3
		Procnias							
		Procnias nudicollis	araponga	Frugívora	F	M		Endêmica Anexo-I-VU (SP)	10
		Pyroderus							
		Pyroderus scutatus	pavão-do-mato	Frugívora	F	M		Anexo-I-EP (SP)	10
	Pipridae	*Chiroxiphia*							
		Chiroxiphia caudata	tangará	Frugívora	F	B		Endêmica	7
	Tityridae	*Schiffornis*							
		Schiffornis virescens	flautim	Onívora	F	M		Endêmica	3
		Laniisoma							
		Laniisoma elegans	chibante	Frugívora	F	A		Endêmica Anexo I - CP (SP) LC (IUCN)	1
		Tityra							
		Tityra cayana	anambé-branco-de-rabo-preto	Insetívora	F	M			4

Ordem	Família	Gênero e Espécie	Nome Popular	Hábito Alimentar	Hábitat	Sensibilidade	Migração	Status/ Endemismo	Nº áreas de ocorrência
		Pachyramphus							
		Pachyramphus castaneus	caneleiro	Insetívora	F	M			1
		Pachyramphus polychopterus	caneleiro-preto	Insetívora	SA/F	B			3
		Pachyramphus validus	caneleiro-de-chapéu-negro	Insetívora	SA/F	M			4
	Vireonidae	*Cyclarhis*							
		Cyclarhis gujanensis	pitiguari	Onívora	A/SA	B			33
		Vireo							
		Vireo olivaceus	juruviara	Insetívora	A/SA	B	S		23
		Hylophilus							
		Hylophilus poicilotis	verdinho-coroado	Insetívora	F	M		Endêmica	3
	Corvidae	*Cyanocorax*							
		Cyanocorax cristatellus	gralha-do-campo	Onívora	A	M			1
		Cyanocorax cyanopogon	cancã	Onívora	A/SA	M		Escape de cativeiro	# 1
	Hirundinidae	*Tachycineta*							
		Tachycineta leucorrhoa	andorinha-de-sobre-branco	Insetívora	A	B	MA		1
		Progne							
		Progne tapera	andorinha-do campo	Insetívora	A	B	MA		3
		Progne chalybea	andorinha-doméstica-grande	Insetívora	A	B	MA		2
		Pygochelidon							
		Pygochelidon cyanoleuca	andorinha-pequena-de-casa	Insetívora	A	B			45
		Stelgidopteryx							
		Stelgidopteryx ruficollis	andorinha-serrador	Insetívora	A	B	MA		11
	Troglodytidae	*Troglodytes*							
		Troglodytes musculus	corruíra	Insetívora	A/SA	B			45
	Turdidae	*Platycichla*							
		Platycichla flavipes	sabiá-una	Frugívora	SA/F	M			14
		Turdus							
		Turdus subalaris	sabiá-ferreiro	Onívora	SA/F	B			4
		Turdus rufiventris	sabiá-laranjeira	Onívora	A/F	B			42
		Turdus leucomelas	sabiá-barranco	Onívora	A/SA	B			26

Listas das aves do Município de São Paulo (SÃO PAULO, 2006)
espécies nativas e introduzidas, hábito alimentar, hábitats, sensibilidade às modificações ambientais (STOTZ, 1996),
registro de migração, status de conservação, espécies endêmicas (Mata Atlântica) e número de áreas de ocorrência a campo.

Ordem	Família	Gênero e Espécie	Nome Popular	Hábito Alimentar	Hábitat	Sensibilidade	Migração	Status/ Endemismo	Nº áreas de ocorrência
		Turdus amaurochalinus	sabiá-poca	Onívora	A/SA	B	R		26
		Turdus fumigatus	sabiá-da-mata	Onívora	F	M		Escape de cativeiro	1
		Turdus albicollis	sabiá-coleira	Frugívora	F	M			9
	Mimidae	*Mimus*							
		Mimus saturninus	sabiá-do-campo	Onívora	A	B			26
	Motacillidae	*Anthus*							
		Anthus lutescens	caminheiro-zumbidor	Insetívora	A	B	R		3
	Coerebinae	*Coereba*							
		Coereba flaveola	cambacica	Nectarívora	A/F	B			45
	Thraupidae	*Orchesticus*							
		Orchesticus abeillei	sanhaço-pardo	Onívora	F	M		Endêmica	1
		Schistochlamys							
		Schistochlamys ruficapillus	bico-de-veludo	Frugívora	A/SA	B		Endêmica	3
		Thlypopsis							
		Thlypopsis sordida	canário-sapé	Onívora	A/SA	B			30
		Trichothraupis							
		Trichothraupis melanops	tiê-de-topete	Onívora	F	M			10
		Piranga							
		Piranga flava	sanhaço-de-fogo	Onívora	SA/F	B			2
		Tachyphonus							
		Tachyphonus crisrtatus	tiê-galo	Onívora	F	M			1
		Tachyphonus coronatus	tiê-preto	Onívora	SA/F	B			23
		Ramphocelus							
		Ramphocelus bresilius	tiê-sangue	Onívora	SA	B		Endêmica	2
		Thraupis							
		Thraupis sayaca	sanhaço-cinzento	Onívora	A	B			44
		Thraupis ornata	sanhaço-de-encontro-amarelo	Frugívora	F	M	M	Endêmica	8
		Thraupis palmarum	sanhaço-do-coqueiro	Frugívora	A/SA	B			28
		Stephanophorus							
		Stephanophorus diadematus	sanhaço-frade	Frugívora	SA/F	B		Endêmica	3

Listas das aves do Município de São Paulo (SÃO PAULO, 2006) espécies nativas e introduzidas, hábito alimentar, hábitats, sensibilidade às modificações ambientais (STOTZ, 1996), registro de migração, status de conservação, espécies endêmicas (Mata Atlântica) e número de áreas de ocorrência a campo.

Ordem	Família	Gênero e Espécie	Nome Popular	Hábito Alimentar	Hábitat	Sensibilidade	Migração	Status/ Endemismo	Nº áreas de ocorrência
		Pipraeidea							
		Pipraeidea melanonota	viúva	Onívora	SA/F	B	M		12
		Tangara							
		Tangara seledon	sete-cores	Frugívora	F	M		Endêmica	1
		Tangara desmaresti	saíra-lagarta	Frugívora	F	M		Endêmica	2
		Tangara cayana	saíra-amarela	Frugívora	A/SA	M			20
		Tangara preciosa	saíra-preciosa	Frugívora	F	B		Anexo II (SP)	1
		Tersina							
		Tersina viridis	saí-andorinha	Frugívora	SA/F	B	MA		5
		Dacnis							
		Dacnis cayana	saí-azul	Onívora	SA/F	B			12
		Hemithraupis							
		Hemithraupis guira	saíra-de-papo-preto	Onívora	F	B			1
		Hemithraupis ruficapilla	saíra-da-mata	Onívora	F	B		Endêmica	5
		Conirostrum							
		Conirostrum speciosum	figuinha-de-rabo-castanho	Onívora	SA/F	B	MA		15
	Emberizidae	*Zonotrichia*							
		Zonotrichia capensis	tico-tico	Granívora	A	B			44
		Ammodramus							
		Ammodramus humeralis	tico-tico-do-campo-verdadeiro	Granívora	A	B			2
		Haplospiza							
		Haplospiza unicolor	cigarra-bambu	Granívora	F	M		Endêmica	4
		Sicalis							
		Sicalis flaveola	canário-da-terra-verdadeiro	Granívora	A	B			12
		Volatinia							
		Volatinia jacarina	tiziu	Granívora	A	B			12
		Sporophila							
		Sporophila caerulescens	coleirinho	Granívora	A	B	MA		9
		Sporophila lineola	bigodinho	Granívora	SA	B	MA		1
		Sporophila angolensis	curió	Granívora	SA	B		Anexo-I-VU (SP) Escape de cativeiro	1
		Paroaria							
		Paroaria coronata	cardeal galo-da-campina	Granívora	A	B		Apêndice II (CITES) Nativa introduzida	2
		Paroaria dominicana		Granívora	SA	B		Nativa introduzida	6

Listas das aves do Município de São Paulo (SÃO PAULO, 2006) espécies nativas e introduzidas, hábito alimentar, hábitats, sensibilidade às modificações ambientais (STOTZ, 1996), registro de migração, status de conservação, espécies endêmicas (Mata Atlântica) e número de áreas de ocorrência a campo.

FAUNA SILVESTRE

Listas das aves do Município de São Paulo (SÃO PAULO, 2006)
espécies nativas e introduzidas, hábito alimentar, hábitats, sensibilidade às modificações ambientais (STOTZ, 1996),
registro de migração, status de conservação, espécies endêmicas (Mata Atlântica) e número de áreas de ocorrência a campo.

FAUNA SILVESTRE

Ordem	Família	Gênero e Espécie	Nome Popular	Hábito Alimentar	Hábitat	Sensibilidade	Migração	Status/ Endemismo	Nº áreas de ocorrência
	Cardinalidae	*Saltator*							
		Saltator similis	trinca-ferro-verdadeiro	Granívora	A/SA	B			15
	Parulidae	*Parula*							
		Parula pitiayumi	mariquita	Insetívora	SA/F	M			15
		Geothlypis							
		Geothlypis aequinoctialis	pia-cobra	Insetívora	A/SA	B			20
		Basileuterus							
		Basileuterus culicivorus	pula-pula	Insetívora	SA/F	M			20
		Basileuterus leucoblepharus	pula-pula-assobiador	Insetívora	SA/F	M			11
	Icteridae	*Cacicus*							
		Cacicus chrysopterus	soldado	Onívora	F	M			2
		Agelaius							
		Agelaius ruficapillus	garibaldi	Onívora	A	B			2
		Icterus							
		Icterus cayanensis	inhapim	Onívora	SA/F	M		LC (IUCN)	3
		Icterus jamacaii croconotus	corrupião	Onívora	A	B		Escape de cativeiro	1
		Gnorimopsar							
		Gnorimopsar chopi	melro	Granívora	SA	B			8
		Pseudolistes							
		Pseudolistes guirahuro	chopim-do-brejo	Onívora	A	B			1
		Molothrus							
		Molothrus bonariensis	chopim	Granívora	A	B	S		35
		Sturnella							
		Sturnella superciliaris	polícia-inglesa	Onívora	A	B			2
	Fringillidae	*Carduelis*							
		Carduelis magellanica	pintassilgo	Granívora	A/SA	B			9
		Euphonia							
		Euphonia chlorotica	fi-fi-verdadeiro	Frugívora	A/SA	B			9
		Euphonia violacea	gaturamo-verdadeiro	Frugívora	F	B			5
		Euphonia cyanocephala	gaturamo-rei	Frugívora	SA	B			2
		Euphonia pectoralis	ferro-velho	Frugívora	F	M		Endêmica	3

Ordem	Família	Gênero e Espécie	Nome Popular	Hábito Alimentar	Hábitat	Sensibilidade	Migração	Status/ Endemismo	Nº áreas de ocorrência
		Chlorophonia							
		Chlorophonia cyanea	bonito-do-campo	Frugívora	SA/F	M			1
	Estrildidae	*Estrilda*							
		Estrilda astrild	bico-de-lacre	Granívora	A	B		Exótica introduzida	25
	Passeridae	*Passer*							
		Passer domesticus	pardal	Granívora	A	B		Exótica introduzida	39

Listas das aves do Município de São Paulo (SÃO PAULO, 2006)
espécies nativas e introduzidas, hábito alimentar, hábitats, sensibilidade às modificações ambientais (STOTZ, 1996), registro de migração, status de conservação, espécies endêmicas (Mata Atlântica) e número de áreas de ocorrência a campo.

Legenda

Hábitat

    F – áreas florestadas (matas)

    A – áreas abertas (campos, pastagens, gramados, plantações, jardins, cidades, caatingas, brejos e varjões)

    SA – áreas semi-abertas (bordas de mata, capoeiras e cerrados)

    AQ – ambientes aquáticos (lagos, represas e rios)

Sensibilidade às modificações ambientais (STOTZ, 1996)

    A – Alta sensibilidade às modificações ambientais

    M – Média sensibilidade às modificações ambientais

    B – Baixa sensibilidade às modificações ambientais

Migração

    R – Regional

    S – Setentrional

    MA – Migrante na América do Sul

    M – Meridional

Status segundo IUCN 2006 (The World conservatios Union-Red List of Threatened Species /2006).

    LC - Least Concern: espécie com menor risco de extinção

Status segundo CITES 2007 (Convention on International Trade in endangered Species of World Fauna and Flora).

    Apêndice I: Espécie Ameaçada de Extinção que é ou pode ser afetada pelo tráfico.

    Apêndice II: (espécie que, embora atualmente não se encontre necessariamente em perigo de extinção, poderá vir a esta situação a menos que o comércio de espécimes de tal espécie esteja sujeito à regulamentação rigorosa).

Status segundo Instrução Normativa de 27/05/2003-Ministério do Meio Ambiente/IBAMA (Lista das espécies da fauna brasileira ameaçadas de extinção).

    Vulnerável: espécie que enfrenta um risco alto de extinção na natureza.

Status segundo Decreto No 42.838/98 – Governo do Estado De São Paulo (Lista da Fauna Silvestre Ameaçada de Extinção e Provavelmente Ameaçada de Extinção no Estado de São Paulo).

    Anexo I–EP: espécie ameaçada de extinção na categoria Em Perigo (risco de extinção no futuro próximo)

    Anexo I–VU: espécie ameaçada de extinção na categoria Vulnerável (alto risco de extinção a médio prazo)

    Anexo I-CP: espécie ameaçada de extinção na categoria Criticamente em perigo (alto risco de extinção em futuro muito próximo).

    Anexo II: espécie provavelmente ameaçada de extinção.

    #: espécie atendida na Divisão de Fauna.

macuco
Tinamus solitarius
(CT: 48 cm)

inhambu-guaçu
Crypturellus obsoletus
(CT: 29 cm)

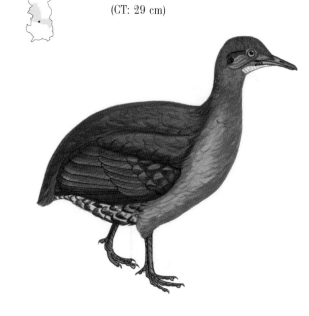

inhambu-chintã
Crypturellus tataupa
(CT: 24 cm)

marreca-caneleira
Dendrocygna bicolor
(CT: 48 cm)

TINAMIDAE | ANATIDAE

irerê
Dendrocygna viduata
(CT: 44 cm)

asa-branca
Dendrocygna autumnalis
(CT: 48 cm)

pato-de-crista
Sarkidiornis sylvicola
(CT: 82 cm)

ananaí
Amazonetta brasiliensis
(CT: 40 cm)

ANATIDAE

marreca-parda
Anas georgica
(CT: 60 cm)

jacuguaçu
Penelope obscura
(CT: 73 cm)

uru
Odontophorus capueira
(CT: 24 cm)

mergulhão-de-cara-branca
Rollandia rolland
(CT: 30,5 cm)

mergulhão-pequeno
Tachybaptus dominicus
(CT: 23 cm)

plumagem nupcial

plumagem de descanso
reprodutivo

mergulhão
Podilymbus podiceps
(CT: 33 cm)

mergulhão-grande
Policephorus major
(CT: 61 cm)

biguá
Phalacrocorax brasilianus
(CT: 58-73 cm)

PODICIPEDIDAE | PHALACROCORACIDAE

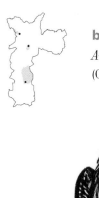

biguatinga
Anhinga anhinga
(CT: 88 cm)

socó-boi
Tigrisoma lineatum
(CT: 93 cm)

socoí-amarelo
Ixobrychus involucris
(CT: 28 a 33 cm)

savacu
Nycticorax nycticorax
(CT: 60 cm)

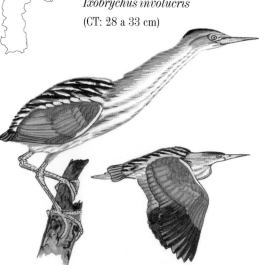

ANHINGIDAE | ARDEIDAE

socozinho
Butorides striata
(CT: 36 cm)

garça-vaqueira
Bubulcus ibis
(CT: 49 cm)

socó-grande
Ardea cocoi
(CT: 125 cm)

garça-branca-grande
Ardea alba
(CT: 88 cm)

plumagem nupcial

plumagem de
descanso reprodutivo

ARDEIDAE

maria-faceira
Syrigma sibilatrix
(CT: 53 cm)

garça-branca-pequena
Egretta thula
(CT: 54 cm)

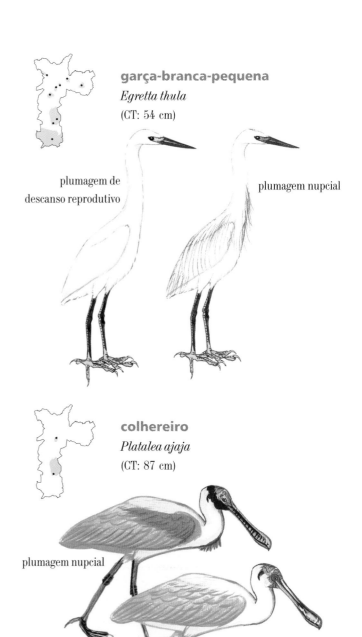

plumagem de
descanso reprodutivo

plumagem nupcial

curicaca
Theristicus caudatus
(CT: 69 cm)

colhereiro
Platalea ajaja
(CT: 87 cm)

plumagem nupcial

plumagem de
descanso reprodutivo

ARDEIDAE | THRESKIORNITHIDAE

cabeça-seca

Mycteria americana

(CT: 95 cm)

urubu-de-cabeça-preta

Coragyps atratus

(CT: 62 cm)

águia-pescadora

Pandion haliaetus

(CT: 57 cm)

gavião-de-cabeça-cinza

Leptodon cayanensis

(CT: 54 cm)

peneira

Elanus leucurus

(CT: 35 cm)

gavião-caramujeiro

Rosthramus sociabilis

(CT: 41 cm)

FAUNA SILVESTRE

gavião-bombachinha

Harpagus diodon

(CT: 33 cm)

gavião-miúdo

Accipiter striatus

(CT: 30 cm)

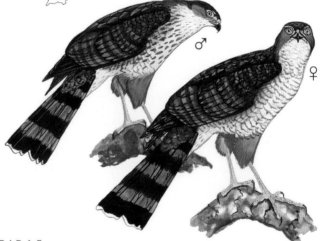

ACCIPITRIDAE

gavião-pomba

Leucopternes lacernulatus

(CT: 43 cm)

gavião-caboclo

Heterospizias meridionalis

(CT: 55 cm)

gavião-asa-de-telha

Parabuteo unicinctus

(CT: 48 cm)

gavião-carijó

Rupornis magnirostris

(CT: 36 cm)

gavião-de-rabo-branco
Buteo albicaudatus
(CT: 55 cm)

gavião-de-cauda-curta
Buteo brachyurus
(CT: 48 cm)

F A U N A   S I L

gavião-pega-macaco
Spizaetus tyrannus
(CT: 72 cm)

caracará
Caracara plancus
(CT: 56 cm)

ACCIPITRIDAE | FALCONIDAE

carrapateiro
Milvago chimachima
(CT: 40 cm)

acauã
Herpetotheres cachinnans
(CT: 47 cm)

gavião-relógio
Micrastur semitorquatus
(CT: 53 cm)

quiriquiri
Falco sparverius
(CT: 25 cm)

FAUNA SILVESTRE

FALCONIDAE

falcão-de-coleira
Falco femoralis
(CT: 36 cm)

♀

♂

falcão-peregrino
Falco peregrinus
(CT: 37 a 47 cm)

F A U N A   S I L V E S T R E

carão
Aramus guarauna
(CT: 70 cm)

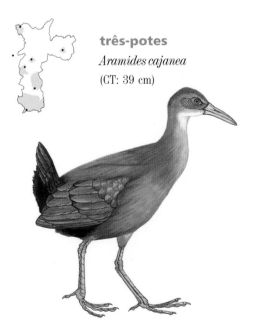

três-potes
Aramides cajanea
(CT: 39 cm)

FALCONIDAE | ARAMIDAE | RALLIDAE

saracura-do-mato

Aramides saracura

(CT: 34 cm)

saracura-carijó

Pardirallus maculatus

(CT: 27 cm)

saracurinha-da-mata

Amaurolimnas concolor

(CT: 23 cm)

saracura-sanã

Pardirallus nigricans

(CT: 31 cm)

RALLIDAE

frango-d'água-comum
Gallinula chloropus
(CT: 34 cm)

frango-d'água-azul
Porphyrio martinica
(CT: 27-35 cm)

picaparra
Heliornis fulica
(CT: 28 cm)

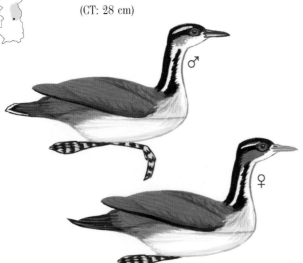

quero-quero
Vanellus chilensis
(CT: 37 cm)

RALLIDAE | HELIORNITHIDAE | CHARADRIIDAE

pernilongo-de-costas-brancas
Himantopus melanurus
(CT: 38 cm)

jaçanã
Jacana jacana
(CT: 23 cm)

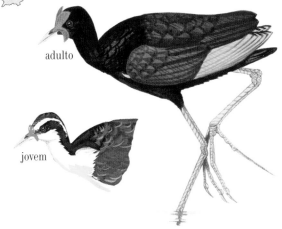

adulto

jovem

talha-mar
Rynchops niger
(CT: 50 cm)

adulto

jovem

rolinha
Columbina talpacoti
(CT: 17 cm)

♂

♀

RECURVIROSTRIDAE | JACANIDAE | RYNCHOPIDAE | COLUMBIDAE

pombo-doméstico

Columba livia domestica

(CT: 38 cm)

pomba-trocal

Patagioenas speciosa

(CT: 30 cm)

asa-branca

Patagioenas picazuro

(CT: 34 cm)

pomba-galega

Patagioenas cayennensis

(CT: 32 cm)

COLUMBIDAE

pomba-amargosa
Patagioenas plumbea
(CT: 34 cm)

avoante
Zenaida auriculata
(CT: 21 cm)

juriti
Leptotila verreauxi
(CT: 26,5 cm)

gemedeira
Leptotila rufaxilla
(CT: 25 cm)

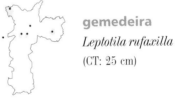

COLUMBIDAE

juriti-vermelha
Geotrygon violacea
(CT: 23 cm)

juriti-piranga
Geotrygon montana
(CT: 24 cm)

FAUNA SILVESTRE

maracanã-nobre
Diopsittaca nobilis
(CT: 35 cm)

periquitão-maracanã
Aratinga leucophthalma
(CT: 32 cm)

COLUMBIDAE | PSITTACIDAE

jandaia-de-testa-vermelha

Aratinga auricapillus

(CT: 27 cm)

tiriba-de-testa-vermelha

Pyrrhura frontalis

(CT: 27 cm)

caturrita

Myiopsitta monachus

(CT: 30 cm)

tuim

Forpus xanthopterygius

(CT: 12 cm)

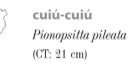

periquito-rico
Brotogeris tirica
(CT: 24,5 cm)

periquito-de-encontro-amarelo
Brotogeris chiriri
(CT: 23,5 cm)

cuiú-cuiú
Pionopsitta pileata
(CT: 21 cm)

maitaca-de-maximiliano
Pionus maximiliani
(CT: 27 cm)

PSITTACIDAE

papagaio-verdadeiro
Amazona aestiva
(CT: 35 cm)

Variante

papa-lagarta-de-euler
Coccyzus euleri
(CT: 23 cm)

papa-lagarta
Coccyzus melacoryphus
(CT: 28 cm)

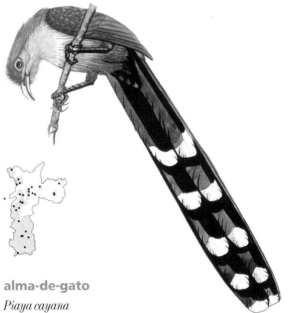

alma-de-gato
Piaya cayana
(CT: 47 cm)

anu-branco
Guira guira
(CT: 38 cm)

anu-preto
Crotophaga ani
(CT: 36 cm)

saci
Tapera naevia
(CT: 29 cm)

suindara
Tyto alba
(CT: 37 cm)

CUCULIDAE | TYTONIDAE

corujinha-do-mato

Megascops choliba

(CT: 22 cm)

morucututu-de-barriga-amarela

Pulsatrix koeniswaldiana

(CT: 44 cm)

mocho-orelhudo

Bubo virginianus

(CT: 52 cm)

buraqueira

Athene cunicularia

(CT: 23 cm)

STRIGIDAE

coruja-orelhuda

Rhinoptynx clamator

(CT: 37 cm)

mocho-diabo

Asio stygius

(CT: 38 cm)

FAUNA SILVESTRE

urutau

Nyctibius griseus

(CT: 31 a 41 cm)

tuju

Lurocalis semitorquatus

(CT: 27 cm)

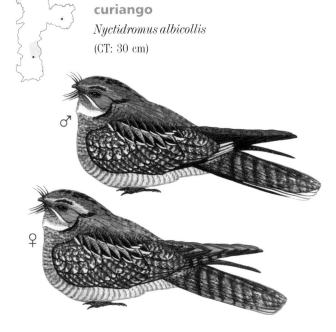

curiango
Nyctidromus albicollis
(CT: 30 cm)

♂

♀

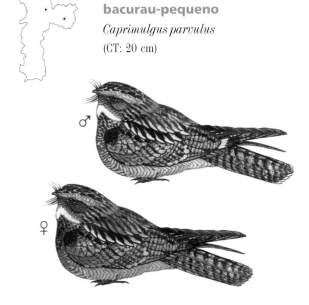

bacurau-pequeno
Caprimulgus parvulus
(CT: 20 cm)

♂

♀

andorinhão-de-coleira
Streptoprocne zonaris
(CT: 22 cm)

andorinhão-do-temporal
Chaetura meridionalis
(CT: 11,5 cm)

rabo-branco-de-sobre-amarelo
Phaethornis pretrei
(CT: 15 cm)

tesourão
Eupetomena macroura
(CT: 18 cm)

beija-flor-preto-e-branco
Florisuga fusca
(CT: 12,6 cm)

adulto

jovem

beija-flor-de-orelha-violeta
Colibri serrirostris
(CT: 12,1 cm)

TROCHILIDAE

beija-flor-preto
Anthracothorax nigricolis
(CT: 11,5 cm)

besourinho-de-bico-vermelho
Chlorostilbon lucidus
(CT: 8,5 cm)

tesoura-de-fronte-violeta
Thalurania glaucopis
(CT: 11 cm)

beija-flor-roxo
Hylocharis cyanus
(CT: 8,8 cm)

TROCHILIDAE

beija-flor-dourado
Hylocharis chrysura
(CT: 10,5 cm)

papo-branco
Leucochloris albicollis
(CT: 12,5 cm)

FAUNA SILVESTRE

beija-flor-de-banda-branca
Amazilia versicolor
(CT: 8,5 cm)

beija-flor-de-garganta-verde
Amazilia fimbriata
(CT: 8,5 a 11 cm)

TROCHILIDAE

beija-flor-de-peito-azul

Amazilia lactea

(CT: 9,5 cm)

estrelinha

Calliphlox amethystina

(CT: macho 8,5 cm / fêmea 7,5 cm)

surucuá-de-peito-azul

Trogon surrucura

(CT: 26 cm)

martim-pescador-grande

Ceryle torquatus

(CT: 42 cm)

TROCHILIDAE | TROGONIDAE | ALCEDINIDAE

martim-pescador-verde
Chloroceryle amazona
(CT: 30 cm)

martim-pescador-pequeno
Chloroceryle americana
(CT: 19 cm)

arirambinha
Chloroceryle aenea
(CT: 12,6 cm)

joão-bobo
Nystalus chacuru
(CT: 18 cm)

joão-barbudo
Malacoptila striata
(CT: 20,5 cm)

tucano-de-bico-preto
Ramphastos vitellinus
(CT: 46 cm)

tucano-de-bico-verde
Ramphastos dicolorus
(CT: 48 cm)

araçari-poca
Selenidera maculirostris
(CT: 33 cm)

BUCCONIDAE | RAMPHASTIDAE

pica-pau-anão-barrado
Picumnus temminckii
(CT: 10 cm)

birro
Melanerpes candidus
(CT: 28,5 cm)

pica-pauzinho-verde-carijó
Veniliornis spilogaster
(CT: 17,5 cm)

pica-pau-verde-barrado
Colaptes melanochloros
(CT: 26 cm)

PICIDAE

pica-pau-do-campo
Colaptes campestris
(CT: 32 cm)

pica-pau-de-cabeça-amarela
Celeus flavescens
(CT: 27 cm)

pica-pau-de-banda-branca
Dryocopus lineatus
(CT: 33 cm)

matracão
Batara cinerea
(CT: 34 cm)

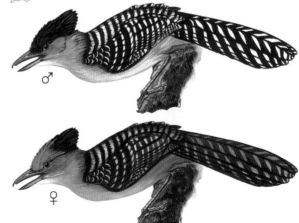

PICIDAE | THAMNOPHILIDAE

borralhara-assobiadora
Mackenziaena leachii
Endêmica (CT: 26,5 cm)

papo-branco
Biatas nigropectus
(CT: 18 cm)

choca-da-mata
Thamnophilus caerulescens
(CT: 15 cm)

choca-de-chapéu-vermelho
Thamnophilus ruficapillus
(CT: 15,5 cm)

THAMNOPHILIDAE

choquinha-lisa
Dysithamnus mentalis
(CT: 11 cm)

♀

♂

choquinha-da-garganta-pintada
Myrmotherula gularis
(CT: 9,5 cm)

♂

♀

choquinha-carijó
Drymophila malura
(CT: 14 cm)

♂

♀

papa-taoca-do-sul
Pyriglena leucoptera
(CT: 18 cm)

♂

♀

papa-formiga-da-grota
Myrmeciza squamosa
(CT: 14,5 cm)

chupa-dente
Conopophaga lineata
(CT: 11 cm)

vira-folhas
Sclerurus scansor
(CT: 19,5 cm)

arapaçu-verde
Sittasomus griseicapillus
(CT: 15 cm)

THAMNOPHILIDAE | CONOPOPHAGIDAE | SCLERURIDAE | DENDROCOLAPTIDAE

arapaçu-rajado
Xiphorynchus fuscus
(CT: 17 cm)

arapaçu-do-cerrado
Lepidocolaptes angustirostris
(CT: 20 cm)

arapaçu-escamado
Lepidocolaptes squamatus
(CT: 19 cm)

joão-de-barro
Furnarius rufus
(CT: 19 cm)

pichororé

Synallaxis ruficapilla

(CT: 16 cm)

joão-teneném

Synallaxis spixi

(CT: 16 cm)

arredio-pálido

Cranioleuca pallida

(CT: 13,5 cm)

curutié

Certhiaxis cinnamomeus

(CT: 14,5 cm)

adulto

jovem

FURNARIIDAE

limpa-folha-testa-baia

Philydor rufum

(CT: 19 cm)

barranqueiro-de-olho-branco

Automolus leucophtalmus

(CT: 19 cm)

joão-porca

Lochmias nematura

(CT: 14 cm)

bico-virado-carijó

Xenops rutilans

(CT: 12,5 cm)

abre-asa-de-cabeça-cinza
Mionectes rufiventris
(CT: 13 cm)

cabeçudo
Leptopogon amaurocephalus
(CT: 13 cm)

tiririzinho-do-mato
Hemitriccus orbitatus
(CT: 12 cm)

ferreirinho-de-cara-canela
Poecilotriccus plumbeiceps
(CT: 10 cm)

FAUNA SILVESTRE

TYRANNIDAE

teque-teque

Todirostrum policephalum

(CT: 9 cm)

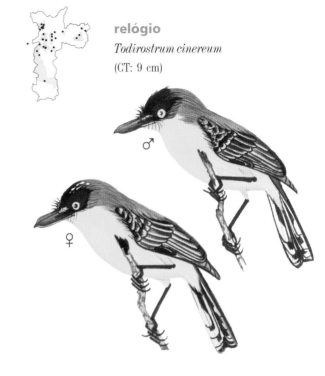

relógio

Todirostrum cinereum

(CT: 9 cm)

♂

♀

piolhinho

Phyllomyias fasciatus

(CT: 10 cm)

guaracava-de-barriga-amarela

Elaenia flavogaster

(CT: 15 cm)

TYRANNIDAE

tuque
Elaenia mesoleuca
(CT: 15 cm)

risadinha
Camptostoma obsoletum
(CT: 10 cm)

alegrinho
Serpophaga subcristata
(CT: 10 cm)

miudinho
Myiornis auricularis
(CT: 7 cm)

TYRANNIDAE

bico-chato-de-orelha-preta

Tolmomyias sulphurescens

(CT: 14,5 cm)

patinho

Platyrinchus mystaceus

(CT: 10 cm)

filipe

Myiophobus fasciatus

(CT: 12,2 cm)

assanhadinho

Myiobius barbatus

(CT: 12,5 cm)

fase marrom

fase ruiva

TYRANNIDAE

gibão-de-couro
Hirundinea ferruginea
(CT: 17,5 cm)

enferrujado
Lathrotriccus euleri
(CT: 12,5 cm)

papa-mosca-cinzento
Contopus cinereus
(CT: 13,5 cm)

verão
Pyrocephalus rubinus
(CT: 13 cm)

F A U N A   S I L V E S T R E

T Y R A N N I D A E

suiriri-pequeno

Satrapa icterophrys

(CT: 16,5 cm)

maria-branca

Xolmis cinereus

(CT: 12,5 cm)

F A U N A   S I L V E S T R E

tesoura-cinzenta

Muscipipra vetula

(CT: 22 cm)

lavadeira-mascarada

Fluvicola nengeta

(CT: 15 cm)

T Y R A N N I D A E

lavadeira-de-cabeça-branca
Arundinicola leucocephala
(CT: 12,4 cm)

viuvinha
Colonia colonus
(CT: 23 a 28 cm)

bentevi-do-gado
Machetornis rixosa
(CT: 18,5 cm)

bentevi-pirata
Legatus leucophaius
(CT: 15 cm)

TYRANNIDAE

bentevizinho-penacho-vermelho

Myiozetetes similis

(CT: 18 cm)

bentevi

Pitangus sulphuratus

(CT: 22,5 cm)

bentevi-pequeno

Conopias trivirgatus

(CT: 15 cm)

bentevi-rajado

Myiodynastes maculatus

(CT: 21,5 cm)

TYRANNIDAE

bentevi-de-bico-chato
Megarynchus pitangua
(CT: 21,5 cm)

peitica
Empidonomus varius
(CT: 19 cm)

suiriri
Tyrannus melancholicus
(CT: 22 cm)

tesoura
Tyrannus savana
(CT: 40 cm)

TYRANNIDAE

gritador
Sirystes sibilator
(CT: 18 cm)

irrê
Myiarchus swainsoni
(CT: 19,5 cm)

maria-cavaleira
Myiarchus ferox
(CT: 19,5 cm)

capitão-de-saíra
Attila rufus
(CT: 20 cm)

TYRANNIDAE

corocochó
Carpornis cucullata
(CT: 23 cm)

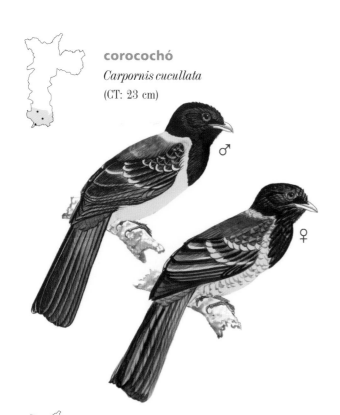

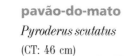

F A U N A   S I L V E S T R E

araponga
Procnias nudicollis
(CT: 27 cm)

pavão-do-mato
Pyroderus scutatus
(CT: 46 cm)

tangará
Chiroxiphia caudata
(CT: 13 cm)

COTINGIDAE | PIPRIDAE

flautim
Schiffornis virescens
(CT: 15 cm)

chibante
Laniisoma elegans
(CT: 18 cm)

♂

♀

FAUNA SILVESTRE

anambé-branco-de-rabo-preto
Tityra cayana
(CT: 21 cm)

♀

♂

caneleiro
Pachyramphus castaneus
(CT: 15 cm)

TITYRIDAE

caneleiro-preto
Pachyramphus polychopterus
(CT: 15,5 cm)

caneleiro-de-chapéu-negro
Pachyramphus validus
(CT: 18 cm)

pitiguari
Cyclarhis gujanensis
(CT: 16 cm)

juruviara
Vireo olivaceus
(CT: 14 cm)

TITYRIDAE | VIREONIDAE

verdinho-coroado
Hylophilus poicilotis
(CT: 12,5 cm)

gralha-do-campo
Cyanocorax cristatellus
(CT: 33 cm)

cancã
Cyanocorax cyanopogon
(CT: 31 cm)

andorinha-de-sobre-branco
Tachycineta leucorrhoa
(CT: 13,5 cm)

VIREONIDAE | CORVIDAE | HIRUNDINIDAE

andorinha-do-campo
Progne tapera
(CT: 17,5 cm)

andorinha-doméstica-grande
Progne chalybea
(CT: 20 cm)

variante

andorinha-pequena-de-casa
Pygochelidon cyanoleuca
(CT: 12 cm)

andorinha-serrador
Stelgidopteryx ruficollis
(CT: 14 cm)

HIRUNDINIDAE

corruíra
Troglodytes musculus
(CT: 12,2 cm)

sabiá-una
Platycichla flavipes
(CT: 20 cm)

variante

sabiá-ferreiro
Turdus subalaris
(CT: 21 cm)

sabiá-laranjeira
Turdus rufiventris
(CT: 25 cm)

FAUNA SILVESTRE

TROGLODYTIDAE | TURDIDAE

sabiá-barranco
Turdus leucomelas
(CT: 22 cm)

sabiá-poca
Turdus amaurochalinus
(CT: 22 cm)

sabiá-da-mata
Turdus fumigatus
(CT: 24 cm)

sabiá-coleira
Turdus albicollis
(CT: 22 cm)

TURDIDAE

sabiá-do-campo
Mimus saturninus
(CT: 26 cm)

caminheiro-zumbidor
Anthus lutescens
(CT: 13 cm)

cambacica
Coereba flaveola
(CT: 10 cm)

sanhaço-pardo
Orchesticus abeillei
(CT: 17,5 cm)

MIMIDAE | MOTACILLIDAE | COEREBIDAE | THRAUPIDAE

bico-de-veludo
Schistochlamys ruficapillus
(CT: 17,8 cm)

canário-sapé
Thlypopsis sordida
(CT: 13,5 cm)

F A U N A   S I L V E S T R E

tiê-de-topete
Trichothraupis melanops
(CT: 17,5 cm)

sanhaço-de-fogo
Piranga flava
(CT: 17,5 cm)

THRAUPIDAE

tiê-galo
Tachyphonus cristatus
(CT: 15,5 cm)

tiê-preto
Tachyphonus coronatus
(CT: 18 cm)

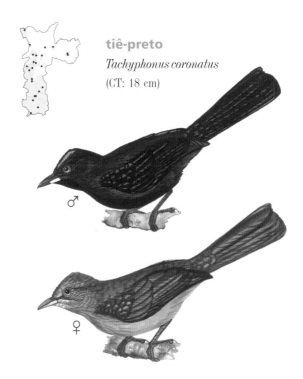

tiê-sangue
Ramphocelus bresilius
(CT: 19 cm)

sanhaço-cinzento
Thraupis sayaca
(CT: 17,5 cm)

THRAUPIDAE

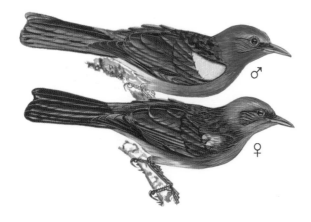

sanhaço-de-encontro-amarelo
Thraupis ornata
(CT: 18 cm)

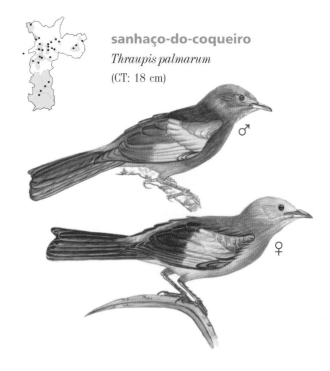

sanhaço-do-coqueiro
Thraupis palmarum
(CT: 18 cm)

sanhaço-frade
Stephanophorus diadematus
(CT: 19 cm)

viúva
Pipraeidea melanonota
(CT: 15 cm)

THRAUPIDAE

sete-cores
Tangara seledon
(CT: 13,5 cm)

saíra-lagarta
Tangara desmaresti
(CT: 13,5 cm)

saíra-amarela
Tangara cayana
(CT: 14 cm)

saíra-preciosa
Tangara preciosa
(CT: 15 cm)

THRAUPIDAE

saí-andorinha
Tersina viridis
(CT: 14 cm)

saí-azul
Dacnis cayana
(CT: 13 cm)

saíra-de-papo-preto
Hemithraupis guira
(CT: 13 cm)

saíra-da-mata
Hemithraupis ruficapilla
(CT: 13 cm)

THRAUPIDAE

figuinha-de-rabo-castanho

Conirostrum speciosum

(CT: 10,5 cm)

♂

♀

tico-tico

Zonotrichia capensis

(CT: 15 cm)

tico-tico-do-campo-verdadeiro

Ammodramus humeralis

(CT: 12 cm)

fase cinza

fase ruiva

cigarra-bambu

Haplospiza unicolor

(CT: 13 cm)

♂

♀

THRAUPIDAE | EMBERIZIDAE

canário-da-terra-verdadeiro
Sicalis flaveola
(CT: 13,5 cm)

tiziu
Volatinia jacarina
(CT: 11,4 cm)

FAUNA SILVESTRE

coleirinho
Sporophila caerulescens
(CT: 11 cm)

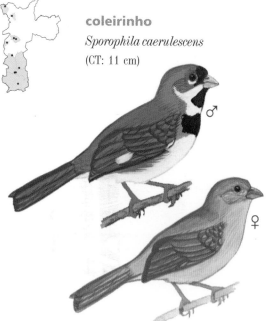

bigodinho
Sporophila lineola
(CT: 11 cm)

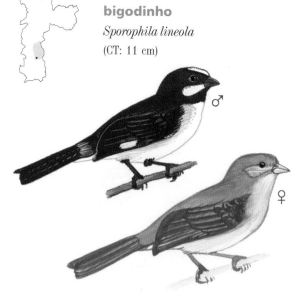

EMBERIZIDAE

curió

Sporophila angolensis

(CT: 13 cm)

cardeal

Paroaria coronata

(CT: 18 cm)

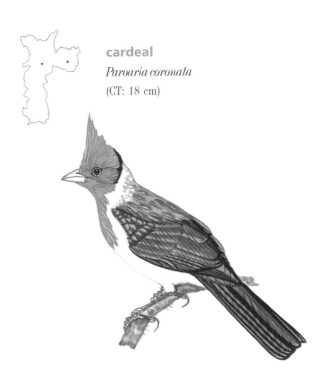

galo-da-campina

Paroaria dominicana

(CT: 17,2 cm)

trinca-ferro-verdadeiro

Saltator similis

(CT: 20 cm)

EMBERIZIDAE | CARDINALIDAE

mariquita
Parula pitiayumi
(CT: 10 cm)

pia-cobra
Geothlypis aequinoctialis
(CT: 13,5 cm)

F A U N A   S I L V E S T R E

pula-pula
Basileuterus culicivorus
(CT: 12 cm)

pula-pula-assobiador
Basileuterus leucoblepharus
(CT: 14,4 cm)

P A R U L I D A E

soldado
Cacicus chrysopterus
(CT: macho 21 cm / fêmea 18 cm)

garibaldi
Agelaius ruficapillus
(CT: 17,5 cm)

inhapim
Icterus cayanensis
(CT: 21 cm)

corrupião
Icterus jamacaii croconotus
(CT: 23 cm)

ICTERIDAE

melro

Gnorimopsar chopi

(CT: 21,5 a 25,5 cm)

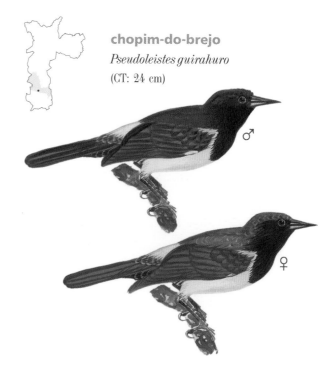

chopim-do-brejo

Pseudoleistes guirahuro

(CT: 24 cm)

chopim

Molothrus bonariensis

(CT: macho 20 cm / fêmea 16 cm)

polícia-inglesa

Sturnella superciliaris

(CT: 18 cm)

I C T E R I D A E

pintassilgo

Carduelis magellanica

(CT: 11 cm)

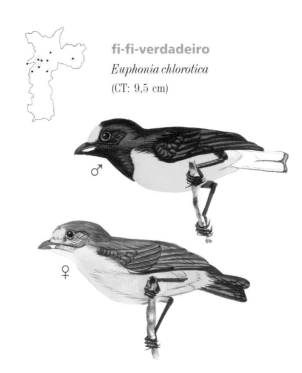

fi-fi-verdadeiro

Euphonia chlorotica

(CT: 9,5 cm)

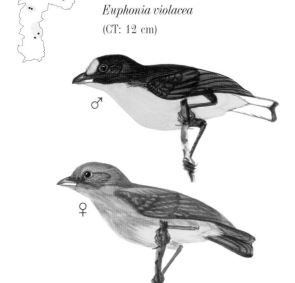

gaturamo-verdadeiro

Euphonia violacea

(CT: 12 cm)

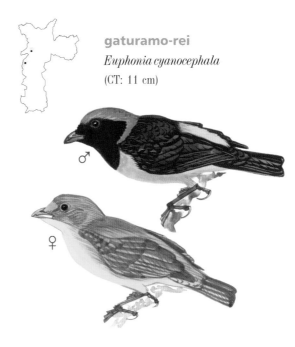

gaturamo-rei

Euphonia cyanocephala

(CT: 11 cm)

FRINGILLIDAE

ferro-velho
Euphonia pectoralis
(CT: 11,5 cm)

bonito-do-campo
Chlorophonia cyanea
(CT: 10,8 cm)

bico-de-lacre
Estrilda astrild
(CT: 11 cm)

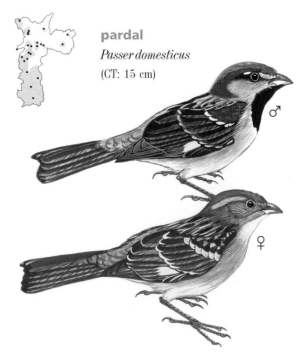

pardal
Passer domesticus
(CT: 15 cm)

FAUNA SILVESTRE

FRINGILLIDAE | ESTRILDIDAE | PASSERIDAE

Referências Bibliográficas

ALMEIDA, A.F.; CARVALHO, M.A.S.; SUMMA, M.E.L. Levantamento da avifauna da Região Metropolitana de São Paulo atendida pela Divisão Técnica de Medicina Veterinária e Manejo da Fauna Silvestre/DEPAVE/PMSP. **Bol. CEO (15)**: 16-26, 2003.

ARGEL, M. 2002. A avifauna da Reserva da Foz dos Comboios, Município de Aracruz, estado do Espírito Santo. In: www.marthaargel.com.br. Acessado em (07/05/07).

ARGEL-DE-OLIVEIRA, M. M. Aves e vegetação em um bairro residencial da Cidade de São Paulo. (São Paulo, Brasil). **Revista Brasileira de Zoologia 12 (1)**: 81-92, 1995.

ARGEL-DE-OLIVEIRA, M.M. Observações preliminares sobre a avifauna da cidade de São Paulo, 1986. **Bol. CEO (4)**: 6-39, 1987.

BEISSINGER, S.R.; OSBORNE; D.R. Effects of urbanization on avian community organization. **Condor 84**: 75-83, 1982.

BELTON, W. **Aves do Rio Grande do Sul, distribuição e biologia**. São Leopoldo. Ed. Unisinos, 1994.

BRASIL. Ministério do Meio Ambiente. Determina a Lista das Espécies da Fauna Brasileira Ameaçadas de Extinção, Instrução Normativa nº 3, de 27 de maio de 2003. **Lex: Diário Oficial da União, seção 1**, p. 88-97, 28 maio 2003.

CBRO. 2006. Comite Brasileiro de Registros Ornitológicos. Lista Primária das Aves do Brasil. Versão 28/07/2006. *In:* www.cbro.org.br/CBRO/listapri.htm. 2006.

CEO. 2007. Centro de Estudos Ornitológicos. Lista das aves do Município de São Paulo. Versão: 16/06/2007. Disponível em: www.ib.usp.br/ceo. Acesso em: 27/6/2007.

CITES. 2007. Convention on International Trade in Endangered Species of Wild Fauna and Flora. **Appendices: I, II & III (3 de maio de 2007)**. Em: http://www.cites.org Acesso em: 22 de junho de 2007.

D'ANGELO NETO, S.N; VENTURIN, A.T.; OLIVEIRA FILHO, F.A.; COSTA, F. Avifauna de quatro fisionomias florestais de pequeno tamanho (5-8 há) no Campus da UFLA. **Rev. Brasil. Biol. 58**: 463-472, 1998.

DEVELEY, P.; ENDRIGO, E. **Aves da Grande São Paulo: Guia de Campo**. Aves e Fotos Editora. São Paulo. 2004.

FIGUEIREDO, L.F.A.; LO, V.K. Lista das aves do Município de São Paulo. **Bol. CEO (14)**: 15-35, 2000.

FRANCHIN, A.G.; MARÇAL-JUNIOR, O. A riqueza da avifauna no Parque Municipal do Sabiá, zona urbana de Uberlândia (MG). **Biotemas 17(1)**: 179-202, 2004.

GOMES, F.S.P. Ocorrência da águia-pescadora, *Pandion Haliaetus* (Linaeus, 1758) (Pandionidae), caturrita *Myopsitta monachus* (Boddaert, 1783) (Psittacidae) e vissiá, *Rhytipterna simplex* (Lichtenstein, 1823) (Tyrannidae) no Reservatório Guarapiranga, Município de São Paulo, SP. **Bol. CEO (15)**:27-29, 2003.

IUCN. 2006. The World Conservation Union. **2006 IUCN Red List of Threatened Species**. Disponível em: http://www.redlist.org. Acesso: 7 de março de 2007.

LO, V.K. Registro da ocorrência de *Laniisoma elegans* (Cotingidae) e *Fluvicola nengeta* (Tyrannidae) no Município de São Paulo, SP. **Bol. CEO (10)**: 35-41, 1994.

LORENZI, H; SOUZA, H.M. **Plantas ornamentais no Brasil. Arbustivas, herbáceas e trepadeiras.** 2º edição. Nova Odessa, SP: Instituto Plantarum, 1999, 1088p.

MATARAZO-NEUBERGER, W.M. Lista das aves observadas na Cidade Universitária " Armando Salles de Oliveira", São Paulo, Brasil. **Rev. Bras. Biol. 50(2)**: 507-511, 1995.

MEYER DE SCHAUENSEE, R. **A guide to the birds of South América**. Intercollegiate Press, 1982, 498 p.

MOTTA-JUNIOR, J.C. Estrutura trófica e composição da avifauna de três ambientes terrestre na Região Central do Estado de São Paulo. **Ararajuba 1**: 65-71, 1990.

NUNES, A.P. **Aves migratórias ocorrentes no Pantanal: Caracterização e Conservação**. Alessandro Pacheco Nunes, Walfrido Moraes Tomas. Corumbá. Embrapa Pantanal, 2004, 27 p.

FAUNA SILVESTRE

RIDGELY, R.S.; TUDOR, G. **The birds of South America.** University of Texas Press, Austin, v.1 e 2., 1989.

SÃO PAULO (Cidade). **GEO Cidade de São Paulo: Panorama do Meio Ambiente Urbano.** Programa das Nações Unidas para o Meio Ambiente (Pnuma), Brasília. Prefeitura do Município de São Paulo. 2004. 204p.

SÃO PAULO (Cidade). Inventário da Fauna do Município de São Paulo. Diário Oficial da Cidade de São Paulo. **D.O.C.; São Paulo, 51(104) – suplemento**: 1-47, 2006.

SÃO PAULO. Decreto nº 42.838, de 4 de fevereiro de 1998. Declara as Espécies da Fauna Silvestre Ameaçadas de Extinção no Estado de São Paulo e dá providência correlatas. Lex: **Diário Oficial do Estado de São Paulo, v.108. (25)**, 1. set. 1998. Poder Executivo – Seção I.

SERRANO, I.L.; SCHULTZ NETO, A.; ALVES, V.S.; MAIA, M.; EFE, M.A.; TELINO JR, W.R.; AMARAL, M.F. Diagnóstico da situação nacional de colisões de aves com aeronaves. **Ornitologia 1(1):** 93-104, 2005.

SICK, H. **Migrações de aves na América do Sul Continental.** Instituto Brasileiro de Defesa Florestal – IBDF, Publicação Técnica nº 2 - CEMAVE, 1983, 86p.

SICK, H. **Onitologia brasileira.** J. F. Pacheco (coordenação). Editora Nova Fronteira, Rio de Janeiro. 912 p. 1997.

SOMENZARI, M.; SILVA, L.L.; BENESI, R.G.Q. Atração de aves por *Ficus elastica* e *Ficus microcarpa* em ambiente urbano, (resumos) **XIV Congresso Brasileiro de Ornitologia**, Ouro Preto, 2006.

STOTZ, D. F; FITZPATRICK, J.W.; PARKER III, T.A.; MOSKOVITZ, D.K. **Neotropical birds: Ecology and Conservation.** Univ. Chigago Press. Chicago. 1996.

VILLANUEVA, R.E.V.; SILVA, M. Organização trófica da avifauna do campus da Universidade Federal de Santa Catarina (UFSC), Florianópolis, SC. **Biotemas, 9(2):** 57-69, 1996.

WILLIS, E. O. The composition of avian communities in remanescent woodlots in Southern Brazil. **Papéis Avulsos Zool. S. Paulo 33(1):** 1-25, 1979.

coruja-orelhuda
(*Rhynoptynx clamator*)

Relatos de aves silvestres recuperadas e monitoradas em área de soltura

Maria Amélia Santos de Carvalho

O tráfico de animais silvestres retira anualmente milhares de aves do seu hábitat natural, sendo um dos grandes problemas ambientais brasileiros. Por outro lado, os Centros de Triagem de Animais Silvestres (CETAS), que funcionam como locais oficiais de recebimento da fauna apreendida, atendem semanalmente uma quantidade significativa desses animais, restando-lhes assim nas mãos a enorme responsabilidade da destinação.

Nesse contexto, as ações de recolocação e translocação realizadas pelo CETAS da Divisão de Fauna têm sido um procedimento que busca reduzir os danos causados a essa fauna. Tal assunto sempre provoca acaloradas discussões, tanto no meio acadêmico quanto fora dele, especialmente pelo temor de que esse tipo de manejo possa provocar danos, caso tais solturas sejam realizadas sem critérios técnicos mínimos,

colocando em risco as populações nativas. O IBAMA tem trabalhado na elaboração de uma norma específica, que trataria da soltura de espécies silvestres, mas até o momento não foi definida uma Instrução Normativa que determine os procedimentos adequados para a destinação dos animais liberados pelos CETAS.

A Divisão de Fauna tem sido umas das pioneiras na realização de recolocações de animais silvestres. Foram 13.504 soltos, entre eles 11.087 aves. A maioria provém de apreensões da Polícia Ambiental, mas também são recebidos animais por meio do IBAMA e de munícipes em geral.

Quando estas aves chegam à Divisão são examinadas, tratadas, se necessário, e reabilitadas, com treinos de caça e vôo. De acordo com seu histórico de procedência e/ou grau de mansidão, são encaminhadas a instituições ou criadouros credenciados pelo IBAMA. Aquelas que estão aptas à vida livre, e que possuem ocorrência para o Município, são recolocadas em áreas previamente inventariadas pelo Depave.

Com o objetivo de obter dados para subsidiar as ações de conservação e preservação da fauna silvestre o Depave 3 estabeleceu, a partir de 1998, um programa de monitoramento da avifauna. As aves são identificadas com anilhas de metal, que até 2004 eram fornecidas pelo Centro Nacional de Pesquisa para Conservação das Aves (Cemave/IBAMA) e, desde então, com anilhas confeccionadas pela Prefeitura do Município de São Paulo. O monitoramento é feito através de recuperação passiva, ou seja, o registro da sobrevivência das aves é feito quando estas são avistadas ou capturadas por munícipes, técnicos e outros observadores, e encaminhadas para a Divisão ou comunicadas ao Cemave.

garça-branca-grande
(*Ardea alba*)

Para grupos com grandes números de indivíduos e para espécies ameaçadas, o monitoramento é realizado na área de soltura com a colocação de redes para captura e acompanhamento biológico dos espécimes. São tomadas as medidas do exemplar, como, por exemplo, o peso, o comprimento total, o comprimento das asas, da cabeça e do tarso, verificando-se ainda a existência de placas de choco e desgaste das penas. Com esses dados é possível obter informações úteis sobre a vida e a situação reprodutiva do animal em estudo.

Das aves anilhadas e soltas entre 1998 e 2005, 2,2% foram recuperadas; destas, 52,4% eram rapinantes, ou seja, corujas, gaviões e falcões. Os outros 47,6% foram, na grande maioria, passeriformes, seguidos por anseriformes, ciconiformes, psitaciformes, caprimulgiformes, coraciformes, piciformes e, com menor índice de recuperação, gruiformes, columbiformes, cuculiformes e apodiformes (CARVALHO; NAMBA, 2006).

Os casos mais freqüentes de recuperações foram de *Rhinoptynx clamator*, coruja-orelhuda, espécie comum que habita cidades arborizadas. As recuperações talvez se devam ao fato de essas aves serem de porte maior, mais vistosas ou ao tipo de hábito da espécie. Em média, 62,5% das corujas-orelhudas recolocadas foram recuperadas dentro de um período menor que 6 meses. Outros 37,5% chegaram a ficar de 1 a cerca de 5 anos em vida livre após a soltura. É o caso de um exemplar que deu entrada na Divisão de Fauna por intermédio da Polícia Ambiental em dezembro de 2002, aparentemente ferido. Tratado e recolocado na mesma região de procedência, foi recuperado após 3 anos e meio na cidade de São José dos Campos-SP (23°11'S 45°56'W), com deslocamento de 95 km. Outro exemplar dessa mesma espécie foi recuperado no Município de Tapirai-SP (23°50'S 47°30'W) 265 dias depois, e a 109 km de distância do local da soltura (CARVALHO; NAMBA, 2006).

Há casos de recuperação em que não houve deslocamento considerável, mas o tempo de sobrevivência permitiu que a ave completasse pelo menos um ciclo reprodutivo. É o caso de outro espécime de *Rhinoptynx clamator*, que foi recuperado na mesma região onde foi recolocado, 4 anos e 5 meses depois de ter sido solto. Foi encontrado morto, com escoriações nas pernas e plumagem sem desgaste. Perto dele, no chão, estavam 2 filhotes (ninhegos), que pesaram 65g e 85g e ainda tinham pedacinhos da casca do ovo aderidos à plumagem.

A segunda espécie de maior índice de recuperação é *Megascops choliba*, corujinha-do-mato. Quase metade tem registro de retorno após 1 ano. Um caso interessante ocorrido com essa espécie, já descrito por Carvalho e Namba em 2006, foi o de um exemplar procedente do bairro do Campo Limpo, São Paulo, com hifema em globo ocular, que foi tratado e solto no próprio Parque Ibirapuera para permitir melhor monitoramento. O indivíduo foi resgatado após 1 ano e 4 meses, novamente no bairro do Campo Limpo, demonstrando que a ave, mesmo com pouca visão, regressou ao local de procedência. Estes rapinantes também possuem grande discernimento para ruídos (SICK, 2001).

Outra espécie, *Athene cunicularia*, buraqueira, solta na zona norte de São Paulo, foi encontrada na Rodovia dos Imigrantes, em Cubatão-SP (23°53'S 46°23'), depois de um ano. A ave se deslocou 40 km (CARVALHO; NAMBA, 2006).

Depois do grupo das corujas, segue o dos falconiformes, como *Rupornis magnirostris*, gavião-carijó, com períodos entre a soltura e o resgate de até 3 anos e meio. Um caso em especial merece ser mencionado. O exemplar foi recebido em julho de 2002 vindo de cativeiro e transportado no ombro do munícipe. Apresentava bom estado nutricional e retrizes desgastadas pela permanência em gaiola. Após tratado e condicionado ao vôo e à caça foi solto em novembro de 2002 e recuperado em junho de 2004, permanecendo em vida livre por 1 ano e 7 meses. Este caso demonstrou que mesmo as aves vindas de cativeiro possuem chances de recolocação com sucesso na adaptação.

Outra espécie de falconídeo, *Caracara plancus*, caracará, recebido em junho de 2003, ainda filhote e com as duas asas cortadas, permaneceu por 58 dias, na Divisão, entre o tratamento e a reabilitação. Foi solta

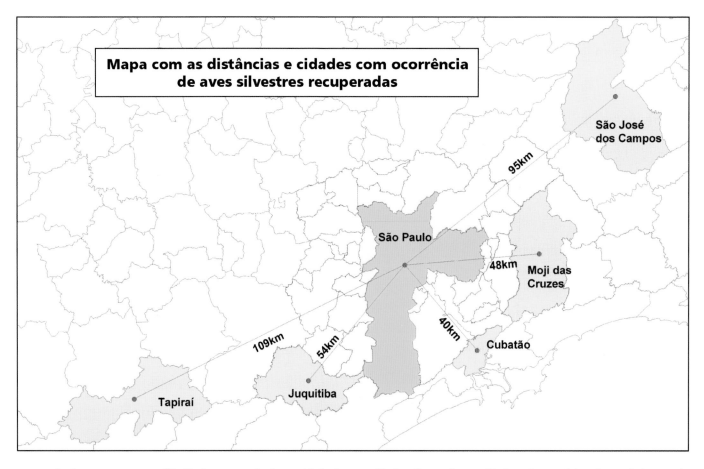

Mapa com as distâncias e cidades com ocorrência de aves silvestres recuperadas

em agosto do mesmo ano, em São Paulo, e encontrada na cidade de Guarulhos-SP (23º26'S 46º28'W) em maio de 2007.

Entre as espécies aquáticas que se deslocam regionalmente, temos o caso de uma *Ardea alba,* garça-branca-grande, solta na zona sul de São Paulo e recuperada no mês de janeiro, após 3 anos e 7 meses, na cidade de São José dos Campos-SP. Outro caso foi o de um exemplar de irerê, *Dendrocygna viduata,* encontrado depois de 1 ano e 2 meses, em outubro, em Mogi das Cruzes-SP (23º31'S 46º11'W), mostrando um deslocamento de 48 km. Ambos os casos sugerem para onde essas espécies se deslocam quando não estão na cidade.

Ainda houve o caso de um exemplar de *Amazonetta brasiliensis,* ananaí, que ficou 2 anos em vida livre, sendo encontrado na mesma região de soltura, não permitindo assim concluir se houve deslocamento.

Os passeriformes apresentam menor índice de recuperação. Depois de soltas, estas aves foram monitoradas por visualização e identificação da vocalização, realizadas por parceiros previamente orientados, observando-se que alguns indivíduos se fixaram e a maioria se dispersou gradativamente. Para auxiliar o monitoramento pós-soltura, algumas áreas são mantidas com comedouros para ceva.

Atualmente, um grupo de *Sporophila frontalis*, pixoxó, solto em Juquitiba-SP (23º50'S 47º00'W), está sendo monitorado com redes ornitológicas. Entretanto, até maio de 2007 não havia dados suficientes para registro, apenas observações, com binóculos, de dois exemplares visitando um possível ninho em uma palmeira, por alguns dias, no mês de setembro, e registro de vocalizações nos meses de setembro e outubro.

Devido ao índice de sucesso de resgate, até o presente momento pode-se acreditar que as solturas realizadas com critérios técnicos e bem direcionados aprimoram a devolução das espécies que foram suprimidas pelo tráfico ou por ações antrópicas. Tais ações também estimulam a conservação de áreas verdes intactas e propiciam a abertura de novos caminhos junto à população para proteção e preservação da fauna.

Referências Bibliográficas

CARVALHO, M. A. S.; NAMBA, S. Solturas e estudos preliminares de monitoramento da avifauna na região metropolitana de São Paulo e outras regiões. IN: **I Encontro de ASM – Áreas de soltura e monitoramento de animais silvestres de São Paulo.** Relatório de Atividades das ASM - Áreas de solturas e monitoramento de animais silvestres organizados pelo departamento de comunicação do IBAMA – SP - São Paulo: p15 – 1, 2006.

SICK, H. **Ornitologia Brasileira.** Ed. Nova Fronteira. Rio de Janeiro: 2001, 862p.

ananai (*Amazonetta brasiliensis*)

FAUNA SILVESTRE

Mamíferos do Município de São Paulo

Anelisa Ferreira de Almeida Magalhães

A maior e mais populosa cidade da América do Sul, tão conhecida por sua diversidade de povos e culturas, não deixa de reproduzir esta singularidade também na sua vida selvagem. Por mais surpreendente que isto possa parecer, São Paulo possui uma fauna de mamíferos silvestres diversificada, constituída por pequenos animais que pesam poucos gramas, como alguns morcegos e marsupiais, até animais de grande porte, como a onça-parda e a anta, esta última chegando a pesar 250 kg. A ocupação do território também varia, havendo espécies adaptadas aos espaços urbanos e outras restritas às áreas mais preservadas, com remanescentes de mata. Essa diversidade, no entanto, é pouco conhecida pela maior parte da população. Mesmo nas zonas rurais, onde a possibilidade de contato com a fauna é maior, a maioria dos animais passa despercebida, às vezes devido a seu tamanho reduzido, ou pelo comportamento solitário e tímido, e também pelo período de atividade, quase sempre noturno e/ou crepuscular.

Com base na lista publicada no Inventário da Fauna do Município de São Paulo (SÃO PAULO, 2006), o presente capítulo se propõe a tornar esses "habitantes ocultos" mais conhecidos, para que possam ser apreciados e protegidos pelos cidadãos paulistanos.

Os mamíferos silvestres descritos foram registrados para o Município de São Paulo através de ob-servações diretas a campo, tanto das espécies como de seus vestígios, e capturas realizadas nos Parques Municipais e demais áreas verdes. Os levantamentos de pequenos mamíferos, no Parque CEMUCAM, Município de Cotia, foram conduzidos pelo Dr. Luis Eloi, do Instituto Adolfo Lutz, em parceria com a Divisão Técnica de Medicina Veterinária e Manejo da Fauna Silvestre (Divisão de Fauna). Os levantamentos de quirópteros, nos parques Anhanguera e Siqueira Campos (Trianon), foram realizados pela bióloga Mirian M. Sodré e equipe, do Centro de Controle de Zoonoses (CCZ), em parceria com a Divisão de Fauna.

Também foram considerados os cadastros de espécies atendidas pela Divisão de Fauna, de 1992 a 2005, oriundas do Município. Esta consulta possibilitou verificar a freqüência de encontro das espécies, mapear a ocorrência das mesmas e identificar os principais danos sofridos na cidade de São Paulo. Tais informações são úteis para colocar em prática medidas que resultem na conservação da biodiversidade.

Não foram considerados os levantamentos realizados por outros pesquisadores e instituições, nem seus acervos para o Município. Portanto, a diversidade de mamíferos aqui apresentada para a cidade de São Paulo não corresponde a sua totalidade, estando subestimada, principalmente se considerarmos os quirópteros.

No total, foram registradas 55 espécies de mamíferos silvestres pertencentes a 10 ordens, 22 famílias e 49 gêneros. Destas, oito espécies estão ameaçadas de extinção e seis provavelmente ameaçadas no Estado de São Paulo (SÃO PAULO, 1998).

Apresentamos a seguir algumas considerações sobre as espécies listadas.

furão
(*Galictis cuja*)

Animal solitário, muito ágil e veloz, a onça-parda (*Puma concolor capricorniensis*) é o maior felino do Município de São Paulo, ocupando um grande território onde realiza sua caça.

Lista comentada

Ordem Didelphimorphia

A Ordem Didelphimorphia integra os marsupiais (Methatheria) neotropicais. Os marsupiais distinguem-se dos mamíferos placentários (Eutheria) por suas características anatômicas e fisiológicas para a reprodução. A maioria das fêmeas apresenta o marsúpio - uma dobra da pele abdominal que forma uma espécie de "bolsa" — que abriga os mamilos e onde os filhotes embrionários ficam presos, alimentando-se até seu desenvolvimento completo. O marsúpio, no entanto, não é a característica mais importante do grupo, variando muito em complexidade entre as espécies, podendo até mesmo estar ausente (NOWAK, 1999). A principal característica agregadora para os marsupiais é o fato de apresentarem placentas "rudimentares" sem as mesmas estruturas membranosas, que facilitam a passagem de nutrientes da mãe para os embriões, presentes nos mamíferos eutérios. Nos marsupiais, o período de gestação intra-uterina é breve, e o recém-nascido deve alcançar as mamas e aderir-se firmemente aos mamilos, permanecendo "grudado" por quatro a sete semanas. Ao término dessa primeira fase de lactação, a fêmea deposita o filhote no ninho e continua amamentando por mais três a sete semanas (SHARMAN, 1970).

Família Didelphidae

Esta família reúne os mamíferos popularmente conhecidos como gambás, saruês, cuícas e catitas. Todos os mamíferos desta família têm hábitos noturnos ou crepusculares, podendo ser encontrados nas árvores ou no chão. As fêmeas podem ou não apresentar o marsúpio.

A família Didelphidae é a segunda mais diversificada, com 11 espécies de pequeno a médio porte.

Os três gêneros de cuícas descritos a seguir, *Gracilinanus*, *Marmosops* e *Micoureus*, são semelhantes na aparência, apresentando porte pequeno, cauda preênsil, ausência de marsúpio e orelhas grandes.

Gracilinanus microtarsus (Wagner, 1842)

cuíca, catita (pág. 321)

Essa cuíca é uma espécie endêmica do Sudeste do Brasil. Ocorre desde Minas Gerais até o Rio Grande do Sul (EMMONS; FEER, 1990). Pode ser encontrada em florestas primárias e secundárias, contínuas ou fragmentadas, em matas de galeria e cerradão. Em São Paulo, foi registrada apenas no Parque Anhanguera, zona oeste da cidade.

O corpo mede 105 mm de comprimento, a cauda 145-153 mm e a massa corporal é de 19-20 g (EMMONS; FEER, 1990). Apresenta um anel escuro ao redor dos olhos, e coloração marrom-acinzentada no dorso e creme no ventre. A cauda preênsil, mais longa que o comprimento de cabeça e corpo, é indicativa de seu hábito arborícola. A espécie é classificada como insetívora-onívora por Fonseca e colaboradores (1996). Considerada como provavelmente ameaçada no Estado de São Paulo (SÃO PAULO, 1998).

Marmosops paulensis (Tate, 1931)

cuíca, marmosa (pág. 321)

Esta espécie de cuíca é endêmica para a região Sudeste do Brasil. Sua distribuição compreende os estados de Minas Gerais, Espírito Santo, Rio de Janeiro, São Paulo e Paraná. Ocorre em florestas úmidas. (MUSTRANGI; PATTON, 1997 *apud* ROSSI *et al.*, 2006).

Apresenta comprimento total de 260 a 370 mm. A cauda preênsil é mais longa do que a cabeça e o corpo, medindo de 150 mm a 212 mm, e a massa

A cuíca-lanosa (*Caluromys philander*), por ter hábitos noturnos e viver em áreas florestadas, é raramente avistada.

corporal varia de 20 a 70 g (EISENBERG e REDFORD, 1999). Possui hábitos arborícolas, mas também explora o chão. Em São Paulo, foi capturada no solo, na Fazenda Castanheiras (APA Bororé), zona sul. O indivíduo capturado pesou 30 g e mediu 108,5 mm de comprimento de cabeça e corpo e a cauda mediu 147,5 mm. A espécie é considerada como provavelmente ameaçada de extinção no Estado de São Paulo (SÃO PAULO, 1998).

Micoureus demerarae (Thomas, 1905)

cuíca (pág. 321)

Micoureus demerarae tem ampla distribuição, ocorrendo desde a Colômbia, o Sul da Venezuela, Brasil e Paraguai até a Argentina (EISENBERG e REDFORD, 1999). ROSSI *et al.* (2006) consideraram a espécie que ocorre no Leste do Brasil, abaixo da Bahia, como sendo *M. paraguayanus*.

No Município de São Paulo, foi registrada no Parque Anhanguera (zona oeste) e no Distrito de Engenheiro Marsilac, zona sul. O macho capturado no Parque Anhanguera teve 115 g de massa corporal, 180 mm de comprimento do corpo e 230 mm de comprimento da cauda.

Apresenta um proeminente anel escuro ao redor dos olhos, dorso marrom-escuro e ventre alaranjado. A cauda preênsil é despigmentada na porção final.

Esta espécie tem hábitos arborícolas e terrestres, vivendo em ambientes florestados. Sua alimentação é constituída principalmente por insetos. Tem hábitos noturnos e constrói seu ninho nas árvores.

Monodelphis americana (Muller, 1776)

catita, cuíca-de-três-listras, cuíca-de-cauda-curta (pág. 321)

As espécies do gênero *Monodelphis* são de pequeno porte, possuem cauda curta, orelhas pequenas e ausência de marsúpio nas fêmeas.

Monodelphis americana ocorre na porção Leste do Brasil, desde o Pará até São Paulo, podendo se estender até Santa Catarina (BROWN,

2004; GARDNER, 2005 *apud* ROSSI *et al.*, 2006). Um exemplar foi capturado no solo da Fazenda Castanheiras, zona sul da cidade.

Esta espécie de cuíca mede 105 mm de comprimento de corpo e cabeça. A pelagem do dorso é marrom-avermelhada, com três listras longitudinais escuras, sendo uma central, que se estende do focinho até a base da cauda, e as outras duas laterais. Ocorre em florestas úmidas, tem hábito terrestre, sendo classificada como insetívora-onívora por Fonseca e colaboradores (1996).

Monodelphis iheringi (Thomas, 1888)

catita, cuíca-de-três-listras, cuíca-de-cauda-curta (pág. 322)

Monodelphis iheringi ocorre no Sul e Sudeste do Brasil, do Espírito Santo ao Rio Grande do Sul e também na Argentina (BROWN, 2004 *apud* ROSSI *et al.*, 2006). Em São Paulo, foi capturada no Parque CEMUCAM (Cotia).

A espécie assemelha-se à descrita anteriormente, porém é ainda menor, com 87 mm de comprimento de cabeça e corpo. É considerada de ocorrência rara, e provavelmente ameaçada no Estado de São Paulo (SÃO PAULO, 1998).

Monodelphis sorex (Hensel, 1872)

catita, cuíca-de-cauda-curta (pág. 322)

Monodelphis sorex ocorre no Sul e Sudeste do Brasil, de Minas Gerais ao Rio Grande do Sul, no Sul do Paraguai e em Missiones (Argentina) (EMMONS; FEER, 1990). Em São Paulo, foi registrada no Parque CEMUCAM (Cotia) e na Fazenda Castanheiras, zona sul.

As medidas de comprimento de cabeça e corpo variam de 110 a 130 mm e a cauda, mais curta, tem 65 a 85 mm de comprimento (EMMONS; FEER, 1990). A massa corporal é de 50 g (exemplar capturado na Faz. Castanheiras). O dorso é marrom-escuro tingido de ferrugem, e o ventre é alaranjado. O macho apresenta escroto escuro. A espécie é terrícola e considerada como provavelmente ameaçada no Estado de São Paulo (SÃO PAULO, 1998).

Caluromys philander (Linnaeus, 1758)

cuíca-lanosa (pág. 322)

A cuíca-lanosa, *Caluromys philander*, possui ampla distribuição, ocorrendo desde a Venezuela até o Centro Sul do Brasil (EMMONS; FEER, 1990).

Esta espécie de cuíca de porte médio (180 mm de comprimento de cabeça e corpo, cauda com 240 mm de comprimento e massa corporal de 200 g) foi registrada no bairro do Jaraguá, zona oeste de São Paulo. Seus olhos são grandes e circundados por um anel pardo. A cabeça é acinzentada, com uma faixa escura entre os olhos, que se estende até o focinho. O dorso é pardo e a porção ventral é amarelada. Sua cauda é preênsil, com pêlos na porção proximal.

Habita ambientes florestados próximos a cursos d'água. Possui hábitos arborícola e noturno. A fêmea apresenta um marsúpio pouco desenvolvido.

Didelphis albiventris Lund, 1849

gambá-de-orelha-branca (pág. 322)

O gênero *Didelphis* reúne os gambás comumente encontrados na maior parte das Américas do Norte e do Sul. Os animais chegam a pesar 5,5 kg e o marsúpio é bem desenvolvido (ROSSI *et al.*, 2006).

A pelagem é constituída por dois tipos de pêlos, um denso, que fica por baixo, e outro longo, com a ponta branca. A coloração dorsal é predominantemente cinza, com variações de preto. A maior parte da cauda é nua, pigmentada na base e branca na porção distal. As patas são escuras e a face é branco-amarelada.

Os gambás possuem hábitos solitários e anti-sociais. Algumas vezes, quando molestados, fingem estar mortos. Esta é uma tática passiva de defesa empregada diante de uma situação de perigo (MCMAMUS, 1971).

O gambá-de-orelha-branca, *Didelphis albiventris*, é muito semelhante ao gambá-de-orelha-preta, *D. aurita*, porém os adultos são facil-

mente distinguíveis pela diferença de coloração das orelhas. Outra distinção é a extensão dos pêlos da cauda, que é maior em *D. albiventris*.

Didelphis albiventris tem ocorrência para as porções Leste e Centro-Oeste do Brasil, Paraguai, Uruguai, Norte e Centro da Argentina, e Sul da Bolívia (CERQUEIRA, 1985 *apud* EISENBERG; REDFORD, 1999). Em São Paulo, o gambá-de-orelha-branca foi bem menos freqüente do que o gambá-de-orelha-preta, sendo seu substituto para o interior do Brasil.

Didelphis aurita (Wied-Neuwied, 1826)

gambá-de-orelha-preta, raposa, saruê (pág. 323)

A distribuição geográfica do gambá-de-orelha-preta acompanha o Leste do Brasil, de Alagoas a Santa Catarina, estendendo-se até o Oeste do Mato Grosso, Sul do Paraguai e Nordeste da Argentina (CERQUEIRA, 1985 *apud* EISENBERG; REDFORD, 1999).

O gambá-de-orelha-preta está entre os mamíferos silvestres melhor adaptados à presença humana e se alimenta, inclusive, do lixo residencial. Avaliando-se o número de indivíduos atendidos, conclui-se que é a espécie encontrada com maior freqüência, correspondendo a 70% do total de mamíferos silvestres cadastrados. Sua ocorrência é muito ampla, sendo registrado em todas as zonas do Município, desde as áreas mais urbanizadas até aquelas com remanescentes florestais.

Durante a estação chuvosa, a freqüência de fêmeas com filhotes na bolsa é alta, sendo o número médio de filhotes igual a seis. O peso dos indivíduos, machos e fêmeas, atendidos foi de 1,42 Kg, em média.

A espécie tem hábitos noturnos, arborícolas e terrestres. Alimenta-se de grande variedade de pequenos vertebrados, artrópodes e frutos.

Philander frenatus (Olfers, 1818)

cuíca-de-quatro-olhos (pág. 323)

A cuíca-de-quatro-olhos, *Philander frenatus*, tem distribuição para o Leste do Brasil, ocorrendo na Bahia, Santa Catarina, porção Sul do Paraguai e adjacências da Argentina (PATTON; COSTA 2003; GARDNER, 2005 *apud* ROSSI, *et al.*, 2006). Está associada aos ambientes com água. Foi registrada no bairro do Tremembé, zona norte de São Paulo.

Possui porte mediano, o comprimento de cabeça e corpo varia de 20,5 a 31,5 cm e o da cauda de 23,5 a 32,4 cm. Pesa entre 220 e 680 g (AURICHIO; RODRIGUES, 1994). O dorso é acinzentado e a porção ventral é creme. Possui duas manchas claras, características, sobre os olhos. A cauda é preênsil, escura na porção basal e despigmentada na porção terminal. A fêmea possui marsúpio com abertura anterior.

A espécie tem hábitos noturnos, solitários, arborícolas e terrestres. Seus ninhos são construídos de 8 a 10 m acima do solo, em ocos de árvores, forquilhas e, ocasionalmente, em troncos caídos no chão. A alimentação é constituída de invertebrados, pequenos vertebrados e frutos (EMMONS; FEERS, 1990).

Lutreolina crassicaudata (Desmarest, 1804)

cuíca-de-cauda-grossa (pág. 323)

Ocorrem duas populações separadas para a cuíca-de-cauda-grossa: uma na Guiana e Venezuela, e outra na Bolívia e Sudeste do Brasil até a Argentina (BROWN, 2004 *apud*, ROSSI *et al.*, 2006).

O comprimento de cabeça e corpo varia de 27 a 51 cm e o comprimento da cauda de 19,5 a 28 cm, com peso entre 465 e 650 g (exemplares atendidos). Possui corpo alongado e pernas curtas, e o pêlo é curto e denso, com coloração marrom-avermelhada. A cauda é grossa e nua na extremidade, apresentando pêlos em cerca de 30% de seu comprimento. As orelhas são pequenas e arredondadas.

Um único indivíduo dessa espécie foi registrado para São Paulo, oriundo do bairro São Domingos, zona oeste. Outros dois vieram da Região Metropolitana de São Paulo. A cuíca-de-cauda-grossa está associada aos ambientes abertos, campos e matas de galerias, próximos à água. É uma espécie terrícola, porém boa escaladora e nadadora. Possui dieta onívora, alimentando-se de pequenos vertebrados e frutos.

Ordem Pilosa

Esta ordem contém os animais conhecidos popularmente como bichos-preguiça. A família Bradypodidae possui, atualmente, quatro espécies descritas, e três delas ocorrem no Brasil. No Município de São Paulo ocorre uma única espécie.

Família Bradypodidae

Bradypus variegatus Schinz, 1825

preguiça-de-três-dedos (pág. 323)

A preguiça-de-três-dedos tem ampla distribuição geográfica, que se estende de Honduras até o Norte da Argentina (EMMONS; FEER, 1990). Atualmente está extinta na Argentina e ausente nos estados de Santa Catarina e Rio Grande do Sul (AGUIAR, 2004 *apud* MEDRI *et al.*, 2006). Apesar de estar descrita em todos os biomas brasileiros, não existem registros para o Pantanal (MEDRI *et al.*, 2006). No Município, foi registrada em quatro Parques Municipais: Alfredo Volpi, Carmo, Independência e Luz. No Parque da Luz provavelmente foram introduzidas há mais de 80 anos, quando ali funcionava um mini-zoológico. São acompanhadas pela Divisão de Fauna desde 1992, e neste período ocorreu reprodução no local.

As médias das medidas são 54 cm de comprimento de cabeça e corpo, 4,3 cm de comprimento da cauda e 4,03 kg de massa corporal (exemplares atendidos). A coloração é marrom-clara, com grandes manchas brancas na parte traseira, junto aos membros posteriores, e o pêlo é longo e grosso, exceto na face. O macho da espécie distingue-se da fêmea por uma mancha marrom-escura no centro das costas.

A preguiça-de-três-dedos (*Bradypus variegatus*) locomove-se lentamente no alto das árvores à procura de folhas e brotos, passando despercebida nas copas mesmo durante o dia.

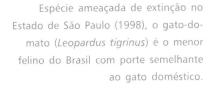

Espécie ameaçada de extinção no Estado de São Paulo (1998), o gato-do-mato (*Leopardus tigrinus*) é o menor felino do Brasil com porte semelhante ao gato doméstico.

A maior espécie de mamífero silvestre de São Paulo, a anta (*Tapirus terrestris*), é tímida e silenciosa. Raramente é avistada, sendo suas grandes pegadas a melhor evidencia da sua presença.

Bradypus variegatus é uma espécie solitária, florestal, com hábitos noturnos, diurnos e arborícolas. Sua alimentação consiste principalmente de folhas, ramos tenros e brotos de árvores. Possui o hábito de tomar sol no alto das copas das árvores. Esse comportamento auxilia na regulação da temperatura corporal. Desce ao solo para defecar e urinar, de uma a duas vezes por semana, utilizando com freqüência o mesmo local, onde ficam acumuladas suas fezes com formato de "bolinhas". Durante esses episódios pode deslocar-se pelo chão. Sua coloração e seu comportamento calmo dificultam sua visualização nas copas das árvores, mesmo em áreas restritas, como no caso do Parque da Luz, e por isso passam despercebidas pelos freqüentadores.

A espécie *Bradypus variegatus* é considerada de menor risco de extinção pela União Mundial para a Conservação (IUCN, 2006) e, segundo a Convenção sobre o Comércio Internacional de Espécies da Flora e Fauna Silvestres (CITES, 2007), está em perigo de extinção devido ao tráfico.

Ordem Cingulata

Esta ordem reúne os mamíferos conhecidos popularmente como tatus, característicos por apresentarem uma carapaça resistente que recobre o corpo, e por cavarem tocas no solo. Foram registradas duas espécies de tatus para o Município, e mais uma terceira - *Cabassous tatouay* - para a Região Metropolitana de São Paulo, que não está descrita.

Família Dasypodidae

Euphractus sexcinctus (Linnaeus, 1758)

tatu-peba, tatu-peludo (pág. 324)

O tatu-peba, *Euphractus sexcinctus,* possui ampla distribuição geográfica, que vai desde o Suriname, Leste dos Andes e a Amazônia até o Norte da Argentina (EMMONS; FEER, 1990). A espécie foi registrada em dois parques: Anhanguera e Carmo, zonas oeste e leste, respectivamente.

A medida de cabeça e corpo varia de 40,1 a 49,5 cm e da cauda de 11,9 a 24,1 cm. O corpo é recoberto por uma carapaça marrom-clara, com seis a oito cintas e longos pêlos esparsos. As orelhas são curtas e separadas.

Possui três fortes garras nas patas dianteiras (EMMONS; FEER, 1990).

São animais solitários, diurnos e alimentam-se de plantas, artrópodes e carniça. Podem utilizar campos de cultivo, ocasião em que costumam ser alvos de perseguição, mais pelos danos causados do que por sua carne, que normalmente é pouco apreciada. Utilizam as garras dianteiras para cavar o solo, formando assim tocas com mais de uma saída, onde se abrigam.

A espécie é considerada de menor risco de extinção pela União Mundial para a Conservação (IUCN, 2006).

Dasypus novemcinctus Linnaeus, 1758

tatu-galinha (pág. 324)

O tatu-galinha, *Dasypus novemcinctus*, apresenta ampla distribuição, sendo encontrado desde o Sul dos Estados Unidos até o Norte da Argentina e do Uruguai. Ocupa os diversos biomas brasileiros: Amazônia, Caatinga, Cerrado, Mata Atlântica, Pantanal e Campos Sulinos (FONSECA *et al.*, 1996). No Município, o encontro do tatu-galinha foi mais freqüente que o do tatu-peba, com 22 registros do primeiro contra seis do segundo. A espécie foi registrada em quatro áreas: Parque Anhanguera, Parque do Carmo, Clube de Campo São Paulo e Fazenda Castanheiras (APA Bororé).

Mede de 35,6 a 57,3 cm de cabeça e corpo, e de 24,5 a 45 cm de cauda. O peso varia de 2,7 a 6,3 kg (EMMONS; FEER, 1990). Sua carapaça é desprovida de pêlos e geralmente possui nove cintas móveis. O focinho é alongado e as orelhas são grandes e próximas na base.

Possui hábitos noturnos e são onívoros, alimentando-se de insetos, plantas e carniça. Cavam tocas com 20 cm de diâmetro e 6 m de comprimento (MEDRI, *et al.*, 2006). Sua carne é apreciada e observa-se forte pressão de caça; contudo, a espécie não está em risco de extinção.

Ordem Primatas

Serão tratadas aqui cinco espécies de macacos, duas delas introduzidas e três com ocorrência natural no Município. Uma sexta espécie, o sagüi-da-serra-escuro, *Callithrix aurita*, que ocorre no Parque Estadual da Cantareira e arredores, não foi registrado, até o momento, em nenhuma das áreas estudadas.

Família Cebidae

Gênero *Callithrix* Erxleben, 1777

sagüi, mico (pág. 324)

Originalmente, a espécie do gênero *Callithrix* que ocorria no Município de São Paulo era o sagüi-da-serra-escuro, *C. aurita*. Atualmente, outras duas espécies são observadas em diferentes parques e áreas verdes da cidade, como resultado de escape de cativeiro e de solturas sem critérios. São elas o *Callithrix jacchus*, sagüi-de-tufo-branco e o *Callithrix penicillata*, sagüi-de-tufo-preto. Ambas as espécies preocupam pela competição por habitats e hibridização com a espécie nativa, além da possibilidade de transmissão de doenças.

C. jacchus ocorre, originalmente, no nordeste brasileiro, no bioma da Caatinga e Mata Atlântica; já *C. penicillata* ocorre nos biomas Caatinga e Cerrado, no Brasil Central, alcançando a costa Leste no Estado da Bahia (HIRSCH *et al.*, 2002).

As medidas para *Callithrix* são: cabeça e corpo de 19 a 24,8 cm e cauda de 27 a 35 cm (EMMONS; FEER, 1990). O peso médio dos *Callithrix* atendidos foi 276 g. *C. jacchus* apresenta cabeça marromescura com tufos brancos nas laterais, ao redor das orelhas, e testa com uma mancha branca. A metade inferior do corpo possui estrias de cor cinza ou negra, e a cauda é estriada de preto. A coloração de *C. penicillata* é semelhante, porém os tufos ao redor das orelhas são pretos.

Os sagüis são diurnos, arborícolas e formam grupos familiares de 2 a 13 indivíduos. Alimentam-se de frutos, insetos e de exudatos de árvores (EMMONS; FEERS, 1990).

C. jacchus, segundo a CITES (2007), poderá tornar-se ameaçado de extinção devido ao tráfico. *C. penicillata* é considerada espécie vulnerável no Estado de São Paulo (SÃO PAULO, 1998) e, segundo a CITES (2007), poderá tornar-se ameaçada de extinção devido ao tráfico.

Cebus nigritus (Goldfuss, 1809)

macaco-prego (pág. 325)

O macaco-prego, *C. nigritus*, ocorre na Mata Atlântica (BICCA-MARQUES *et al.*, 2006). Em São Paulo, a espécie foi registrada no Distrito de Engenheiro Marsilac, extremo Sul do Município.

É um primata de médio porte, com peso entre 1,4 a 4,8 kg. O comprimento total de corpo e cabeça varia de 35 a 48,8 cm e a cauda mede de 37,5 a 55,4 cm. (ROWE, 1996 *apud*, BICCA-MARQUES *et al.*, 2006). *C. nigritus* possui corpo robusto e cauda semi-preênsil. Tem grande capacidade de manipulação com as mãos. São muito ativos, diurnos, sociais, arborícolas e considerados os primatas mais inteligentes da América do Sul. São oportunistas, apresentando grande flexibilidade na dieta onívora, composta de frutos, insetos, além de ovos e pequenos vertebrados. Um topete escuro característico diferencia *C. nigritus* de *C. apella*.

C. nigritus, segundo a CITES (2007), poderá tornar-se ameaçada de extinção devido ao tráfico.

Família Aotidae

Callicebus nigrifrons (Spix, 1823)

macaco-sahuí-guaçu, sauá (pág. 325)

O sauá, *Callicebus nigrifrons*, é endêmico da Mata Atlântica (EISENBERG; REDFORD, 1999). Um único indivíduo deu entrada, vindo do Distrito do Tremembé, zona norte, próximo ao Parque Estadual da Cantareira, onde a ocorrência dessa espécie também é bem conhecida.

É um primata de pequeno porte: corpo e cabeça medem entre 32,5 e 55 cm e a cauda entre 43 e 58 cm; a massa corporal varia de 1,050 a 1,650 kg (EMMONS; FEER, 1990). O pêlo é longo e grosso, de coloração marrom-acinzentada no dorso e clara no ventre. A cabeça é pequena e marrom-escura. A porção terminal da cauda é avermelhada.

O sauá é tímido e vive em grupos familiares de dois a cinco indivíduos. Sua vocalização de longo alcance é usada para manter o espaçamento entre os grupos. A alimentação baseia-se em frutos, insetos e folhas. Quase nunca descem ao solo. São considerados como ameaçados de extinção no Estado de São Paulo (SÃO PAULO, 1998) e, segundo a CITES (2007), poderão tornar-se ameaçados de extinção em conseqüência do tráfico.

Família Atelidae

Alouatta guariba clamitans Cabrera, 1940

bugio (pág. 325)

As espécies do gênero *Alouatta* são os primatas neotropicais com maior distribuição geográfica, indo do México à Argentina. *A. guariba clamitans* é endêmica para o bioma Mata Atlântica (EISENBERG; REDFORD, 1999). Pode ser encontrada em florestas primárias, secundárias e até mesmo em reduzidos fragmentos de matas.

Possuem porte médio, com cabeça e corpo variando de 44 a 57 cm e cauda com 51 a 61 cm. A média de peso dos indivíduos atendidos foi 5,18 kg para os machos e 3,56 kg para as fêmeas. Apresentam dimorfismo sexual: o macho adulto é castanho-avermelhado e a maioria das fêmeas adultas é marrom. O macho é maior que a fêmea e seu osso hióide, que funciona como uma caixa de ressonância para o "ronco" característico da espécie, também é maior.

Irriquieto e vivendo em pequenos grupos, o sagüi-de-tufo-preto (*Callithrix penicillata*) movimenta-se nas copas das árvores, alimentando-se de folhas, flores, frutas, ovos e pequenos animais.

Os grupos familiares são compostos de quatro fêmeas adultas, no máximo, e um número menor de machos adultos, além de indivíduos subadultos, jovens e infantes (CALEGARO-MARQUES; BICCA-MARQUES, 1993 *apud* BICCA-MARQUES *et al.*, 2006). Alimentam-se principalmente de folhas. Em São Paulo a espécie é comum, sendo facilmente observada no Parque Estadual da Cantareira, zona norte, e em três áreas particulares na zona sul. Foi a terceira espécie de mamíferos silvestres mais freqüente nos cadastros de atendimento. As causas de entrada revelam os conflitos da espécie nas zonas de expansão urbana, norte e sul, onde são registrados casos de ataques por cães domésticos, queimaduras em fios de alta tensão, abandono de filhotes e infanticídio.

A Divisão de Fauna desenvolve um amplo trabalho de translocação de bugios, em áreas previamente estudadas e selecionadas na zona sul do Município, onde a espécie já foi abundante e atualmente sua população está rarefeita. A espécie é considerada como ameaçada de extinção no Estado de São Paulo (SÃO PAULO, 1998) devido à destruição do hábitat e, segundo a CITES (2007), poderá tornar-se ameaçada de extinção por causa do tráfico.

Ordem Chiroptera

A Ordem Chiroptera reúne os morcegos - mamíferos voadores noturnos - muito especializados e diversificados. Este grupo apresentou a maior riqueza de espécies dentre os mamíferos, com 14 espécies identificadas. Sabe-se, entretanto, que este número está subestimado.

Família Phyllostomidae

Desmodus rotundus (E. Geoffroy, 1810)

morcego-hematófago (pág. 325)

A distribuição do morcego-hematófago, *Desmodus rotundus*, abrange o Norte do México, Chile, Argentina e Uruguai (HANDLEY, 1976 *apud* EISEMBERG; REDFORD, 1999). A espécie é encontrada numa grande diversidade de hábitats, chegando à altitude de 2.000 m (Chile). Porém, parece preferir florestas tropicais e subtropicais, e áreas abertas. Em São Paulo, foi capturada no Parque Anhanguera, zona oeste, limítrofe com a zona rural.

Os bugios (*Alouatta guariba clamitans*) vivem em grupos e se distinguem dos demais macacos pelo comportamento tranqüilo e por emitir um "ronco" peculiar, que pode ser ouvido a grandes distâncias.

Seu porte é médio, com 30 a 45 g de peso e comprimento total que varia de 69 a 90 mm (PERACCHI *et al.*, 2006). O dorso é marrom e o ventre possui coloração pálida.

Desmodus rotundus alimenta-se exclusivamente de sangue, e por esse motivo é um potencial transmissor da raiva. Utiliza preferencialmente sangue de cavalos, gado bovino e aves, sendo responsável por prejuízos para os criadores. Este fato resultou no uso indiscriminado de venenos para eliminar a espécie, o que acaba afetando outros morcegos e colocando em risco o equilíbrio ecológico (PERACCHI *et al.*, 2006).

Abriga-se em ocos de árvores e cavernas, formando colônias de 20 até 100 indivíduos (NOWAK, 1999). Freqüentemente divide o local de abrigo com outras espécies de morcegos. Em geral afasta-se de 5 a 8 km do abrigo para se alimentar.

Família Glossophaginae

Glossophaga soricina (Pallas, 1766)

morcego-beija-flor (pág. 326)

Esta espécie ocorre do México à Argentina. Está presente na Jamaica e na Ilha Três Marias, e na região Sudeste do Brasil. Ocupa uma grande variedade de habitats, como, por exemplo, cerrado, florestas semidecíduas e úmidas (HANDLEY, 1976 *apud* EISENBERG; REDFORD, 1999). Em São Paulo, foi capturada e solta nos Parques Ibirapuera e Tenente Siqueira Campos (Trianon).

É um morcego de pequeno porte, com comprimento total variando de 53,9 a 54,9 mm e peso de aproximadamente 10 g. Seu focinho é alongado e dotado de pequena folha nasal triangular. O dorso pode variar do marrom-escuro ao marrom vivo (PERACCHI *et al.*, 2006). O nome popular se deve à utilização da língua para a obtenção do alimento, baseado em néctar, frutos e insetos.

Família Sternodermatinae

Artibeus lituratus (Olfers, 1818)

morcego-das-listras-brancas-na-cabeça (pág. 326)

Esta espécie de morcego ocorre do México à Argentina (EISENBERG; REDFORD, 1999). Habita tanto florestas quanto áreas abertas. Em São Paulo, foi capturada em parques centrais, como o Ibirapuera e o Tenente Siqueira Campos (Trianon).

Artibeus lituratus é um morcego frugívoro, de grande porte, que pesa entre 65 e 68 g e com comprimento total entre 89 a 91 mm. O dorso e o ventre são marrom-claros, com listras faciais muito evidentes. Abriga-se em cavernas e sob as folhas de palmeiras, podendo formar colônias de 25 indivíduos.

Platyrrhinus lineatus (E. Geoffroy, 1810)

morcego-das-listras-brancas-na-cabeça-e-nas-costas (pág. 326)

Esta espécie é encontrada na Colômbia, Guiana Francesa, Suriname, Peru, Bolívia, Uruguai, Sul e Leste do Brasil até o Norte do Paraguai e Argentina (PERACCHI *et al.*, 2006). Em São Paulo, está presente em parques centrais da cidade, como o Ibirapuera e o Tenente Siqueira Campos (Trianon).

Possui pequeno porte, medindo 69,5 mm de cabeça e corpo e pesando 26,7 g (EISENBERG; REDFORD, 1999). A pelagem dorsal tem coloração marrom, que pode variar entre as tonalidades clara e escura, com uma faixa central esbranquiçada. O ventre é marrom-claro. Apresenta quatro faixas claras na face, duas entre os olhos e duas nas laterais.

Alimenta-se de flores, frutos e insetos. Foram observadas flores de falsa seringueira, *Ficus elastica,* nas fezes de um indivíduo capturado no Parque Tenente Siqueira Campos.

Normalmente encontrado em zonas rurais, o morcego-hematófago (*Desmodus rotundus*) alimenta-se exclusivamente de sangue, preferecialmente de cavalos, bois e aves.

Os morcegos frugívoros, como o morcego-de-ombro-amarelo (*Sturnira lilium*), desempenham um importante papel na natureza como dispersores de sementes.

Pygoderma bilabiatum (Wagner, 1843)

morcego-ipanema (pág. 326)

A espécie ocorre no Sudoeste do Brasil, Bolívia, Argentina e Paraguai (WEBSTER; OWEN, 1984, *apud* EISENBERG; REDFORD, 1999). Pode ser encontrada em florestas primárias e secundárias. O morcego-ipanema não é uma espécie comum. Em São Paulo, foi capturado no Parque da Luz, região central da cidade.

Possui porte pequeno, com 58,4 mm de comprimento total de corpo e 21 a 22 g de massa corporal (EISENBERG; REDFORD, 1999). A pelagem do dorso varia entre o marrom e o negro; o ventre é cinza. Apresenta uma mancha branca em cada ombro, junto à asa. Alimenta-se de frutos.

Sturnira lilium (E. Geoffroy, 1810)

morcego-de-ombro-amarelo (pág. 327)

O morcego-de-ombro-amarelo, *Sturnira lilium*, possui ampla distribuição, do México ao Norte da Argentina (EISENBERG; REDFORD, 1999). Em São Paulo, foi capturado no Parque Anhanguera, zona oeste. Ocorre preferencialmente em hábitats úmidos.

É um morcego frugívoro, com comprimento total que varia de 60,1 a 61,3 mm e com peso entre 18,4 e 20,4 g (EISENBERG; REDFORD, 1999). Esta espécie não possui cauda e a membrana interfemural é estreita e dotada de pêlos. As orelhas são pequenas, assim como a folha nasal. O dorso é marrom-escuro e o ventre claro. O macho pode ser diferenciado da fêmea por apresentar o ombro amarelo.

Família Molossidae

Molossops temminckii (Burmeister, 1854)

morcego-cara-de-cachorro (pág. 327)

Sua distribuição compreende as Guianas, Venezuela, Equador, Colômbia, Bolívia, Peru, Sul do Brasil, Paraguai, Norte da Argentina e Uruguai. Habita cerrados, caatingas e bordas de mata (PERACCHI *et al.,* 2006).

É um morcego insetívoro pequeno, com 5,5 g de peso (EISENBERG; REDFORD, 1999). O macho coletado mediu 61 mm de comprimento de corpo. Apresenta coloração marrom-escura. As bordas internas das orelhas são separadas. Voam no início da noite e abrigam-se em forros de casas e ocos de árvores. Foram capturados na Fazenda Castanheiras, no início da noite, saindo do forro de uma casa.

Molossus molossus (Pallas, 1766)

morcego-de-cauda-livre-aveludada (pág. 327)

Espécie comum de morcego insetívoro que apresenta ampla distribuição: Sul da América Central e América do Sul até o Norte da Argentina e Uruguai. É comumente encontra em forros de casas (PERACCHI *et al.,* 2006). Em São Paulo, um exemplar foi capturado na Fazenda Castanheiras (APA Bororé) no forro de uma casa, juntamente com *Molossops temminckii.*

O dorso é marrom-escuro e o ventre marrom-claro. As orelhas são curtas e arredondadas. Pode ser reconhecido pela cauda bem desenvolvida, cujo terço final é livre. O comprimento do corpo variou de 61 mm (fêmea) a 67,5 mm (macho) (exemplares coletados). O peso varia de 13 a 15 g (EISENBERG; REDFORD, 1999).

Assim como a maioria dos *Molossideos,* estes morcegos não repousam dependurados e sim em contato com o substrato (PERACCHI *et al.,* 2006).

Nyctinomops laticaudatus (E. Geoffroy, 1805)

morcego-de-cauda-livre (pág. 327)

O morcego-de-cauda-livre, *Nyctinomops laticaudatus,* apresenta ampla distribuição, ocorrendo do México ao Norte da Argentina (EISENBERG; REDFORD, 1999). Em São Paulo, foi capturado no Parque Tenente Siqueira Campos (Trianon).

A espécie é insetívora, com 14,5 g de peso, 67,8 mm de comprimento de corpo e cauda com 42,3 mm. O dorso tem coloração marrom-escura e os pêlos são brancos na base. O ventre é rosado. Possui orelhas largas e rugosas, unidas no centro da cabeça. Os lábios superiores são dotados de sulcos profundos, com as narinas voltadas para as laterais (GREGORIN; TADDEI, 2002 *apud* PERACCHI *et al.*, 2006).

Tadarida brasiliensis (I. Geoffroy, 1824)

morcego-de-cauda-livre (pág. 328)

Sua distribuição compreende o Leste da Califórnia, todo o México, Oeste da América do Sul, Argentina e Chile, e o Sul da costa Atlântica (WILKINS, 1989 *apud* PERACCHI *et al.*, 2006). Utiliza uma grande variedade de hábitats. Em São Paulo, foi capturado no Parque Ibirapuera.

O comprimento de cabeça e corpo varia de 60 a 63 mm e a cauda mede de 32 a 33 mm (EISENBERG; REDFORD, 1999). Apresenta pelagem com tonalidades entre o cinza e o marrom-escuro, orelhas grandes e arredondadas, focinho proeminente e sulcos verticais no lábio superior. Sua alimentação consiste exclusivamente de insetos capturados em vôo.

Este morcego insetívoro é um dos mais bem estudados por ser um potencial vetor para a raiva. Na América do Norte, esta espécie apresenta movimentos migratórios (EISENBERG; REDFORD, 1999). Abriga-se em cavernas, porém tolera construções humanas. Pode formar colônias de até 100 mil indivíduos (PERACCHI *et al.*, 2006).

Família Vespertilionidae

Histiotus velatus (I. Geoffroy, 1824)

morcego-de-orelhas-grandes (pág. 328)

Esta espécie é encontrada no Sudeste do Brasil, Uruguai, Paraguai e Norte da Argentina, sendo endêmica para a América do Sul (PERACCHI *et al.*, 2006). Ocupa uma variedade de hábitats, incluindo florestas e montanhas. Pode utilizar fendas e forros de edifícios como abrigos. Em São Paulo, foi capturada no bairro do Mandaqui, zona norte.

O comprimento de cabeça e corpo é 62,7 mm e a cauda mede 42,5 mm. A massa corporal é 13 g (EISENBERG; REDFORD, 1999). Possui coloração dorsal variando do cinza ao marrom, com a base dos pêlos cinza. O ventre é mais claro que o dorso. As orelhas são compridas e largas, maiores do que a cabeça, separadas na base. Alimenta-se exclusivamente de insetos capturados em vôo.

Lasiurus cinereus (Beauvois, 1796)

morcego-grisalho (pág. 328)

A distribuição do morcego-grisalho, *Lasiurus cinereus*, abrange o Sul do Canadá até o Sul da Argentina. Está associado às altas elevações da América do Sul, preferindo florestas úmidas (HANDLEY, 1976 *apud* EISENBERG; REDFORD, 2006). Em São Paulo, foi capturado no Parque Tenente Siqueira Campos (Trianon).

Este morcego insetívoro pode ser distinguido das outras espécies de *Lasiurus* pelo seu tamanho. O comprimento total é de 134 a 140 mm. Apresenta o corpo todo revestido de pêlos, inclusive a cauda. A pelagem dorsal varia de marrom-amarelada a marrom-avermelhada, com as pontas dos pêlos brancas, dando à espécie uma aparência prateada. A porção ventral é amarelo-clara (EISENBERG; REDFORD, 2006).

No Hemisfério Norte, esse morcego é migratório, hiberna e possui hábitos solitários (EISENBERG; REDFORD, 2006).

Lasiurus ega (Gervais, 1856)

morcego-de-rabo-cabeludo (pág. 328)

Lasiurus ega ocorre desde o Sul dos Estados Unidos até o Sul da Argentina e do Uruguai (EISENBERG; REDFORD, 2006). Em São Paulo, a espécie foi encontrada no Parque Tenente Siqueira Campos (Trianon).

Esta espécie de morcego possui cabeça e orelhas curtas, com focinho largo. O comprimento do corpo é de 118 mm. A coloração é cinza-clara no dorso e no ventre, e o peso é 12,3 g (EISENBERG; REDFORD, 2006).

Em geral, forma pequenas colônias ou abriga-se isolado nas folhas das árvores. A alimentação é composta de insetos aéreos, podendo também capturá-los nas folhas (NOWAK, 1999).

Myotis nigricans (Schinz, 1821)

pequeno-morcego-marrom (pág. 329)

O gênero *Myotis* apresenta a maior distribuição e diversidade dentro da família. A espécie em questão distribui-se desde as costas Leste e Oeste do México Central até o Norte da Argentina, incluindo Trinidad e Tobago e Granada (PERACCHI *et al.*, 2006). Em São Paulo, foi capturada no Parque Anhanguera, zona oeste, e na Fazenda Castanheiras (APA Bororé), zona sul. Ocupa uma grande variedade de hábitats, sendo encontrada próxima a habitações humanas.

Este pequeno morcego pesa entre 4 a 5 g e mede 43,3 mm (macho) e 41,2 mm (fêmea). A coloração dorsal varia geograficamente de marrom-clara a marrom-escura (EISENBERG; REDFORD, 1999). As orelhas são pequenas e estreitas, e a membrana interfemural é larga e envolve quase toda a cauda. Alimenta-se de insetos capturados durante o vôo.

Ordem Carnívora

Dentre os carnívoros estão reunidos os mamíferos com grande habilidade para encontrar, capturar e predar outros animais. O crânio, os músculos e os dentes são poderosos e desenvolvidos para perfurar, triturar e dilacerar suas presas com facilidade. Os dentes caninos normalmente são grandes, e os pré-molares são dotados de superfícies cortantes. Quatro famílias de carnívoros são encontradas em São Paulo.

Família Canidae

Cerdocyon thous (Linnaeus, 1766)

cachorro-do-mato (pág. 329)

Ocorre desde a Venezuela e Colômbia até o Sul do Uruguai e Paraguai. No Brasil, está ausente nas áreas baixas da Bacia Amazônica (CRESPO, 1984 *apud* EISENBERG; REDFORD, 1999; WILSON; REEDER, 1993 *apud* EISENBERG; REDFORD, 1999). Freqüenta áreas florestais, campos e áreas alteradas e habitadas pelo homem. Em São Paulo, foi registrada no Parque Anhanguera, zona oeste, e em outras cinco áreas na zona sul do Município.

O cachorro-do-mato mede 64 cm de comprimento de cabeça e corpo, e a cauda mede 31,2 cm. A média de peso dos animais atendidos foi 5,8 kg. A coloração dorsal é marrom acinzentada, e as orelhas, patas e a ponta da cauda são pretas.

São animais de hábitos noturnos, podendo ser observados aos pares. Sua dieta é onívora, generalista e oportunista, adaptando-se à oferta. Os itens alimentares incluem frutos, pequenos mamíferos, aves, répteis, anfíbios, peixes, insetos e carniça. Devido ao alto consumo de frutos, podem agir como dispersores de sementes (CHEIDA *et al.*, 2006).

A espécie, segundo a CITES (2007), poderá tornar-se ameaçada de extinção em conseqüência do tráfico.

Animal onívoro, o cachorro-do-mato (*Cerdocyon thous*), se alimenta de uma grande variedade de itens, como frutas, pequenos vertebrados e invertebrados.

Família Felidae

Leopardus tigrinus Schreber, 1775

gato-do-mato (pág. 329)

A distribuição desta espécie abrange desde o Sul da Costa Rica até a Argentina. No Brasil, ocupa todos os biomas: Amazônia, Caatinga, Cerrado, Pantanal, Mata Atlântica e Campos Sulinos (EMMONS; FEER, 1990; FONSECA *et al.*, 1996; SILVA *et al*, 2004; OLIVEIRA; CASSARO, 2005). Em São Paulo, a espécie foi encontrada no bairro do Tremembé, zona norte.

Esta é a menor espécie de gato-do-mato pintado do Brasil, com dimensões semelhantes às do gato doméstico. O comprimento de cabeça e corpo é 48,4 cm, a cauda tem 26,9 cm, o peso é 2,2 kg (EISENBERG; REDFORD, 2006). Apresenta olhos e orelhas grandes, cauda relativamente curta e focinho afilado. Do pescoço parte uma série de faixas que se estendem pelas costas. Nas laterais, as rosetas são pequenas, alongadas, abertas e com o miolo escuro. O ventre é esbranquiçado, com pintas escuras.

Possui hábitos solitários e predominantemente noturnos. Sobe em árvores com facilidade e também explora o solo. Alimenta-se de pequenos roedores e aves (CHEIDA *et al.*, 2006).

Consta da lista de espécies ameaçadas de extinção no Estado de São Paulo (SÃO PAULO, 1998), é considerada espécie vulnerável na Lista da Fauna Brasileira Ameaçada de Extinção (2003) e ameaçada de extinção devido ao tráfico, segundo a CITES (2007).

Puma concolor capricorniensis (Nelson; Goldman, 1929)

onça-parda, suçuarana (pág. 329)

A onça parda é o maior felino registrado atualmente em São Paulo e o segundo maior do Brasil. Foi encontrada em duas áreas da zona sul: Fazenda Capivari e Parque Estadual da Serra do Mar/Núcleo Curucutu. Trata-se do felino com maior distribuição no continente americano, ocorrendo do Norte do Canadá ao Sul da Argentina e Chile (Terra do Fogo). No Brasil, ocupa todos os tipos de biomas: Amazônia, Caatinga, Cerrado, Mata Atlântica, Pantanal e Campos Sulinos. Possui grande capacidade de adaptação aos diferentes ambientes e climas (CHEIDA *et al.*, 2006).

A onça-parda mede entre 86 cm a 154 cm de cabeça e corpo, e a cauda mede 63 a 96 cm. Seu peso varia de 29 a 120 kg, sendo os machos maiores do que as fêmeas (EMMONS; FEER, 1990). Possui coloração uniforme parda. Tem hábitos solitários, terrestres e noturnos. Alimenta-se principalmente de mamíferos de médio porte, como quatis, catetos, tatus e capivaras, e pode consumir também vertebrados de pequeno porte. Nas áreas rurais, aproxima-se de habitações humanas e alimenta-se de animais de criação. Essa proximidade faz com que seja alvo de perseguição e contribui para a redução de sua população.

A espécie é considerada vulnerável no Estado de São Paulo (SÃO PAULO, 1998) e na Lista da Fauna Brasileira Ameaçada de Extinção (MMA, 2003), segundo a CITES (2007), poderá tornar-se ameaçada devido ao tráfico.

Puma yagouaroundi (E. Geoffroy, 1803)

gato-mourisco (pág. 330)

A distribuição do gato-mourisco compreende o Sul do Texas e todo o continente sul-americano. A espécie é encontrada em diversos tipos de hábitats (EMMONS; FEER, 1990). Em São Paulo, um único indivíduo foi registrado, encontrado no Distrito de Marsilac, zona sul, onde foi atropelado.

O comprimento de cabeça e corpo varia de 50,5 a 64,5 cm. A cauda mede 33 a 60,9 cm. O peso varia de 4,5 a 9 kg (EMMONS; FEER, 1990). O gato-mourisco distingue-se facilmente por seu porte pequeno, formato alongado do corpo e por não ser dotado de pintas. A cauda é longa, as orelhas são pequenas e as pernas são relativamente curtas. A coloração varia entre pardo-avermelhada, acinzentada e anegrada.

O gambá-de-orelha-preta (*Didelphis aurita*) habita áreas verdes e arborizadas, sendo muito freqüente também na cidade. Os filhotes, como os da foto ao lado, possuem orelhas brancas.

É uma espécie essencialmente diurna e terrestre. Consome pequenos vertebrados, tais como aves, mamíferos, peixes e répteis. É considerada provavelmente ameaçada de extinção no Estado de São Paulo (SÃO PAULO, 1998), e poderá tornar-se ameaçada, segundo a CITES (2007), devido ao tráfico.

Família Mustelidae

Eira barbara (Linnaeus, 1758)

irara (pág. 330)

A irara possui ampla distribuição, ocorrendo desde o Sul do México até o Norte da Argentina. Ocupa diversos biomas no Brasil: Amazônia, Caatinga, Cerrado, Pantanal e Mata Atlântica. Prefere áreas com vegetação densa (CHEIDA et al., 2006). Em São Paulo, foi registrada no Distrito de Parelheiros, zona sul.

Este mustelídeo é inconfundível devido á sua coloração bicolor, com corpo marrom-escuro e cabeça e pescoço marrom-claros. O corpo é alongado, as pernas são curtas e as patas são dotadas de longas garras. O tamanho de cabeça e corpo varia de 55,9 a 71,2 cm, a cauda mede de 36,5 a 46 cm e o peso varia de 2,7 a 7 kg (EMMONS; FEER, 1990).

Tem hábitos solitários e pode ser diurno ou noturno. Alimenta-se de frutos, mel e vertebrados. É bastante ágil, escala árvores rapidamente e nada muito bem.

Galictis cuja (Molina, 1782)

furão (pág. 330)

A espécie distribui-se no Sul do Peru, Paraguai, Sudeste do Brasil, Chile Central e em toda a Argentina (FONSECA et al., 1996; NOWAK, 1999). Foi um dos carnívoros mais observados, com 21 indivíduos de G. cuja registrados, oriundos de diferentes regiões da Cidade.

As medidas de cabeça e corpo variam de 40 a 45 cm, a cauda mede de 15 a 19 cm e o peso varia de 1 a 3 kg (CHEIDA et al., 2006). O furão

apresenta corpo alongado e membros curtos. Os pêlos do dorso têm coloração acinzentada. O negro da face, das laterais e do ventre é nitidamente destacado da coloração dorsal. Na cabeça, uma faixa branca estende-se nas laterais e desce em direção aos ombros.

O formato do corpo lhes confere agilidade para correr pelo solo. Procura abrigo em tocas e na vegetação baixa e densa. É encontrado em hábitats associados à água. Tem hábitos noturnos e crepusculares, sendo avistado aos pares e em pequenos grupos. Alimenta-se de pequenos vertebrados, mamíferos, aves e répteis.

Lontra longicaudis (Olfers, 1818)

lontra (pág. 330)

A terceira espécie de mustelídeo registrada para a cidade é a lontra, L. longicaudis, sendo bem mais rara do que as duas anteriormente descritas. Sua distribuição compreende o Sul do México, Uruguai e os maiores rios do Paraguai e Argentina. Ocorre em praticamente todas as regiões do Brasil, com exceção do Nordeste, (EISENBERG; REDFORD, 1999). Em São Paulo, foi registrada na Fazenda Capivari, zona sul, ao longo do rio Capivari.

A lontra tem o dorso marrom-lustroso e o pescoço de coloração mais clara. As patas são dotadas de membranas interdigitais e a cauda é musculosa e achatada, funcionando como um leme na água. O comprimento de cabeça e corpo varia de 53,2 a 80,9 cm, a cauda mede de 36 a 50 cm e o peso varia de 5 a 14,75 kg (EMMONS; FEER, 1990).

É encontrada em hábitats com vegetação ripária, ao longo de rios e lagos permanentes. Abriga-se em tocas, cavadas pela própria espécie, na barranca de rios. É semi-aquática, solitária, noturna e diurna. Delimita seu território com deposição de fezes em rochas ao longo dos cursos d´água. Alimenta-se de peixes, moluscos e crustáceos (PARDINI, 1998; EISENBERG; REDFORD, 1999). No passado, a caça motivada pelo valor de sua pele foi a principal responsável pela redução de sua população. Ainda hoje as lontras são perseguidas por consumirem peixes em lagoas de criação. Atualmente, a destrui-

Facilmente identificado tanto pela máscara preta que desce dos olhos à mandíbula, quanto pela cauda longa com anéis escuros, o mão-pelada (*Procyon cancrivous*) habita florestas sempre próximo à água.

Espécie bem adaptada à vida semi-aquática, a lontra (*Lontra longicaudis*) locomove-se de forma graciosa dentro d'água.

ção da vegetação ripária e a poluição dos rios são as principais ameaças para a espécie. Está ameaçada de extinção no Estado de São Paulo (SÃO PAULO, 1998) e também na lista da CITES (2007) devido ao tráfico.

Família Procyonidae

Nasua nasua (Linnaeus, 1766)

quati (pág. 331)

O quati apresenta ampla distribuição por toda a América do Sul, sendo exclusivo nesse continente. Ocorre em todos os biomas do Brasil: Amazônia, Caatinga, Cerrado, Pantanal, Mata Atlântica e Campos Sulinos (EMMONS; FEER, 1990; SILVA *et al.*, 2004 *apud* CHEIDA *et al.*, 2006). Em São Paulo, foi registrado em três áreas: Parque Anhanguera, na zona oeste, e nas Fazendas Capivari e Castanheiras (APA Bororé), ambas na zona sul. Foi a espécie de carnívoro mais freqüente na cidade, com 26 indivíduos oriundos de diferentes locais do Município.

O comprimento de cabeça e corpo é de 55 cm, a cauda mede 46,4 cm e o peso varia de 3,2 a 4,9 kg (EISENBERG; REDFORD, 1999). A coloração dorsal pode alternar-se entre o marrom-escuro e o cinza, e o pêlo é grosso. A cabeça e o focinho são afilados, e este último apresenta grande mobilidade. As orelhas são pequenas e arredondadas. A cauda é longa, com pêlos marrons e anéis mais claros, estando sempre erguida.

Esta espécie é diurna, explora o solo e também escala árvores com grande facilidade. Alimenta-se de uma grande variedade de itens: frutos, invertebrados e pequenos vertebrados. Pode formar bandos de até 30 indivíduos. Os machos adultos integram o bando somente na época da reprodução. São freqüentemente relatados em levantamentos de fauna (CHEIDA *et al.*, 2006).

Procyon cancrivorus (F. Cuvier, 1798)

mão-pelada (pág. 331)

A distribuição do mão-pelada, *P. cancrivorus*, estende-se do Sul da Costa Rica até o Paraguai, Uruguai e Norte da Argentina. No Brasil, ocorre em todos os biomas: Amazônia, Caatinga, Cerrado, Pantanal, Mata Atlântica e Campos Sulinos (EMMONS; FEER, 1990; SILVA *et al.*, 2004 *apud* CHEIDA *et al.*, 2006). Está sempre associado aos ambientes com corpos d'água . Dentre as áreas estudadas, foi registrado apenas na Fazenda Capivari. Até dezembro de 2005, deram entrada na Divisão de Fauna quatro mãos-pelada.

O mão-pelada mede de 54,3 a 65 cm de cabeça e corpo, a cauda mede de 25,2 a 38 cm e o peso varia de 3,1 a 7,7 kg (EMMONS; FEER, 1990). A coloração do corpo alterna entre a marrom-escura e cinza. A espécie é facilmente reconhecida por apresentar uma máscara escura nos olhos, por sua longa cauda com anéis escuros e pelo fato de as pernas traseiras serem maiores que as dianteiras. Suas mãos habilidosas são nuas e deixam pegadas características no solo.

Alimenta-se de animais aquáticos (peixes, crustáceos e moluscos) e frutos. São animais solitários e noturnos. Sua presença é mais notada através de suas pegadas do que por visualização. A espécie consta da lista de animais provavelmente ameaçados no Estado de São Paulo (SÃO PAULO, 1998).

Ordem Artiodactyla

A característica agregadora dos artiodactilos é o fato de sustentarem o corpo sobre o terceiro e o quarto dedos das patas. Os artiodáctilos neotropicais são representados por duas famílias: Tayassuidae – porcos-do-mato – e Cervidae – cervos e veados. Somente a última família está representada no Município, com uma única espécie de veado.

Durante o dia, o quati (*Nasua nasua*) explora o chão e escala as árvores à procura de alimento, introduzindo o focinho, comprido e flexível, em buracos e sob a casca de árvores.

Família Cervidae

Mazama gouazoubira (Fischer, 1814)

veado-catingueiro (pág. 331)

O veado-catingueiro ocorre desde a América Central e Sul do Panamá até o Norte da Argentina. No Brasil, é encontrado em todos os biomas: Amazônia, Caatinga, Cerrado, Pantanal, Mata Atlântica e Campos Sulinos. Até o momento, esta foi a única espécie do gênero *Mazama* registrada pela Divisão de Fauna no Município de São Paulo.

Este cervídeo de pequeno porte pesa de 17 a 23 kg e mede 103 cm de comprimento de cabeça e corpo, com cauda de 11 cm (ROSSI, 2000).

A espécie tem hábitos diurnos, é observada sozinha ou aos pares, estes normalmente sendo a fêmea com seu filhote.

Durante o levantamento foi observada em nove áreas: Parque Anhanguera, zona oeste; Parque do Carmo, zona leste; Núcleo Curucutu do Parque Estadual da Serra do Mar; Condomínio Vargem Grande; Fazenda Capivari/SABESP; Clube de Campo São Paulo; Fazenda Castanheiras (APA Bororé); Sítio Margarida e Fazenda Tizo, estas últimas localizadas na zona sul. No Parque Anhanguera, que possui grande extensão de eucaliptos, é freqüentemente visualizada forrageando no sub-bosque e atravessando as diversas trilhas que cortam o parque. É uma espécie relativamente comum, sendo que o número total de indivíduos oriundos do Município foi 58. As principais ocorrências registradas contra a espécie foram ataques por cães domésticos, atropelamentos em rodovias, queimadas nas áreas de ocorrência e caça.

Quando filhote, o veado-catingueiro (*Mazama gouazoubira*) apresenta sobre a pelagem manchas brancas características, distribuídas pelos flancos.

Ordem Perissodactyla - Antas

Família Tapiridae

Nesta família de grandes mamíferos, as patas dianteiras são dotadas de quatro dedos e as traseiras de três. O peso do corpo apóia-se sobre o terceiro dedo, que é maior e central. Das três espécies do gênero *Tapirus* existentes, apenas *T. terrestris* ocorre no Brasil.

Tapirus terrestris (Linnaeus, 1758)

anta (pág. 331)

A ocorrência da anta, *Tapirus terrestris*, abrange desde o Sul da Venezuela até o Norte da Argentina (EMMONS; FEER, 1990; SEKIAMA, *et al.*, 2006). É encontrada em florestas úmidas, matas de galeria, florestas semidecíduas e matas secundárias. No Município, foi registrada em duas áreas localizadas na zona sul: o Núcleo Curucutu no Parque Estadual da Serra do Mar e na Fazenda Capivari (APA Capivari-Monos).

Trata-se do maior mamífero terrestre brasileiro, com 221 cm de comprimento de corpo para a fêmea e 204 cm para o macho, e peso variando de 227 a 250 kg. O corpo é robusto e o formato da cabeça é convexo. O lábio superior é alongado e forma uma pequena tromba. A coloração é marrom-escura uniforme. Possui uma crista de cor preta estreita que se estende do focinho até as costas (EMMONS; FEER, 1990; SEKIAMA *et al.*, 2006).

Devido a seus hábitos crepusculares, sua presença é constatada mais por meio de pegadas do que por visualização. Utiliza o mesmo local para defecar e suas fezes se acumulam em montes característicos, as "latrinas". A dieta é composta por uma variedade de folhas e frutos. No Núcleo Curucutu, as sementes de araçá (*Psidium* sp.) são freqüentes em suas fezes. A ingestão de grande quantidade de sementes faz da anta uma ótima dispersora, através das fezes, e um importante agente para regeneração e manutenção de florestas. Apesar de freqüente no extremo Sul do Município, sua ocorrência pode ser considerada rara para os outros locais, sendo indicativa de preservação ambiental.

A espécie encontra-se em perigo de extinção no Estado de São Paulo (SÃO PAULO, 1998) e, segundo a CITES (2007), poderá tornar-se ameaçada. As principais pressões são caça, desmatamento e fragmentação de habitats.

Ordem Rodentia

Os roedores são caracterizados por sua dentição: um único par de longos incisivos, que crescem continuamente nas maxilas, ausência de dentes caninos e três a cinco molares, de cada lado, separados dos incisivos por uma diastema.

Família Sciuridae

Sciurus ingrami Thomas, 1901

caxinguelê (pág. 332)

O caxinguelê é um roedor muito gracioso com parentesco próximo aos esquilos do Hemisfério Norte. Esta espécie ocorre do Sudeste da Bahia até o Rio Grande do Sul (EISENBERG; REDFORD, 1999). É encontrada em florestas úmidas, semidecíduas e matas secundárias. Possui ocorrência natural em nove áreas estudadas no Município, e no Parque CEMUCAM (Cotia), todas elas com remanescentes de mata e localizadas no perímetro rural da cidade. Nestas áreas, é o mamífero mais facilmente observado, escalando os troncos e galhos das árvores com grande agilidade.

As médias das medidas são: corpo e cabeça 202 mm, cauda 180 mm e peso 300 g. Possui coloração marrom-clara no dorso, com o ventre mais claro e uma longa cauda peluda (EISENBERG; REDFORD, 1999).

É um animal solitário e diurno. Quando flagrado, fica imóvel por um tempo fugindo em seguida. Alimenta-se de frutos e sementes. Os coquinhos das palmeiras são muito apreciados. Alguns indivíduos foram observados apanhando pinhões, sementes da *Araucaria angustifolia*, caídos no solo. Apresenta comportamento territorialista, respondendo prontamente à reprodução de sua vocalização com gravador "play back". Não consta das listas de ameaçados de extinção; contudo, a fragmentação e o isolamento dos remanescentes de matas fazem com que a espécie desapareça das áreas verdes mais centrais.

Família Cricetidae

Gênero *Akodon* Meyen, 1833

rato-silvestre (pág. 332)

No Brasil, são reconhecidas dez espécies do gênero *Akodon* e a distinção entre elas exige análises citogenéticas. Habita florestas e áreas abertas adjacentes, campos de altitude ao longo de toda a Mata Atlântica e áreas florestais da Caatinga e Cerrado (OLIVEIRA; BONVICINO, 2006). Em São Paulo, é o gênero de roedor mais abundante na Fazenda Castanheiras (APA Bororé).

Os membros do gênero *Akodon* capturados na Fazenda Castanheiras apresentaram as seguintes medidas médias: 98,4 mm (72-120,6 mm) de comprimento do corpo, 81,6 (62-100 mm) de cauda e 28,7 g (15-40 g) de peso. O corpo é robusto, a cauda é mais curta que o comprimento do corpo, e a pelagem, cheia e macia, varia de marrom-escura a cinza. O ventre pode ser de branco a cinza-escuro. A fêmea possui oito pares de mamas.

As espécies do gênero têm hábitos terrestres e são insetívoras-onívoras, alimentando-se de artrópodes e sementes (GRAIPEL *et al.*, 2003; SOUZA *et al.*, 2004 *apud* OLIVEIRA; BONVICINO, 2006).

Oligoryzomys nigripes (Olfers, 1818)

rato-silvestre (pág. 332)

Nove espécies do gênero *Oligoryzomys* são reconhecidas para o Brasil. *O. nigripes* ocorre de Pernambuco ao Rio Grande do Sul. São encontradas em hábitats diversos, incluindo matas úmidas, florestas semidecíduas e campos de altitude. Preferem áreas com vegetação densa, sendo numerosas em matas secundárias, jardins, plantações de arroz e outros campos de cultivo (OLIVEIRA; BONVICINO, 2006). O gênero foi o segundo mais coletado na Fazenda Castanheiras (APA Bororé).

Espécie arborícola e solitária, o caxinguelê (*Sciurus ingrami*) locomove-se com agilidade pelos troncos das árvores, sendo capaz de dar grandes saltos entre elas. Manipula habilmente os frutos e sementes com as patas dianteiras.

As médias das medidas dos indivíduos do gênero *Oligoryzomys* coletados foram as seguintes: comprimento do corpo 100,8 mm (52,2-221,2 mm), cauda 115,8 mm (85,6-130,1 mm) e peso 22,3 g (20-30 g). O gênero caracteriza-se por apresentar pelagem macia, corpo reduzido, cauda maior do que o comprimento do corpo e patas posteriores pequenas com seis almofadas plantares.

São noturnos, solitários e terrestres, podendo, contudo, ser bons escaladores. Fazem ninhos a 1,5 m acima do solo, em ocos de árvores e utilizam ninhos de aves abandonados (MELLO, 1997 *apud* OLIVEIRA; BONVICINO, 2006).

Oryzomys ratticeps (Hensel, 1873)
rato-silvestre (pág. 332)

A espécie *O. ratticeps* ocorre no Sudeste do Brasil e Leste do Paraguai. Habita ambientes florestados e abertos da Amazônia, Mata Atlântica, Caatinga, Cerrado e Pantanal (EISENBERG; REDFORD, 1999). Na Região Metropolitana de São Paulo, foi registrada para o Parque CEMUCAM (Cotia).

Sua cauda é maior do que o comprimento do corpo e as patas são grandes e estreitas. As medidas médias são: 185 mm de comprimento de corpo e cabeça, 209 mm de cauda e 144 g de peso (EISENBERG; REDFORD, 1999). O dorso é marrom-alaranjado, com o ventre de cor creme nitidamente delimitado. A cabeça é cinza e as patas são brancas.

Tem hábitos terrestres e noturnos e sua alimentação é frugívora-granívora, podendo incluir artrópodes. MUSSER *et al.* (1998) consideram *O. ratticeps* como *O. angouya* Fisher, 1814.

Gênero *Oxymycterus* Waterhouse, 1837
rato-silvestre (pág. 333)

São treze as espécies descritas para o gênero *Oxymycterus* no Brasil (OLIVEIRA; BONVICINO, 2006). Duas foram registradas na Região Metropolitana de São Paulo, pelo Dr. Luiz Eloi, no Parque CEMUCAM

(Cotia): *O. quaetor* Thomas, 1903 e o *O. rufus* (Fisher, 1814). Segundo OLIVEIRA; BONVICINO (2006), o *O. quaetor* está descrito, com certeza, apenas para o Estado do Paraná. O *O. rufus*, segundo Gonçalves e Oliveira (2004), ocorre no Brasil e na Argentina e foi descrito para poucas localidades ao Sudeste do Estado de Minas Gerais.

As espécies do gênero apresentam a cauda menor que o comprimento do corpo. As medidas são 109 a 190 mm de comprimento de corpo e 73 a 137 mm de cauda. O pêlo é longo e macio, com coloração de cinza-escura a castanho-avermelhada no dorso e nas laterais, e ventre mais claro. As garras são bem desenvolvidas e o focinho é longo (OLIVEIRA; BONVICINO, 2006).

Têm hábitos terrestres e semifossoriais, e sua dieta é insetívora. Habitam florestas, bordas de mata e áreas abertas (OLIVEIRA; BONVICINO, 2006).

Família Erethizontidae
Sphigurus villosus (F. Cuvier, 1823)
ouriço-cacheiro (pág. 333)

Esta espécie de ouriço-cacheiro ocorre desde o Rio de Janeiro até o Rio Grande do Sul, incluindo Minas Gerais (OLIVEIRA; BONVICINO, 2006). É comum para o Município, com registros para as zonas leste, norte, oeste e sul em áreas com diferentes graus de conservação. Foi registrada em três Parques Municipais: Anhanguera (zona oeste), Carmo e Piqueri (zona leste), este último com área reduzida e vegetação implantada.

O comprimento de cabeça e corpo é de 300 a 538 mm e o da cauda de 200 a 378 mm (EMMONS; FEER, 1990). Os indivíduos atendidos tinham, em média, 405 mm de comprimento de cabeça e corpo, 247 mm de cauda e pesaram 1,383 kg. O dorso é recoberto por dois tipos de pêlos, sendo um em forma de longos espinhos cilíndricos, amarelos e com extremidades alaranjadas e o outro um sobrepêlo fino, mais longo que o primeiro. A cauda é preênsil, com pêlos na extremidade proximal e nua na porção final.

Alimenta-se de frutos, raízes, vegetais cultivados e insetos. É arborícola e noturno.

Família Caviidae

Cavia fulgida, Wagler, 1831

preá (pág. 333)

O preá, *C. fulgida*, ocorre nas regiões costeiras do Sudeste do Brasil (XIMÉNEZ, 1980 *apud* EISENBERG; REDFORD, 1999). Habita áreas abertas com gramíneas e tolera áreas alteradas e degradadas pela atividade humana. A espécie foi registrada em seis áreas municipais: Parque Anhanguera (zona oeste), Parque Burle Marx (zona sul), Parque Cidade de Toronto (zona oeste), Núcleo Curucutu (zona sul), Estrada da Vargem Grande e Clube de Campo São Paulo. No Parque Cidade de Toronto é facilmente visualizada nos gramados, abrigando-se sob as touceiras do capim-dos-pampas, *Cortaderia selloaena*, ao redor do lago. Foi registrada também na margem do Tietê antes das obras de aprofundamento da calha do rio.

O comprimento total do corpo é 265 mm e a massa corporal de 550 a 760 g (EISENBERG; REDFORD, 1999; OLIVEIRA; BONVICINO, 2006). O corpo é robusto e a cauda reduzida. A coloração do dorso é castanho-escura e homogênea.

Tem hábito terrestre e atividade crepuscular, e alimenta-se de gramíneas.

Hydrochoerus hydrochaeris (Linnaeus, 1766)

capivara (pág. 334)

A capivara distribui-se do Sul do Panamá ao Norte da Argentina (EISENBERG; REDFORD, 1999). Ocorre nos mais variados tipos de ambientes, próximos a rios e banhados, desde matas ciliares até campos inundáveis. A espécie foi registrada em todas as zonas e regiões de São Paulo, com 44 indivíduos atendidos.

O maior roedor do mundo, *H. hydrochaeris*, pode chegar a 70 kg. Em São Paulo, tem em média 112,4 cm de corpo e o peso médio foi 37, 3 kg (indivíduos atendidos na Divisão de Fauna). A capivara tem pêlos longos e grossos, de cor castanho-avermelhada no dorso e castanho-amarelada no ventre. Tem quatro dígitos nas patas dianteiras e três nas traseiras, com membranas interdigitais. A cabeça é grande, e as orelhas são curtas e arredondadas. Os membros são curtos e a cauda vestigial. O macho pode ser distinguido por uma glândula sebácea localizada sobre o focinho.

É tolerante à degradação ambiental e consegue estabelecer populações em rios extremamente poluídos, como os trechos que ladeiam as marginais dos rios Tietê (antes das obras de aprofundamento da calha do rio) e Pinheiros, em São Paulo.

Possui hábitos semi-aquáticos e é excelente mergulhadora, atirando-se na água quando ameaçada. Alimenta-se de uma grande variedade de plantas aquáticas e gramíneas, e aprecia as gramíneas da espécie *Echinocola polystachya* (SOINI; SOINI, 1992 *apud* EISENBERG; REDFORD, 1999). É mais ativa de manhã, no final da tarde e à noite. Pode formar grupos de tamanhos variados. Em São Paulo, na margem do rio Tietê, foram observados grupos com até 16 indivíduos.

Família Cuniculidae

Cuniculus paca (Linnaeus, 1758)

paca (pág. 334)

A paca ocorre do México ao Norte da Argentina. A espécie está restrita aos ambientes florestados, que podem ser mangues, florestas semidecíduas, florestas ripárias e cerrados. Nas florestas de galeria, é freqüentemente encontrada junto a rios e lagos (OLIVEIRA; BONVICINO, 2006). No Município de São Paulo, foram registrados apenas dois indivíduos, originários das zonas norte e sul.

Este grande roedor pode pesar até nove quilos. O comprimento do corpo varia de 65 a 73,9 cm (VOSS *et al.*, 2001 *apud* OLIVEIRA; BONVICINO, 2006). O corpo é robusto, as pernas são curtas e a cauda é muito reduzida. A coloração do dorso varia de castanho-avermelhada a marrom-escura. Possui um padrão característico de manchas brancas arredondadas, que se estendem do pescoço até próximo à cauda.

São estritamente terrestres e solitárias, permanecendo durante o dia em tocas cavadas pela própria espécie ou por tatus. Nadam bem e atiram-se na água quando ameaçadas. Alimentam-se de frutos, brotos e caules, sendo potenciais dispersoras de sementes (OLIVEIRA; BONVICINO, 2006). Sua carne é muito apreciada por caçadores. A espécie consta da lista de animais ameaçados de extinção no Estado de São Paulo, na categoria vulnerável (SÃO PAULO, 1998).

Família Myocastoridae

Myocastor coypus (Molina, 1782)

ratão-do-banhado (pág. 334)

Originalmente, a distribuição deste grande roedor era restrita à região Sul da América do Sul, Chile, Argentina e Sul do Brasil. Como resultado de fugas e solturas de animais de criação, há registros da espécie nos Estados Unidos e na Europa (MARINHO-FILHO, 1992). No Município de São Paulo, a espécie é considerada introduzida, com registros para todas as zonas e também para os Parques Anhanguera, Burle Marx e Guarapiranga, além das áreas da Cratera da Colônia e do Clube de Campo São Paulo.

O comprimento médio do corpo é 60 cm, da cauda 45 cm e o peso varia de 1 a 1,08 kg (MOOJEN, 1952 *apud* OLIVEIRA; BONVICINO, 2006). A pelagem densa e macia é marrom-acinzentada com alguns pêlos escuros esparsos. O ventre é claro. Nas patas traseiras, possui membranas interdigitais bem desenvolvidas.

Vive em rios, lagos e banhados. Tem atividade noturna e desloca-se preferencialmente pela água. Alimenta-se de gramíneas, raízes, plantas aquáticas e também de moluscos. Forma grupos familiares (OLIVEIRA; BONVICINO, 2006).

Ordem Lagomorpha

A dentição dos lagomorfos é semelhante à dos roedores, com grandes incisivos de crescimento contínuo. O diferencial é a presença de um par adicional de diminutos incisivos que nascem atrás do primeiro par.

Família Leporidae

Sylvilagus brasiliensis (Linnaeus, 1758)

tapiti (pág. 334)

A espécie distribui-se do Sul do México ao Norte da Argentina. Habita desde matas até campos. É um animal típico de zonas de transição entre a mata e sua borda ou mesmo ambientes mais abertos. No Município, foi registrada para o Parque Anhanguera e, em Cotia, no Parque CEMUCAM.

É um coelho relativamente pequeno, com 20 a 40 cm de comprimento de cabeça e corpo, cauda reduzida e peso de 1,4 kg. Os olhos são grandes e escuros. As orelhas são próximas na base. O pêlo é relativamente curto e denso, com coloração dorsal marrom-acinzentada e ventre mais claro (OLIVEIRA; BONVICINO, 2006).

Tem hábitos solitários, crepusculares e noturnos. Alimenta-se de brotos e talos. É freqüentemente observado à beira de trilhas, durante a noite.

RESUMO MAMÍFEROS			
Ordem	Número de Famílias	Número de Gêneros	Número de Espécies
Didelphimorphia	1	8	11
Pilosa	1	1	1
Cingulata	1	2	2
Primates	3	4	5
Chiroptera	3	13	14
Carnívora	4	8	9
Artiodactyla	1	1	1
Perissodactyla	1	1	1
Rodentia	6	10	10
Lagomorpha	1	1	1
10 Ordens	22 famílias	49 gêneros	55 espécies

Diversidade de mamíferos no Município de São Paulo (SÃO PAULO, 2006).				
Ordem	Família	Gênero e Espécie	Nome Popular	Status/Endemismo
Didelphimorphia	Didelphidae	*Gracilinanus*		
		Gracilinanus microtarsus	cuíca	Anexo II (SP) Endêmica
		Marmosops		
		Marmosops paulensis	cuíca	Anexo II (SP) Endêmica
		Micoureus		
		Micoureus demerarae	cuíca	
		Monodelphis		
		Monodelphis americana	catita	Endêmica
		Monodelphis iheringi	catita	Endêmica Anexo II (SP)
		Monodelphis sorex	catita	Endêmica Anexo II (SP)
		Caluromys		
		Caluromys philander	cuíca	
		Didelphis		
		Didelphis albiventris	gambá-de-orelha-branca	
		Didelphis aurita	gambá-de-orelha-preta	
		Philander		
		Philander frenatus	cuíca-de-quatro-olhos	
		Lutreolina		
		Lutreolina crassicaudata	cuíca-de-cauda-grossa	
Pilosa	Bradypodidae	*Bradypus*		
		Bradypus variegatus	preguiça-de-três-dedos	LC (IUCN) Apêndice II (CITES)
Cingulata	Dasypodidae	*Euphractus*		
		Euphractus sexcinctus	tatu-peba	
		Dasypus		
		Dasypus novemcinctus	tatu-galinha	
Primates	Cebidae	*Callithrix*		
		Callithrix jacchus	sagüi-de-tufo-branco	Apêndice II (CITES) Nativa introduzida
		Callithrix penicillata	sagüi-de-tufo-preto	Anexo I-VU (SP) Apêndice II (CITES) Nativa introduzida
		Cebus		
		Cebus nigritus	macaco-prego	Apêndice II (CITES)

Diversidade de mamíferos no Município de São Paulo (SÃO PAULO, 2006).				
Ordem	Família	Gênero e Espécie	Nome Popular	Status/Endemismo
	Aotidae	*Callicebus*		
		Callicebus nigrifrons	macaco-sahuí-guaçu	Anexo I-VU (SP) Apêndice II (CITES) Endêmica
	Atelidae	*Alouatta*		
		Alouatta guariba clamitans	bugio	Anexo I-VU (SP) Apêndice II (CITES) Endêmica
	Phyllostomidae			
Chiroptera	*Desmodontinae*			
		Desmodus		
		Desmodus rotundus	morcego-hematófago	
	Glossophaginae			
		Glossophaga		
		Glossophaga soricina	morcego-beija-flor	
	Stenodermatinae			
		Artibeus		
		Artibeus lituratus	morcego-das-listras-brancas-na-cabeça	
		Platyrrhinus		
		Platyrrhinus lineatus	morcego-das-listras-brancas-na-cabeça-e-nas-costas	
		Pygoderma		
		Pygoderma bilabiatum	morcego-ipanema	
		Sturnira		
		Sturnira lilium	morcego-do-ombro-amarelo	
	Molossidae			
		Molossops		
		Molossops temminckii	morcego-cara-de-cachorro	
		Molossus		
		Molossus molossus	morcego-de-cauda-livre-aveludada	
		Nyctinomops		
		Nyctinomops laticaudatus	morcego-de-cauda-livre	
		Tadarida		
		Tadarida brasiliensis	morcego-de-cauda-livre	
	Vespertilionidae	*Histiotus*		
		Histiotus velatus	morcego-de-orelhas-grandes	Endêmica
		Lasiurus		
		Lasiurus cinereus	morcego-grisalho	
		Lasiurus ega	morcego-de-rabo-cabeludo	

Ordem	Família	Gênero e Espécie	Nome Popular	Status/Endemismo
		Myotis		
		Myotis nigricans	pequeno-morcego-marrom	
Carnívora	Canidae	*Cerdocyon*		
		Cerdocyon thous	cachorro-do-mato	Apêndice II (CITES)
	Felidae	*Leopardus*		
		Leopardus tigrinus	gato-do-mato	Vulnerável (BR) Anexo I-VU (SP) Apêndice I (CITES)
		Puma		
		Puma concolor capricorniensis	onça-parda	Vulnerável (BR) Anexo I-VU (SP) Apêndice II (CITES)
		Puma yagouaroundi	gato-mourisco	Anexo II (SP) Apêndice II (CITES)
	Mustelidae	*Eira*		
		Eira barbara	irara	
		Galictis		
		Galictis cuja	furão	
		Lontra		
		Lontra longicaudis	lontra	Anexo I-VU (SP) Apêndice I (CITES)
	Procyonidae	*Nasua*		
		Nasua nasua	quati	
		Procyon		
		Procyon cancrivorus	mão-pelada	Anexo II (SP)
Artiodactyla	Cervidae	*Mazama*		
		Mazama gouazoubira	veado-catingueiro	
Perissodactyla	Tapiridae	*Tapirus*		
		Tapirus terrestris	anta	Anexo I-EP (SP) Apêndice II (CITES)
Rodentia	Sciuridae	*Sciurus*		
		Sciurus ingrami	caxinguelê	
	Cricetidae	*Akodon*		
		Akodon sp	rato-silvestre	
		Oligoryzomys		
		Oligoryzomys nigripes	rato-silvestre	

Diversidade de mamíferos no Município de São Paulo (SÃO PAULO, 2006).

Diversidade de mamíferos no Município de São Paulo (SÃO PAULO, 2006).				
Ordem	Família	Gênero e Espécie	Nome Popular	Status/Endemismo
		Oryzomys		
		Oryzomys ratticeps	rato-silvestre	
		Oxymycterus		
		Oxymycterus quaestor	rato-silvestre	
		Oxymycterus rufus	rato-silvestre	
	Erethizontidae	*Sphigurus*		
		Sphigurus villosus	ouriço-cacheiro	
	Caviidae	*Cavia*		
		Cavia fulgida	preá	
		Hydrochoerus		
		Hydrochoerus hydrochaeris	capivara	
	Cuniculidae	*Cuniculus*		
		Cuniculus paca	paca	Anexo I-VU (SP)
	Myocastoridae	*Myocastor*		
		Myocastor coypus	ratão-do-banhado	Nativa introduzida
Lagomorpha	Leporidae	*Sylvilagus*		
		Sylvilagus brasiliensis	tapeti	

Legenda

Anexo I-VU (SP) - espécie ameaçada de extinção no Estado de São Paulo na categoria vulnerável segundo o Decreto Estadual nº 42.838/1998.

Anexo I-EP (SP) - espécie ameaçada de extinção no Estado de São Paulo na categoria em perigo segundo o Decreto Estadual nº 42.838/1998.

Anexo II (SP) - espécie provavelmente ameaçada de extinção no Estado de São Paulo segundo o Decreto Estadual nº 42.838/1998.

Apêndice I (CITES) - espécie ameaçada de extinção que é ou pode ser afetada pelo tráfico segundo a CITES 2007.

Apêndice II (CITES) -espécie que, embora atualmente não se encontre necessariamente ameaçada de extinção, poderá vir a esta situação a menos que o comércio de espécimes de tal espécie esteja sujeita a regulamentação rigorosa segundo a CITES 2007.

Vulnerável (BR) - espécie que enfrenta um risco alto de extinção na natureza segundo o Ministério do Meio Ambiente, 2003.

ENDÊMICA - espécie endêmica da Mata Atlântica segundo EMMONS; FERRS, 1990.

Nativa introduzida - espécie silvestre nativa que não ocorre originalmente no Município de São Paulo.

cuíca

Gracilinanus microtarsus

(CC: 105 mm)

cuíca

Marmosops paulensis

(CC: 110 a 158 mm)

cuíca

Micoureus demerarae

(CC: 180 mm)

catita

Monodelphis americana

(CC: 105 mm)

DIDELPHIDAE

catita

Monodelphis iheringi

(CC: 87 mm)

catita

Monodelphis sorex

(CC: 110 a 130 mm)

cuíca

Caluromys philander

(CC: 180 mm)

gambá-de-orelha-branca

Didelphis albiventris

(CC: 30,5 a 89 cm)

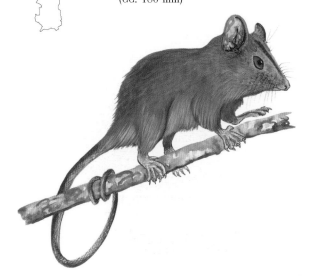

D I D E L P H I D A E

gambá-de-orelha-preta

Didelphis aurita

(CC: 35,5 a 45 cm)

cuíca-de-quatro-olhos

Philander frenatus

(CC: 20,5 a 31,5 cm)

cuíca-de-cauda-grossa

Lutreolina crassicaudata

(CC: 27 a 51 cm)

preguiça-de-três-dedos

Bradypus variegatus

(CC: 54 cm)

tatu-peba
Euphractus sexcinctus
(CC: 40,1 a 49,5 cm)

tatu-galinha
Dasypus novemcinctus
(CC: 35,6 a 57,3 cm)

F A U N A   S I L V E S T R E

sagüi-de-tufo-branco
Callithrix jacchus
(CC: 19 a 24,8 cm)

sagüi-de-tufo-preto
Callithrix penicillata
(CC: 19 a 24,8 cm)

DASYPODIDAE | CEBIDAE

macaco-prego
Cebus nigritus
(CC: 35 a 48,8 cm)

macaco-sahuí-guaçu
Callicebus nigrifrons
(CC: 32,5 a 55 cm)

bugio
Alouatta guariba clamitans
(CC: 44 a 57 cm)

morcego-hematófago
Desmodus rotundus
(CC: 69 a 90 mm)

FAUNA SILVESTRE

CEBIDAE | AOTIDAE | ATELIDAE | PHYLLOSTOMIDAE

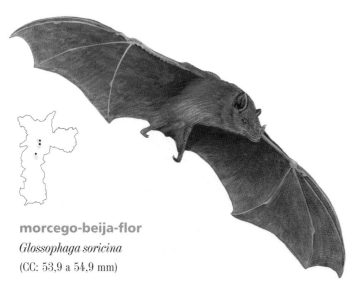

morcego-das-listras-brancas-na-cabeça
Artibeus lituratus
(CC: 89 a 91 mm)

morcego-beija-flor
Glossophaga soricina
(CC: 53,9 a 54,9 mm)

morcego-das-listras-brancas-na-cabeça-e-nas-costas
Platyrrhinus lineatus
(CC: 69,5 mm)

morcego-ipanema
Pygoderma bilabiatum
(CC: 58,4 mm)

GLOSSOPHAGINAE | STERNODERMATINAE

morcego-do-ombro-amarelo

Sturnira lilium

(CC: 60,1 e 61,3 mm)

morcego-cara-de-cachorro

Molossops temminckii

(CC: 61 mm)

morcego-de-cauda-livre-aveludada

Molossus molossus

(CC: fêmea 61 mm / macho 67,5 mm)

morcego-de-cauda-livre

Nyctinomops laticaudatus

(CC: 67,8 mm)

STERNODERMATINAE | MOLOSSIDAE

morcego-de-cauda-livre
Tadarida brasiliensis
(CC: 60 a 63 mm)

morcego-de-orelhas-grandes
Histiotus velatus
(CC: 62,7 mm)

morcego-grisalho
Lasiurus cinereus
(CC: 134 a 140 mm)

morcego-de-rabo-cabeludo
Lasiurus ega
(CC: 118 mm)

MOLOSSIDAE | VESPERTILIONIDAE

pequeno-morcego-marrom

Myotis nigricans

(CC: 43,3 mm (macho) e 41,2 mm (fêmea))

cachorro-do-mato

Cerdocyon thous

(CC: 64 cm)

gato-do-mato

Leopardus tigrinus

(CC: 48,4 cm)

onça-parda

Puma concolor capricornensis

(CC: 86 a 154 cm)

gato-mourisco
Puma yagouaroundi
(CC: 54,5 a 64,5 cm)

irara
Eira barbara
(CC: 55,9 a 71,2 cm)

fase ruiva

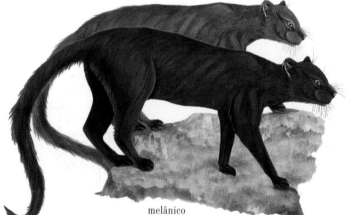

melânico

furão
Galictis cuja
(CC: 40 a 45 cm)

lontra
Lontra longicaudis
(CC: 53,2 a 80,9 cm)

FELIDAE | MUSTELIDAE

quati

Nasua nasua

(CC: 55 cm)

mão-pelada

Procyon cancrivorus

(CC: 54,3 a 65 cm)

veado-catingueiro

Mazama gouazoubira

(CC: 103 cm)

anta

Tapirus terrestris

(CC: 204 cm (macho) / 221 cm (fêmea))

PROCYONIDAE | CERVIDAE | TAPIRIDAE

caxinguelê
Sciurus ingrami
(cc: 202 mm)

F A U N A   S I L V E S T R E

rato-silvestre
Oligoryzomys nigripes
(CC: 100,8 mm)

rato-silvestre
Oryzomys ratticeps
(CC: 185 mm)

rato-silvestre

Oxymycterus quaestor

(CC: 109 a 190 mm)

rato-silvestre

Oxymycterus rufus

(CC: 109 a 190 mm)

ouriço-cacheiro

Sphigurus villosus

(CC: 300 a 538 mm)

preá

Cavia fulgida

(CC: 265 mm)

CRICETIDAE | ERETHIZONTIDAE | CAVIIDAE

capivara

Hydrochoerus hydrochaeris

(CC: 112,4 cm)

paca

Cuniculus paca

(CC: 65 a 73,9 cm)

F A U N A   S I L V E S T R E

ratão-do-banhado

Myocastor coypus

(CC: 60 cm)

tapeti

Sylvilagus brasiliensis

(CC: 20 a 40 cm)

CAVIIDAE | CUNICULIDAE | MYOCASTORIDAE | LEPORIDAE

Referências Bibliográficas

AGUIAR, J.M. Species Summaries and Species Discussions. *In*: FONSECA, G.; AGUIAR, J.; RYLANDS, A.; PAGLIA, A.; CHIARELLO, A.; SECHREST, W. (Orgs.) **The 2004 Edentate species assessment workshop Edentata. 6:** 3-26, 2004.

AURICHIO, P.; RODRIGUES, A.S.M. **Marsupiais do Brasil.** São Paulo. Terra Brasilis. 1994. 8p. (zoologia).

BICCA-MARQUES, J.C.; SILVA, V.M.; GOMES, D.F. Ordem Primates. *In:* N.R. REIS; A.L. PERACCHI; W.A. PEDRO; I.P. LIMA (eds). **Mamíferos do Brasil.** Londrina, Universidade Estadual de Londrina. 2006. p. 101-133.

BROWN, B.E. Atlas of new world marsupials. **Fieldiana Zoology: New Series. 102:** 1-108, 2004.

CALEGARO-MARQUES, C.; BICCA-MARQUES, J.C. Reprodução de Alouatta caraya Humboldt, 1812 (Primates, Cebidae) *In*: YAMOTO, M.E.; SOUZA, M.B.C. (eds). **A primatologia no Brasil.** Natal. Sociedade Brasileira de Primatologia, 1993, p. 51-66.

CERQUEIRA, R. The distribution of *Didelphis* in South America (Polyprotodontia, Didelphidae). **J. Biogeogr. 12:**135-45, 1985.

CHEIDA, C.C.; NAKANO-OLIVEIRA, E.; FUSCO-COSTA, R.; ROCHA-MENDES, F.; QUADROS, J. Ordem Carnívora. *In:* N.R. REIS; A.L. PERACCHI; W.A. PEDRO; I.P. LIMA (eds). **Mamíferos do Brasil.** Londrina. Universidade Estadual de Londrina. 2006. p. 231-266.

CITES 2007. Convention on International Trade in Endangered Species of Wild Fauna and Flora. www.cites.org/eng/app/appendices.shtml. Acesso em 18/05/2007.

CRESPO, J.A. Los zorros. **Fauna Argent. 52:**1-32, 1984.

EISENBERG, J.F.; REDFORD, KENT, H. **Mammals of the Neotropics. The Central Neotropics.** V. 3 The University of Chicago Press, Chicago. 1999, 609p.

EMMONS, L.H; FEER, F. **Neotropical Rainforest Mammals. A field guide.** The University of Chicago Press, Chicago. 1990, 281p.

FONSECA, G.A.B.; HERRMANN, G.; LEITE, Y.L.R.; MITTERMEYER, R.A.; RYLANDS, A.B.; PATTON, J.L. **Lista anotada dos mamíferos do Brasil. Occasional papers in Conservation Biology.** n. 4. Belo Horizonte. Conservation International; Fundação Biodiversitas, 1996, 38p.

GARDNER, A.L. Order Didelphimorphia. *In*: WILSON, D.E.; REEDER, D.M. (eds). **Mammals species of the world: a taxonomic and geografic reference,** 3 [rd] ed. Baltimore: The Johns Hopkins University Press, 2005. V.1. p. 3-18.

GONÇALVES, P.R.; OLIVEIRA, J.A. Morphological and genetic variation between two sympatric forms of the genus *Oxymycterus* (Rodentia: Sigmodontinae): an evaluation of hypotheses of differentiation within the genus. **J. Mammal. 85:** 148-161, 2004.

GRAIPEL, M.E.; MILLER, P.R.M.; GLOCK, L. Padrão de atividades de Akodon montensis e Oryzomys russatus na reserve de Volta Velha, Santa Catarina, Sul do Brasil. **Matozoologia Neotropical 10:** 255-160, 2003.

GREGORIN, R.; TADDEI, V.A. Chave artificial para a identificação de Molossideos brasileiros (Mammalia, Chiroptera). **Mastozoologia Neotropical. 9:** 13-32, 2002.

HANDLEY, C.O. Jr. Mammals of the Smithsonian Venezuelan project. **Brigham Young Univ. Sci. Bull. Biol. Ser. 20(5):** 1-90, 1976.

HIRSCH, A. *et al*. Database of georreferenced occurrence localitiesof Neotropical Primates. 2002. Disponível em <http//www.icb.ufmg.br/~primatas/home_bdgeoprim.htm> acesso em 15 de maio de 2007.

IUCN 2006. 2006 IUCN Red List of Threatened Species. Disponível em <http://www.iucnredlist.org/> acesso em 18/05/2007.

MACMANUS, J.J. Activity of captive *Didelphis marsupialis*. **J. Mammals, 54:** 846-848, 1971.

MARINHO-FILHO, J. Os mamíferos da Serra do Japi. *In*: L. P. C. MORELLATO (org.) **História natural da Serra do Japi: Ecologia e preservação de uma área florestal no Sudeste do Brasil.** Campinas. Editora da UNICAMP. 1992, p. 264-286.

MEDRI, I.M.; MOURÃO, G.; RODRIGUES, F.H.G. Ordem Xernarthra. *In:* N.R. REIS; A.L. PERACCHI; W.A. PEDRO; I.P. LIMA (eds). **Mamíferos do Brasil.** Londrina. Universidade Estadual de Londrina. 2006. p.11-44.

MELLO, D.A. Roedores, marsupiais e triatomíneos silvestres capturados na região de Mambaí Goiás. Infecção natural pelo *Trypanosoma cruzi*. **Revista de Saúde Pública de São Paulo. 16:** 282-291, 1997.

MMA. Ministério do Meio Ambiente. Lista Nacional das espécies da Fauna Brasileira Ameaçadas de Extinção. 2003. Disponível em http://www.mma.gov.br/port/abf/fauna/index.cfm. Acesso em 18/05/2007.

MOOJEN, J. **Os roedores do Brasil.** Misitério da Educação e Saúde. Instituto Nacional do Livro. Rio de Janeiro. 1952. 214p.

MUSSER, G.G.; CARLETON, M.D.; BROTHERS, E.M.; GARDNER, A. Systematics studies of the Oryzomyine rodentes (Muridae, Sigmodontinae): Diagnoses and distributions of species formerly assigned to *Oryzomys* "capito". New York **Bull. Amer. Mus. Nat. Hist. 236**: 1-376, 1998.

NOWAK, R.M. **Walker's Mammals of the World**. Baltimore, The Johns Hopkins University Press, 1999. 1921p.

OLIVEIRA, J.A.; BONVICINO, C. R. Ordem Rodentia. *In*: N.R. REIS; A.L. PERACCHI; W.A. PEDRO; I.P. LIMA (eds). **Mamíferos do Brasil**. Londrina. Universidade Estadual de Londrina. 2006. p. 347-400.

OLIVEIRA, T.G.; CASSARO, K. **Guia de campo dos felinos do Brasil**. Instituto Pró-carnívoros, Sociedade de Zoológicos do Brasil, Fundação Parque Zoológico de São Paulo. 2005, 80p.

PARDINI, R. Feeding ecology of the neotropical river otter *Lontra longicaudis* in an Atlantic Forest strems, southeastern Brazil. **J. Zool. 245**: 385-391, 1998.

PATTON, J.L.; COSTA, L.P. Molecular phylogeography and species limits in rain forest didelphid marsupials of South America. *In*: JONES, M.E.; DICKMAN, C.R.; ARCHER, M. (eds). **Predators with pouchs: the biology of carnivorous marsupials**. Melbourne: CSIRO Press, 2003. p. 63-81.

PERACCHI, A.L.; LIMA, I.P.; REIS, N.R.; NOGUEIRA, M.R.; FILHO, H.O. Ordem Chiroptera. *In*: N.R. REIS; A.L. PERACCHI; W.A. PEDRO; I.P. LIMA (eds). **Mamíferos do Brasil**. Londrina. Universidade Estadual de Londrina. 2006. p. 153-162.

SÃO PAULO (Cidade). Secretaria Municipal do Verde e do Meio Ambiente. Inventário da Fauna do Município de São Paulo. **Diário Oficial da Cidade de São Paulo. 51(104) - Suplemento**. 2006 p.47. Disponível em http://ww2.prefeitura.sp.gov.br/ /arquivos/secretarias/meio_ambiente/fauna_flora/fauna/levantamento_fauna/ inventario_fauna_junho_2006.pdf.

ROSSI, R.; BIANCONI, G.V.; PEDRO, W.A. Ordem Didelhimorpha. *In*: N.R. REIS; A.L. PERACCHI; W.A. PEDRO; I.P. LIMA (eds). **Mamíferos do Brasil**. Londrina. Universidade Estadual de Londrina. 2006. p. 27-60.

ROSSI, R.V. Taxonomia de Mazama Rafinesque, 1817 do Brasil (Artiodactyla, Cervidae) 174p. Dissertação (mestrado em Zoologia). Universidade de São Paulo, São Paulo, 2000.

ROWE, N. **The pictorial guide to the living primates**. East Hampton. Pogonia Press, 1996. p.263.

SÃO PAULO (Estado). Secretaria de Estado do Meio Ambiente. Fauna Ameaçada no Estado de São Paulo/Secretaria do Meio Ambiente. – **São Paulo: SMA/CED. Série PROBIO/SP**, 1998. 56p.

SEKIAMA, M.; LIMA, I.P.; ROCHA, V.J. Ordem Perissodactyla. *In*: N.R. REIS; A.L. PERACCHI; W.A. PEDRO; I.P. LIMA (eds). **Mamíferos do Brasil**. Londrina. Universidade Estadual de Londrina. 2006. p.277-280.

SHARMAN, G.B.; ROBINSON, E.S.; WALTON, S.M.; BERGER, R.J. Sex chromosomes and reprodutive anatomy of some intersexual marsupial. **J. Reprod. Fertil 21**: 57-68, 1970.

SILVA, J.M.C.; TABARELLI, M.; FONSECA, M.T.; LINS, L.V. **Biodiversidade da caatinga: áreas e ações prioritárias para a conservação**. Brasília. MMA, UFPE, 2004, 382p.

SOINI, P.; SOINI, M. Ecologia del ronsoco o capibara (Hydrochaeris hydrochaeris) em la reserva nacional Pacaya-Jamilia, Peru. **Folia Amazônica 4 (2)**: 120-33, 1992.

SOUZA, M.A.; LANGGUTH, A.; GIMENEZ, E. do A. Mamíferos do brejos de altitude da Paraíba e Pernambuco. *In*: PORTO, K.; CABRAL, J.J.P.; TABARELLI, M. (eds.). **Brejos de altitude em Pernambuco e Paraíba: história natural, ecologia e conservação**. Brasília, MMA, 2004. p. 229-254.

VOSS, R.S.; LUND, D.P.; SIMMONS, N.B. The mammal of Pracou, French Guiana: a Neotropical low land rainforest fauna. Part.2. Nonvolant species. **Bull. Amer. Mus. Nat. Hist. 263**: 1-236, 2001.

WEBSTER, W.D.; OWEN, R.D. *Pygoderma bilabiatum* **Mammals Species 220**: 1-3, 1984.

WILKINS, K.T. *Tadarida brasiliensis*. **Mammalian Species. 331**: 1-10, 1989.

WILSON, D.E.; D.M. REEDER, eds. **Mammals species of the world**. 2d ed. Washington. Smithsonian Institution Press. 1993. 1208 p.

XIMÉNEZ, A. Notas sobre el género Cavia Pallas com la descripción de *Cavia magna* sp. n. (Mammalia-Cavidae). **Rev. Nordest. Biol. 3**: 145-179, 1980.

Índice de nome científico

Accipiter striatus 212

Agelaius ruficapillus 271

Akodon sp. 312, 332

Alouatta guariba clamitans 295, 325

Amaurolimnas concolor 217

Amazilia fimbriata 232

Amazilia lactea 233

Amazilia versicolor 232

Amazona aestiva 175, 225

Amazonetta brasiliensis 205, 280

Ameiva ameiva 121, 140

Ammodramus humeralis 267

Amphisbaena alba 117, 138

Anas georgica 206

Anhinga anhinga 208

Anthracothorax nigricolis 231

Anthus lutescens 261

Aplastodiscus albosignatus 77, 94

Aplastodiscus leucopygius 77, 94

Apostolepis assimilis 122, 140

Aramides cajanea 216

Aramides saracura 217

Aramus guarauna 216

Aratinga auricapillus 223

Aratinga leucophthalma 222

Ardea alba 157, 170, 209, 280

Ardea cocoi 209

Artibeus lituratus 298, 326

Arundinicola leucocephala 250

Asio stygius 228

Athene cunicularia 227, 279

Atractus pantostictus 122, 141

Attila rufus 253

Automolus leucophtalmus 243

Basileuterus culicivorus 270

Basileuterus leucoblepharus 270

Batara cinerea 237

Biatas nigropectus 238

Bokermannohyla astartea 77, 94

Bokermannohyla circumdata 77, 95

Bokermannohyla hylax 78, 95

Bothrops jararaca 133, 145

Bradypus variegatus 290, 323

Brotogeris chiriri 224

Brotogeris tirica 160, 224

Bubo virginianus 227

Bubulcus ibis 157, 209

Buteo albicaudatus 214

Buteo brachyurus 214

Butorides striata 209

Cacicus chrysopterus 271

Caiman crocodilus 113, 138

Caiman latirostris 113, 138

Callicebus nigrifrons 295, 325

Calliphlox amethystina 233

Callithrix jacchus 293, 324

Callithrix penicillata 293, 324

Caluromys philander 289, 322

Camptostoma obsoletum 246

Caprimulgus parvulus 229

Caracara plancus 214, 279

Carduelis magellanica 273

Carpornis cucullata 166, 254

Cavia fulgida 315, 333

Cebus nigritus 293, 325

Celeus flavescens 237

Cerdocyon thous 302, 329

Certhiaxis cinnamomeus 242

Ceryle torquatus 233

Chaetura meridionalis 170, 229

Chaunus ictericus 74, 93

Chaunus ornatus 74, 93

Chironius bicarinatus 122, 141

Chiroxiphia caudata 254

Chloroceryle aenea 234

Chloroceryle amazona 234

Chloroceryle americana 234

Chlorophonia cyanea 274

Chlorostilbon lucidus 231

Coccyzus euleri 225

Coccyzus melacoryphus 225

Coereba flaveola 166, 261

Colaptes campestris 237

Colaptes melanochloros 236

Colibri serrirostris 230

Colonia colonus 250

Columba livia domestica 220

Columbina talpacoti 157, 219

Conirostrum speciosum 267

Conopias trivirgatus 251

Conopophaga lineata 240

Contopus cinereus 248

Coragyps atratus 157, 211

Cranioleuca pallida 242

Crotalus durissus terrificus 133, 146

Crotophaga ani 226

Crypturellus obsoletus 204

Crypturellus tataupa 157, 204

Cuniculus paca 315, 334

Cyanocorax cristatellus 257

Cyanocorax cyanopogon 257

Cyclarhis gujanensis 256

Dacnis cayana 266

Dasypus novemcinctus 292, 324

Dendrocygna autumnalis 205

Dendrocygna bicolor 204

Dendrocygna viduata 157, 170, 205, 280

Dendrophryniscus brevipollicatus 74, 93

Dendrophryniscus cf. *leucomystax* 74, 93

Dendropsophus berthalutzae 78, 95

Dendropsophus microps 78, 95

Dendropsophus minutus 78, 96

Desmodus rotundus 298, 325

Didelphis albiventris 289, 322

Didelphis aurita 289, 323

Diopsittaca nobilis 157, 175, 222

Drymophila malura 239

Dryocopus lineatus 237

Dysithamnus mentalis 239

Echinanthera affinis 122, 141

Echinanthera undulata 125, 141

Egretta thula 157, 170, 210

Eira barbara 306, 330

Elaenia flavogaster 245

Elaenia mesoleuca 246

Elanus leucurus 166, 212

Eleutherodactylus binotatus 73, 92

Eleutherodactylus cf. *spanios* 73, 92

Eleutherodactylus guentheri 73, 92

Eleutherodactylus parvus 73, 92

Empidonomus varius 252

Enyalius inheringii 117, 139

Enyalius perditus 117, 139

Erythrolamprus aesculapii venustissimus 125, 142

Estrilda astrild 274

Eupetomena macroura 157, 166, 230

Euphonia chlorotica 273

Euphonia cyanocephala 273

Euphonia pectoralis 274

Euphonia violacea 273

Euphractus sexcinctus 292, 324

Falco femoralis 170, 216

Falco peregrinus 150, 170, 216

Falco sparverius 215

Florisuga fusca 230

Fluvicola nengeta 155, 249

Forpus xanthopterygius 224

Furnarius rufus 160, 241

Galictis cuja 306, 330

Gallinula chloropus 218

Geothlypis aequinoctialis 270

Geotrygon montana 222

Geotrygon violacea 222

Glossophaga soricina 298, 326

Gnorimopsar chopi 272

Gracilinanus microtarsus 286, 321

Guira guira 226

Haplospiza unicolor 267

Harpagus diodon 212

Helicops modestus 125, 142

Heliornis fulica 218

Hemidactylus mabouia 118, 139

Hemithraupis guira 266

Hemithraupis ruficapilla 266

Hemitriccus orbitatus 244

Herpetotheres cachinnans 215

Heterospizias meridionalis 213

Himantopus melanurus 219

Hirundinea ferruginea 248

Histiotus velatus 301, 328

Hyalinobatrachium uranoscopum 77, 94

Hydrochoerus hydrochaeris 315, 334

Hydromedusa tectifera 110, 137

Hylocharis chrysura 232

Hylocharis cyanus 231

Hylophilus poicilotis 257

Hypsiboas albomarginatus 78, 96

Hypsiboas albopunctatus 78, 96

Hypsiboas bischoffi 80, 96

Hypsiboas cf. *polytaenius* 80, 97

Hypsiboas faber 80, 97

Hypsiboas prasinus 80, 97

Icterus cayanensis 271

Icterus jamacaii croconotus 271

Iguana iguana 117, 138

Ixobrychus involucris 208

Jacana jacana 219

Laniisoma elegans 255

Lasiurus cinereus 301, 328

Lasiurus ega 302, 328

Lathrotriccus euleri 248

Legatus leucophaius 250

Leopardus tigrinus 304, 329

Lepidocolaptes angustirostris 241

Lepidocolaptes squamatus 241

Leptodactylus fuscus 85, 100

Leptodactylus marmoratus 85, 100

Leptodactylus ocellatus 85, 100

Leptodon cayanensis 211

Leptopogon amaurocephalus 244

Leptotila rufaxilla 221

Leptotila verreauxi 221

Leucochloris albicollis 232

Leucopternes lacernulatus 154, 213

Liophis jaegeri 125, 142

Liophis miliaris 125, 142

Liophis typhlus 127, 143

Lithobates catesbeianus 88, 101

Lochmias nematura 243

Lontra longicaudis 306, 330

Lurocalis semitorquatus 228

Lutreolina crassicaudata 290, 323

Machetornis rixosa 166, 250

Mackenziaena leachii 238

Malacoptila striata 235

Marmosops paulensis 286, 321

Mazama gouazoubira 311, 331

Megarynchus pitangua 252

Megascops choliba 166, 227, 279

Melanerpes candidus 236

Micoureus demerarae 288, 321

Micrastur semitorquatus 215

Milvago chimachima 215

Mimus saturninus 261

Mionectes rufiventris 244

Molossops temminckii 300, 327

Molossus molossus 300, 327

Molothrus bonariensis 170, 272

Monodelphis americana 288, 321

Monodelphis iheringi 288, 322

Monodelphis sorex 288, 322

Muscipipra vetula 249

Mycteria americana 175, 211

Myiarchus ferox 253

Myiarchus swainsoni 253

Myiobius barbatus 247

Myiodynastes maculatus 251

Myiophobus fasciatus 247

Myiopsitta monachus 223

Myiornis auricularis 246

Myiozetetes similis 251

Myocastor coypus 316, 334

Myotis nigricans 302, 329

Myrmeciza squamosa 240

Myrmotherula gularis 239

Nasua nasua 308, 331

Nyctibius griseus 228

Nycticorax nycticorax 208

Nyctidromus albicollis 229

Nyctinomops laticaudatus 301, 327

Nystalus chacuru 234

Odontophorus capueira 206

Oligoryzomys nigripes 312, 332

Ophiodes fragilis 118, 140

Orchesticus abeillei 261

Oryzomys ratticeps 314, 332

Oxymycterus quaestor 314, 333

Oxymycterus rufus 314, 333

Oxyrhopus clathratus 127, 143

Oxyrhopus guibei 127, 143

Pachyramphus castaneus 255

Pachyramphus polychopterus 256

Pachyramphus validus 256

Pandion haliaetus 169, 211

Parabuteo unicinctus 213

Paratelmatobius cardosoi 85, 101

Pardirallus maculatus 217

Pardirallus nigricans 217

Paroaria coronata 175, 269

Paroaria dominicana 175, 269

Parula pitiayumi 270

Passer domesticus 150, 274

Patagioenas cayennensis 220

Patagioenas picazuro 150, 220

Patagioenas plumbea 166, 221

Patagioenas speciosa 220

Penelope obscura 155, 166, 206

Phaethornis pretrei 230

Phalacrocorax brasilianus 207

Phasmahyla cochranae 80, 97

Philander frenatus 290, 323

Philodryas olfersii 127, 143

Philodryas patagoniensis 128, 144

Philydor rufum 243

Phrynops geoffroanus 110, 137

Phyllomedusa burmeisteri 82, 98

Phyllomedusa cf. tetraploidea 82, 98

Phyllomias fasciatus 245

Physalaemus cuvieri 88, 101

Physalaemus olfersii 88, 101

Piaya cayana 225

Picumnus temminckii 236

Pionopsitta pileata 224

Pionus maximiliani 224

Pipraeidea melanonota 264

Piranga flava 262

Pitangus sulphuratus 157, 160, 251

Platalea ajaja 175, 210

Platycichla flavipes 170, 259

Platyrinchus mystaceus 247	*Satrapa icterophrys* 249
Platyrrhinus lineatus 298, 326	*Schiffornis virescens* 255
Podilymbus podiceps 207	*Schistochlamys ruficapillus* 262
Poecilotriccus plumbeiceps 244	*Scinax crospedospilus* 82, 98
Policephorus major 207	*Scinax fuscovarius* 82, 98
Porphyrio martinica 218	*Scinax hayii* 83, 99
Procnias nudicollis 155, 166, 254	*Scinax perpusillus* 83, 99
Procyon cancrivorus 308, 331	*Scinax* sp. (aff. *duartei*) 83, 99
Progne chalybea 170, 258	*Scinax* sp. (gr. *catharinae*) 83, 99
Progne tapera 170, 258	*Sciurus ingrami* 312, 332
Pseudoleistes guirahuro 272	*Sclerurus scansor* 240
Pulsatrix koeniswaldiana 227	*Selenidera maculirostris* 235
Puma concolor capricorniensis 304, 329	*Serpophaga subcristata* 246
Puma yagouaroundi 304, 330	*Sibynomorphus mikanii* 128, 144
Pygochelidon cyanoleuca 157, 258	*Sibynomorphus neuwiedi* 128, 144
Pygoderma bilabiatum 300, 326	*Sicalis flaveola* 268
Pyriglena leucoptera 239	*Sirystes sibilator* 253
Pyrocephalus rubinus 170, 248	*Sittasomus griseicapillus* 240
Pyroderus scutatus 166, 254	*Sphaenorhynchus orophilus* 83, 100
Pyrrhura frontalis 223	*Sphigurus villosus* 314, 333
Ramphastos dicolorus 235	*Spizaetus tyrannus* 150, 214
Ramphastos vitellinus 235	*Sporophila angolensis* 269
Ramphocelus bresilius 263	*Sporophila caerulescens* 268
Rhinoptynx clamator 166, 279, 228	*Sporophila lineola* 268
Rollandia rolland 206	*Stelgidopteryx ruficollis* 258
Rosthramus sociabilis 212	*Stephanophorus diadematus* 264
Rupornis magnirostris 166, 279, 213	*Streptoprocne zonaris* 229
Rynchops niger 160, 219	*Sturnella superciliaris* 272
Saltator similis 269	*Sturnira lilium* 300, 327
Sarkidiornis silvicola 205	*Sylvilagus brasiliensis* 316, 334

Synallaxis ruficapilla 242

Synallaxis spixi 242

Syrigma sibilatrix 210

Tachybaptus dominicus 207

Tachycineta leucorrhoa 257

Tachyphonus coronatus 263

Tachyphonus cristatus 263

Tadarida brasiliensis 301, 328

Tangara cayana 265

Tangara desmaresti 265

Tangara preciosa 265

Tangara seledon 265

Tapera naevia 226

Tapirus terrestris 311, 331

Tersina viridis 170, 266

Thalurania glaucopis 231

Thamnodynastes strigatus 131, 144

Thamnophilus caerulescens 238

Thamnophilus ruficapillus 238

Theristicus caudatus 210

Thlypopsis sordida 262

Thraupis ornata 264

Thraupis palmarum 264

Thraupis sayaca 157, 263

Tigrisoma lineatum 208

Tinamus solitarius 154, 204

Tityra cayana 255

Todirostrum cinereum 245

Todirostrum policephalum 245

Tolmomyias sulphurescens 247

Tomodon dorsatus 131, 145

Trachemys dorbigni 108, 137

Trachemys scripta elegans 110, 137

Trichothraupis melanops 262

Troglodytes musculus 157, 259

Trogon surrucura 233

Tropidodryas striaticeps 131, 145

Tropidurus torquatus 118, 139

Tupinambis merianae 121, 140

Turdus albicollis 260

Turdus amaurochalinus 170, 260

Turdus fumigatus 260

Turdus leucomelas 260

Turdus rufiventris 160, 259

Turdus subalaris 259

Tyrannus melancholicus 252

Tyrannus savana 170, 252

Tyto alba 226

Vanellus chilensis 157, 218

Veniliornis spilogaster 157, 236

Vireo olivaceus 170, 256

Volatinia jacarina 268

Waglerophis merremii 131, 145

Xenops rutilans 243

Xiphorynchus fuscus 241

Xolmis cinereus 249

Zenaida auriculata 221

Zonotrichia capensis 157, 267

Índice de nome popular

abre-asa-de-cabeça-cinza 244

acauã 215

águia-pescadora 169, 211

alegrinho 246

alma-de-gato 225

anambé-branco-de-rabo-preto 255

ananaí 280, 205

andorinha-de-sobre-branco 257

andorinha-do campo 258

andorinha-doméstica-grande 258

andorinhão-de-coleira 229

andorinhão-do-temporal 170, 229

andorinha-pequena-de-casa 157, 258

andorinha-serrador 258

anta 311, 331

anu-branco 226

anu-preto 226

araçari-poca 235

arapaçu-do-cerrado 241

arapaçu-escamado 241

arapaçu-rajado 241

arapaçu-verde 240

araponga 155, 166, 254

arirambinha 234

arredio-pálido 242

asa-branca 205

asa-branca 150, 157, 220

assanhadinho 247

avoante 221

bacurau-pequeno 229

barranqueiro-de-olho-branco 243

beija-flor-de-banda-branca 232

beija-flor-de-garganta-verde 232

beija-flor-de-orelha-violeta 230

beija-flor-de-peito-azul 233

beija-flor-dourado 232

beija-flor-preto 231

beija-flor-preto-e-branco 230

beija-flor-roxo 231

bentevi 157, 160, 251

bentevi-de-bico-chato 252

bentevi-do-gado 166, 250

bentevi-pequeno 251

bentevi-pirata 250

bentevi-rajado 251

bentevizinho-de-penacho-vermelho 251

besourinho-de-bico-vemelho 231

bico-chato-de-orelha-preta 247

bico-de-lacre 274

bico-de-veludo 262

bico-virado-carijó 243

bigodinho 268

biguá 207

biguatinga 208

birro 236

boipeva 131, 145

bonito-do-campo 274

borralhara-assobiadora 238

bugio 295, 325

buraqueira 227, 279

cabeça-seca 175, 211

cabeçudo 244

cachorro-do-mato 302, 329

cágado-de-barbicha 110, 137

cágado-pescoço-de-cobra 110, 137

camaleão 117, 139

cambacica .... 166, 261 caminheiro-zumbidor 261

canário-da-terra-verdadeiro 268

canário-sapé 262

cancã 257

caneleiro 255

caneleiro-de-chapéu-negro 256

caneleiro-preto 256

capitão-de-saíra 253

capivara 315, 334

caracará 214, 279

carão 216

cardeal 175, 269

carrapateiro 215

cascavel 133, 146

catita 286, 321

catita 288, 322

catita 288, 322

caturrita 223

caxinguelê 312, 332

chibante 255

choca-da-mata 238

choca-de-chapéu-vermelho 238

chopim 170, 272

chopim-do-brejo 272

choquinha-carijó 239

choquinha-de-garganta-pintada 239

choquinha-lisa 239

chupa-dente 240

cigarra-bambu 267

cobra-cipó 122, 141

cobra-cipó 131, 145

cobra-d'água 125, 142

cobra-d'água 125, 142

cobra-da-terra 122, 141

cobra-de-duas-cabeças 117, 138

cobra-de-vidro 118, 140

cobra-espada 131, 145

cobra-verde 125, 142

cobra-verde 127, 143

cobra-verde 127, 143

coleirinho 268

colhereiro 175, 210

corocochó 166, 254

corredeira 131, 144

corruíra 157, 259

corrupião 271

coruja-orelhuda 166, 228, 279

corujinha-do-mato 166, 227, 279

cuíca 286, 321

cuíca 288, 321

cuíca 288, 321

cuíca 289, 322

cuíca-de-cauda-grossa 290, 323

cuíca-de-quatro-olhos 290, 323

cuiú-cuiú 224

curiango 229

curicaca 210

curió 269

curutié 242

dormideira 128, 144

dormideira 128, 144

enferrujado 248

estrelinha 233

falcão-de-coleira 170, 216

falcão-peregrino 150, 170, 216

falsa-coral 122, 140

falsa-coral 125, 142

falsa-coral 127, 143

falsa-coral 127, 143

ferreirinho-de-cara-canela 244

ferro-velho 274

fi-fi-verdadeiro 273

figuinha-de-rabo-castanho 267

filipe 247

flautim 255

frango-d'água-azul 218

frango-d'água-comum 218

furão 306, 330

galo-da-campina 175, 269

gambá-de-orelha-branca 289, 322

gambá-de-orelha-preta 289, 323

garça-branca-grande 157, 170, 209, 280

garça-branca-pequena 157, 170, 210

garça-vaqueira 209

garibaldi 271

gato-do-mato 304, 329

gato-mourisco 304, 330

gaturamo-rei 273

gaturamo-verdadeiro 273

gavião-asa-de-telha 213

gavião-bombachinha 212

gavião-caboclo 213

gavião-caramujeiro 212

gavião-carijó 166, 213, 279

gavião-de-cabeça-cinza 211

gavião-de-cauda-curta 214

gavião-de-rabo-branco 214

gavião-miúdo 212

gavião-pega-macaco 150, 214

gavião-pomba 154, 213

gavião-relógio 215

gemedeira 221

gibão-de-couro 248

gralha-do-campo 257

gritador 253

guaracava-de-barriga-amarela 245

iguana 117, 138

inhambu-chintã 157, 204

inhambu-guaçu 204

inhapim 271

irara 306, 330

irerê 157, 170, 205, 280

irrê 253

jaçanã 219

jacaré-de-papo-amarelo 113, 138

jacaré-do-pantanal 113, 138

jacuguaçu 155, 166, 206

jandaia-de-testa-vermelha 223

jararaca 133, 145

joão-barbudo 235

joão-bobo 234

joão-de-barro .... 160, 241 joão-porca 243

joão-tenením 242

juriti 221

juriti-piranga 222

juriti-vermelha 222

juruviara 170, 256

lagartixa-de-parede 118, 139

lagarto-ameiva 121, 140

lagarto-teiú 121, 140

lavadeira-de-cabeça-branca 250

lavadeira-mascarada 155, 249

limpa-folha-de-testa-baia 243

lontra 306, 330

macaco-prego 293, 325

macaco-sahuí-guaçu 295, 325

macuco 154, 204

maitaca-de-maximiliano 224

mão-pelada 308, 331

maracanã-nobre 157, 175, 222

maria-branca 249

maria-cavaleira 253

maria-faceira 210

mariquita 270

marreca-caneleira 204

marreca-parda 206

martim-pescador-grande 233

martim-pescador-pequeno 234

martim-pescador-verde 234

matração 237

melro 272

mergulhão 207

mergulhão-de-cara-branca 206

mergulhão-grande 207

mergulhão-pequeno 207

miudinho 246

mocho-diabo 228

mocho-orelhudo 227

morcego-beija-flor 298, 326

morcego-cara-de-cachorro 300, 327

morcego-das-listras-brancas-na-cabeça ... 298, 326

morcego-das-listras-brancas-na-cabeça-e-nas-costas 298, 326

morcego-de-cauda-livre 301, 327

morcego-de-cauda-livre 301, 328

morcego-de-cauda-livre-aveludada 300, 327

morcego-de-orelhas-grandes 301, 328

morcego-de-rabo-cabeludo 302, 328

morcego-do-ombro-amarelo 300, 327

morcego-grisalho 301, 328

morcego-hematófago 298, 325

morcego-ipanema 300, 326

morucututu-de-barriga-amarela 227

onça-parda 304, 329

ouriço-cacheiro 314, 333

paca 315, 334

papa-formiga-da-grota 240

papagaio-verdadeiro 175, 225

papa-lagarta 225

papa-lagarta-de-euler 225

papa-mosca-cinzento 248

papa-rã .... 125, 141 papa-taoca-do-sul 239

papa-vento 117, 139

papo-branco 232

papo-branco 238

pardal 150, 274

parelheira 128, 144

patinho 247

pato-de-crista 205

pavão-do-mato 166, 254

peitica 252

peneira 166, 212

pequeno-morcego-marrom 302, 329

perereca 77, 94

perereca 80, 96

perereca 80, 97

perereca 82, 98

perereca 83, 99

perereca 83, 99

perereca-cabrinha 78, 96

perereca-com-anéis-nas-coxas 77, 95

perereca-com-anéis-nas-coxas 78, 95

perereca-das-bromélias 83, 99

perereca-das-folhagens 82, 98

perereca-das-folhagens 82, 98

perereca-de-banheiro 82, 98

perereca-de-banheiro 83, 99

perereca-de-folhagem 80, 97

perereca-de-pijama 80, 97

perereca-flautinha 77, 94

perereca-verde 77, 94

perereca-verde-de-coxas-laranjas 78, 96

pererequinha 78, 95

pererequinha 78, 95

pererequinha-do-brejo 78, 96

pererequinha-verde 83, 100

periquitão-maracanã 222

periquito-de-encontro-amarelo 224

periquito-rico 160, 224

pernilongo-de-costas-brancas 219

pia-cobra 270

picaparra 218

pica-pau-anão-barrado 236

pica-pau-de-banda-branca 237

pica-pau-de-cabeça-amarela 237

pica-pau-do-campo 237

pica-pau-verde-barrado 157, 236

pica-pauzinho-verde-carijó 236

pichororé 242

pintassilgo 273

piolhinho 245

pitiguari 256

polícia-inglesa 272

pomba-amargosa 221

pomba-galega 220

pomba-trocal 220

pombo-doméstico 220

preá 315, 333

preguiça-de-três-dedos 290, 323

pula-pula 270

pula-pula-assobiador 270

quati 308, 331

quero-quero 157, 218

quiriquiri 215

rã-assobiadora 85, 100

rabo-branco-de-sobre-amarelo 230

rã-cachorro 88, 101

rã-de-vidro 77, 94

rã-do-chão-da-mata 73, 92

rã-do-chão-da-mata 73, 92

rã-manteiga 85, 100

ratão-do-banhado 316, 334

rato-silvestre 312, 332

rato-silvestre 312, 332

rato-silvestre 314, 332

rato-silvestre 314, 333

rato-silvestre 314, 333

rã-touro 88, 101

rãzinha-de-barriga-vermelha 85, 101

rãzinha-do-chão-da-mata 73, 92

rãzinha-do-chão-da-mata 73, 92

rãzinha-piadeira 85, 100

rãzinha-rangedora 88, 101

relógio 245

risadinha 246

rolinha 157, 219

sabiá-barranco 260

sabiá-coleira 260

sabiá-da-mata 260

sabiá-do-campo 261

sabiá-ferreiro 259

sabiá-laranjeira 160, 259

sabiá-poca 170, 260

sabiá-una 170, 259

saci 226

sagüi-de-tufo-branco 324

sagüi-de-tufo-preto 324

saí-andorinha 170, 266

saí-azul 266

saíra-amarela 265

saíra-da-mata 266

saíra-de-papo-preto 266

saíra-lagarta 265

saíra-preciosa 265

sanhaço-cinzento 157, 263

sanhaço-de-encontro-amarelo 264

sanhaço-do-coqueiro 264

sanhaço-frade 264

sanhaçu-de-fogo 262

sanhaçu-pardo 261

sapinho-arborícola 74, 93

sapinho-arborícola 74, 93

sapo-cururu 74, 93

sapo-cururuzinho 74, 93

sapo-ferreiro 80, 97

saracura-carijó 217

saracura-do-mato 217

saracura-sanã 217

saracurinha-da-mata 217

savacu 208

sete-cores 265

socó-boi 208

socó-grande 209

socoí-amarelo 208

socozinho 209

soldado 271

suindara 226

suiriri 252

suiriri-pequeno 249

surucuá-de-peito-azul 233

talha-mar 160, 219

tangará 254

tapeti 316, 334

taraguira 118, 139

tatu-galinha 292, 324

tatu-peba 292, 324

teque-teque 245

tesoura 170, 252

tesoura-cinzenta 249

tesoura-de-fronte-violeta 231

tesourão 157, 166, 230

tico-tico 157, 267

tico-tico-do-campo-verdadeiro 267

tiê-de-topete 262

tiê-galo 263

tiê-preto 263

tiê-sangue 263

tigre-d'água 108, 137

tigre-d'água-de-orelha-vermelha 110, 137

tiriba-de-testa-vermelha 223

tiririzinho-do-mato 244

tiziu 268

três-potes 216

trinca-ferro-verdadeiro 269

tucano-de-bico-preto 235

tucano-de-bico-verde 235

tuim 223

tuju 228

tuque 246

uru 206

urubu-de-cabeça-preta 157, 211

urutau 228

veado-catingueiro 311, 331

verão 170, 248

verdinho-coroado 257

vira-folhas 240

viúva 264

viuvinha 250

Impresso em Novembro de 2007